DROEMER

Über den Autor:
Andrew Marr ist ein hochkarätiger britischer Politikjournalist, war Redakteur des *Independent* und politischer Redakteur der BBC. Außerdem moderiert er eine eigene Radio- und Fernsehsendung: Die »Andrew Marr Show«, die sonntagmorgens um neun Uhr ausgestrahlt wird, hat zwei Millionen Zuschauer und schlägt in der Regel hohe Wellen. Im Jahr 2007 produzierte Marr die Dokureihe »Andrew Marr's History of Modern Britain«.

ANDREW
MARR

DER PREMIERMINISTER

ROMAN

Aus dem Englischen von
Henriette Zeltner

DROEMER

Die englische Originalausgabe erschien 2014 unter dem Titel »Head of State« bei Fourth Estate.

Besuchen Sie uns im Internet:
www.droemer.de

FSC
www.fsc.org
MIX
Papier aus verantwortungsvollen Quellen
FSC® C083411

Vollständige Taschenbuchausgabe Dezember 2015
Droemer Taschenbuch

Ein Imprint der Verlagsgruppe
Droemer Knaur GmbH & Co. KG, München

Redaktion: Antje Steinhäuser
Covergestaltung: Network! Werbeagentur GmbH
Coverabbildung: Network! Werbeagentur GmbH
Satz: Adobe InDesign im Verlag
Druck und Bindung: CPI books GmbH, Leck
ISBN 978-3-426-30482-2

2 4 5 3 1

Für Harry Cameron Marr

Anmerkung des Autors

Dieses Buch entstand auf ungewöhnliche Weise. Schon lange hatte ich eine Politsatire schreiben wollen, die dazu beitragen sollte, zu erhellen, wie Regierung und Medien in manchen Aspekten tatsächlich funktionieren und dass das mit konventionellem Journalismus nichts zu tun hat. Peter Chadlington, Angehöriger der angesehenen politisch engagierten Familie Gummer, trug sich schon lange mit der Idee zu einem Roman rund um ein explosives Geheimnis im innersten Zirkel der Regierung. Wir wurden einander von meinem Agenten Ed Victor vorgestellt, und Peter schilderte mir seinen Plot. Im Anschluss trafen wir uns noch einige Male, besprachen die Möglichkeiten und den Ton des Buches. Dann verfasste ich den Roman, den als Erste Philippa Harrison, eine Legende in ihrer Branche, redigierte und anschließend noch Robert Lacey bei Fourth Estate.

Daher stehe ich bei Peter Chadlington in großer Schuld, da von ihm die ursprüngliche Idee stammt, um die sich die gesamte Handlung des Romans entwickelt. Er war außerdem auch so freundlich, mich einigen Persönlichkeiten aus der Politik und dem Finanzwesen vorzustellen, die halfen zu gewährleisten, dass die Einzelheiten so korrekt wie möglich sind. Trotzdem muss man sagen, dass Peter selbst mit Sicherheit ein ganz anderes Buch geschrieben hätte. Er dürfte demnach nicht alles billigen oder gutheißen, was am

Ende darin steht. Und selbstverständlich trägt er keinerlei Verantwortung für meine Privatfehden, Scherze und Idiosynkrasien. Einige der Charaktere und Geschichten im Roman leiten sich direkt aus meiner dreißigjährigen Tätigkeit als Reporter ab, aber natürlich ist fast alles darin Fiktion.

Andrew Marr,
April 2014

Vorwort

In den vergangenen fünfzig Jahren waren zwei meiner beständigsten Leidenschaften die Politik sowie die Kunst der politischen Überzeugung. Die Grundidee hinter diesem Roman hatte ich den größten Teil dieser Zeit im Sinn. Andrew Marr hat daraus mit leichter Hand politische Unterhaltung mit Verve und Witz gemacht. Ohne ihn würde sie mir immer noch lediglich im Kopf herumspuken.

Manche mögen die folgenden Seiten lesen und die Geschichte zu abstrus finden – »das könnte niemals passieren«. Aber wir sollten bedenken, dass vieles von dem, was uns heute als »normales« politisches Verhalten erscheint, vor fünfzig – oder sogar noch vor zwanzig – Jahren undenkbar gewesen wäre. Heute ist politisch anscheinend fast alles möglich.

Wie Andrew schon erwähnte, waren beim Schreiben dieses Romans die Ratschläge von Politikern und Finanzexperten eine große Hilfe, genauso wie der Zugang zu diversen Institutionen – einschließlich Number 10 Downing Street –, um sicherzustellen, dass die Umstände so realitätsgetreu wie möglich wiedergegeben werden.

Peter Chadlington
April 2014

Inhalt

Der Premierminister teilte dem House of Commons gestern mit, dass das britische Volk am Donnerstag, den 21. September, in einem Referendum definitiv über die Frage abstimmen wird, ob das Land seine Mitgliedschaft in der Europäischen Union fortsetzt oder nicht.

»Dies wird die Frage für die nächste Generation entscheiden und den Kurs dieser großen Nation für unsere Kinder und Enkel vorgeben«, erklärte er unter dem Jubel der Hinterbänkler der »großen Koalition«.

Die Ankündigung folgt zahlreichen Verzögerungen und Enttäuschungen derjenigen, die sich für ein solches Referendum starkgemacht haben. Der Premierminister bezeichnete es als eine Angelegenheit, die keinen Aufschub »um mehr als ein paar Monate duldet, um unser aller willen«.

Der Premierminister, der letzte Woche noch in Hannover war, um letzte Details seines Abkommens mit der deutschen Kanzlerin über eine lockerere, marktfreundlichere EU zu klären, versicherte dem Parlament, dass er unmissverständlich für ein »Ja« werben wird.

Mrs Olivia Kite, die bis vor kurzem unter dem Premierminister noch Innenministerin war und die nun die »Nein«-Kampagne von der Oppositionsbank aus führen wird, versprach eine »rückhaltlose, leidenschaftliche, aufrichtige und patriotische Kampagne«, um Groß-

britannien endlich davon zu überzeugen, sich von den Fesseln der von ihr so bezeichneten »weichen, korrupten Diktatur« Brüssels zu befreien.
Umfragen dieser Zeitung lassen ein knappes Ergebnis in drei Monaten erwarten, wobei der Charakter und die Führungsqualitäten des Premierministers ein wichtiger Entscheidungsfaktor für unentschlossene Wähler sein dürften.

National Courier,
London, Donnerstag, 22. Juni 2017

1

Montag, 18. September
Drei Tage vor dem Referendum

HAHN IM KORB

Ein hässlicher Wind wehte. Und es waren nur noch drei Tage bis zu dem Referendum, das Großbritanniens Schicksal besiegeln würde. Das Goldene Hähnchen wehte stolz vom Balkon im obersten Stock eines der abstoßendsten Gebäude in der City of London. Selbst unter den kindischen geschwollenen gläsernen Zacken, Käsereiben und Gemüsen, die die Skyline der Hauptstadt im Jahre 2017 bevölkerten, stach dieses Zuckerwerk der Achtziger in den Farben von Pastrami und Zitrone hervor: abscheuliche Farben, falsche Proportionen, billige Materialien. Architektur ist nun mal eines der sichersten Anzeichen für kulturellen und gesellschaftlichen Niedergang. Drinnen bot das Restaurant Golden Cockerel die Vorstellung eines leidenschaftslosen englischen Catering-Managers von ländlicher französischer Cuisine. In den letzten Jahren hatte der »Cock« eine gewisse unrühmliche Berühmtheit erlangt, weil seine Terrasse sich unter den Selbstmördern in der City zunehmender Beliebtheit erfreute.

Eine südasiatische Buchhalterin, die am Arbeitsplatz gemobbt worden war, hatte sich hier nach dem Abendessen in den Tod gestürzt. Ein Spekulant aus der City, dessen Verluste demnächst aufgeflogen wären, war die acht Stockwerke hinuntergesprungen, nachdem er sich noch ein paar

»Hahn im Korb«-Martinis gegönnt hatte. Der beinah berühmte und von seiner Gattin von vorne bis hinten hintergangene Präsident der Gesellschaft der Straßenhändler hatte vor einer Ansammlung seiner engsten Freunde noch eine witzige Rede gehalten und sich im Anschluss über das Geländer in den fließenden Verkehr geworfen. Er prallte vom Dach eines eben vorüberfahrenden Busses ab, bevor er sein Leben unter den Rädern eines Lkw aushauchte, der gerade Küchen auslieferte.

Die an diesem Montagmorgen im grauen Dämmerlicht auf dem Pflaster unter dem Cockerel in Fötushaltung daliegende Person war die erste Leiche der jungen Polizistin. Sie registrierte ein kurz geschnittenes dunkelblaues Jackett, eine deutsche Designerjeans, die bis zu den Knöcheln heruntergeschoben war, abgeschabte, aber neu aussehende englische Budapester, die in eigenartigem Winkel zueinander standen, und schließlich eine Mähne aus dunklen Locken in einer Lache aus klebrigem dunklen Zeug. Ein jugendlicher Mann, der attraktiv gewesen war. Daher gab es an diesem Morgen irgendwo ein besorgtes Mädchen. Oder vielleicht einen Jungen. Während Polizeiwagen mit Sirenen quietschend hielten und weitere Beamte herausquollen, die die Gaffer beiseitedrängten und die Stelle um die Leiche mit Klebeband markierten, starrte die Polizistin zu der vorspringenden Balkonbrüstung aus Metall und zu dem fröhlichen Vogel aus demselben Material hinauf, der im Wind hässlich quietschte.

Seltsam, dachte sie.

In dem rasch errichteten, behelfsmäßigen Zelt beugten sich grün uniformierte Sanitäter über die Leiche. Aber es bedurfte nur eines Blickes auf den verdrehten Körper, um zu wissen, dass da nichts mehr zu machen war.

Sie ging zum Eingang und rüttelte an der Tür des Golden Cockerel, die in die Eingangshalle und weiter zum Lift führte. Abgeschlossen. Alles war versperrt. Zu früh. Selbst die Putzkolonne würde erst in einer Stunde erscheinen. Wie war das also passiert? Es war nachvollziehbar, dass ein betrunkener verzweifelter Mensch spätnachts oder auch mitten in einer Mahlzeit übers Geländer sprang, aber wer verschaffte sich an einem Montagmorgen um sechs Uhr Zugang zum Cockerel und sprang *dann?* Es gab überall in der Gegend leichter erreichbare Schauplätze – die Themsebrücken beispielsweise.

Drei Stunden später, als die Leiche sich gerade leicht schaukelnd, aber auf einer Bahre festgezurrt in einem schnell fahrenden Lieferwagen befand, begann das Handy in der Hosentasche des Toten zu läuten.

KEN COOPER, VERÄRGERT

Der Anrufer war ein Mann von schwerer Statur im Fond eines Mercedes mit Chauffeur, der gerade im Verkehr der Londoner Stadtmitte feststeckte. Er befand sich auf dem Weg zur Redaktion einer der einstmals großen Zeitungen Großbritanniens, des *National Courier*.

Ken Cooper hasste es, auf dem Rücksitz zu fahren. Er hasste den Geschmack des heruntergeschlungenen Frühstücks in seinem Mund. Und er hasste den Geruch von warmem Leder. Er hasste auch die Übelkeit, die ihn beim Lesen all der Zeitungen überkam, während der Fahrer irgendeinem witzig-dämlichen DJ lauschte, der mit seinen – Kens – eigenen Lesern eine witzig-dämliche Radiosendung mit Hörerbeteiligung moderierte. Er hasste den Gedanken an die schlechte Laune beim Meeting mit den Wieseln aus der Marketingabteilung und den Frettchen vom Vertrieb, das am Beginn seines Bürotags stehen würde.

Wie würde es ablaufen?

»Kevin hat noch etwas Zielgruppenforschung betrieben, Chef. In der Zeitung gibt es zu viele alte Gesichter. Wir brauchen gut aussehende junge Leute. Wir brauchen weniger Politik. Ich habe etwas Vorarbeit geleistet, und wissen Sie, wie unsere ideale Story aussieht? Appetitliche reiche Kids werden vor dem Annabel's wegen ihrer Rolex-Uhren überfallen. Wir brauchen mehr Überfälle und mehr appetitliche reiche Kids.«

Reptilien. Wasserratten. Aber man konnte ihnen kaum einen Vorwurf machen. Heutzutage waren alle Zeitungen gleich, geführt von hektisch nervösen Kindern. Ken hasste langsam die Branche, die er stets so geliebt hatte.

Er hasste die clevere, von Ratten frequentierte Strecke, die sein Fahrer genommen und die sie direkt in dieses bucklige Chaos gebracht hatte, eine verstopfte Arterie aus sich kaum von der Stelle bewegenden deutschen Ingenieursprodukten.

Er hasste die Aussicht auf Lunch mit dem Sohn des Eigentümers, einem Hermelin mit Eton-Studium, der purpurfarbenen Tweed bevorzugte und dessen Freundin fast jedes Wochenende auf dem Cover der Hälfte der farbigen Beilagen zu sehen war. Er hatte nichts gegen den Eigentümer selbst, einen hartgesottenen Zyniker, der in den sechziger Jahren sein Geld mit Immobilien gemacht hatte. Aber den Sohn hasste er.

Und er hasste seinen Mercedes. Auf einem Fahrrad wäre er schneller gewesen. Wahrscheinlich sogar auf einem Bein hüpfend. Nie zuvor in der Geschichte der Menschheit hatte man so viel Ingenieurswissen aufgewendet, um so wenige Leute so langsam über so geringe Entfernungen zu transportieren. Aber man hätte mal versuchen sollen, das in die Zeitung zu bringen.

Denn ein Wagen mit Fahrer, das war eine der letzten Vergünstigungen für Herausgeber einer landesweit erscheinenden Tageszeitung, während ihre Auflagen schrumpften und ihre einst mächtigen Legionen von Reportern auf lachhaft kleine Truppen unterbezahlter Schwachköpfe zusammengekürzt wurden. Also nutzte er die Fahrt jeden Morgen, um seine eigene Zeitung zu lesen, dabei strich er wie wild Fehler und schlechte Überschriften an, dann überflog er die Konkurrenz und verfasste Listen der versäumten Storys oder der Blickwinkel, die seine Jungs übersehen hatten. Danach checkte er Witter, warf ein paar Ideen für die morgendliche Redaktionskonferenz zusammen und erledigte einige Telefonate, um sich selbst aufzumuntern.

Wenigstens im Büro gab es Ordnung, Hierarchie und klare Befehlsstrukturen. Ken hatte sich schon oft gedacht, wenn der häusliche Alltag so rund laufen würde wie der Büroalltag, dann wäre die Welt grundsätzlich in einem glücklicheren und geordneteren Zustand. Bei der Arbeit kannten die Leute ihren Platz und konnten einander ärgern oder amüsieren, ohne es sich zu verübeln. Hinter der Tür seines eigenen Hauses galten mysteriöserweise andere Regeln. Seine inzwischen Ex-Frau hatte es mit seinem hitzigen Temperament aufnehmen können, und bei den wenigen Ausbrüchen war sie mit ihren Fäusten schneller gewesen als er.

Sein erster Anruf heute Morgen galt dem Nachrichtenredakteur. Ein paar gute Nachrichten oder zumindest echte Nachrichten. Gestern Nachmittag war eine Leiche am Themseufer angespült worden, an einem Streifen Dreck direkt unterhalb von Battersea Park. Die Polizeiwache vor Ort, die von seinen Kriminalreportern geschmiert wurde, hatte dem *Courier* einen Tipp gegeben. Weihnachtskuverts waren durchaus noch üblich.

Die Polizei beschrieb die Leiche als die eines schwergewichtigen, nackten weißen Mannes Ende fünfzig oder Anfang sechzig. Kopf und Hände waren abgetrennt. Ein Mord der Russenmafia? Doch die Polizei hatte gesagt, der einzige Hinweis auf die Identität des Toten sei eine Tätowierung der Royal Navy. Um wen auch immer es sich bei dem Typ also handelte, er war Engländer gewesen.

Der Nachrichtenredakteur hatte den Job dem letzten ordentlichen investigativen Reporter der Zeitung gegeben: Lucien McBryde. Aber jetzt bekam Ken den arroganten kleinen Sack nicht dazu, an sein verdammtes Telefon zu gehen.

Er dachte darüber nach, dass McBryde sich schon in den letzten paar Tagen eigenartig benommen hatte. Er behauptete, einer sensationellen Politstory auf der Spur zu sein. Und es waren ja in der Tat sensationelle politische Zeiten. Das Referendum zerschnitt das Land in zwei Teile. Die Briten waren schon immer ein Volk gewesen, das nicht gerade zu politischem Enthusiasmus neigte – das war eines der großen Geheimnisse ihres Überlebens als Nation. Aber jetzt zerstritten sich Familien beim Abendessen und Büros wurden von Streitereien über ein Thema gespalten, das größer war als Fußball oder Waxing. Kens Wagen hatte bereits ein paar Plakatwände passiert, auf denen die faltige Boxervisage des Premierministers zu sehen war – »Ihre Wahl, Ihre Zukunft. Wählen Sie clever« –, und ebenso viele, wenn nicht mehr von der Anti-Europa-Kampagne, die jetzt die ehemalige Innenministerin Olivia Kite anführte. Letztere sah mit ihren roten Haaren, blassem Teint und leuchtend roten Lippen zunehmend wie Elizabeth I. oder zumindest wie Cate Blanchett aus – »Ihr Land, Ihre Wahl. Schenken Sie Ihren Kindern Freiheit«.

Aber falls Lucien McBryde den ohrenbetäubenden Streitereien über die Zukunft Britannias noch etwas hinzuzufügen hatte, dann hatte er es bislang jedenfalls weder dem Politikredakteur der Zeitung noch Ken selbst mitgeteilt. Er hatte nur gemeint, er sei da an etwas dran, das »alles verändern« würde. Dabei hatte er sogar noch entnervter und erregter gewirkt als sonst, obwohl das wahrscheinlich am Koks lag. Noch dazu hatte er sich vor kurzem von seiner Freundin getrennt.

An was auch immer McBryde gerade dran war, jedenfalls ging er nicht an sein Handy. Ken knurrte, beschloss, keine Nachricht zu hinterlassen, und stellte sein Telefon auf lautlos. Vielleicht gab es überhaupt keine Story und die ganze Sache war nur eine Ausrede. Es wäre nicht das erste Mal. Ken war froh, dass McBryde die kopflose Leiche vom Battersea Park bekommen hatte. Das würde ihn runterbringen. Ihn besänftigen. Man musste ihm etwas Handfestes geben, in das er seine Zähne schlagen konnte.

Aber trotzdem war es verdammt frech, seinen Anruf nicht entgegenzunehmen. Es war schon nach neun. Wie konnte der kleine Dachs es wagen, nicht ranzugehen?

KEN COOPERS WELT

Der Volontär war ein Experiment. Der Chefredakteur des *National Courier* betrachtete ihn als mögliche Krönung seiner beruflichen Laufbahn.

Heute Morgen bestand die Aufgabe des Volontärs darin, an einem Fenster zu sitzen, von dem aus man die Straße vor dem *National Courier* im Blick hatte, und aufzupassen, wann er den silbernen Mercedes erblickte, in dem der Herausgeber saß. Sobald das geschah, hatte er – »rasch, aber ohne zu rennen« – ins Büro des Chefredakteurs zu kommen und ihm das zu melden. In den etwa hundert Sekunden zwischen dem Erblicken des Wagens und Ken Coopers Durchschreiten der Drehtüren konnte der Chefredakteur den Redakteur für Auswärtige Angelegenheiten, den Wirtschaftsredakteur, den Kulturredakteur und den Sportredakteur zusammentrommeln. Sie würden gemeinsam im Foyer warten und sinnlos schmeichelnd vor sich hin lächeln, während Cooper auf den Lift zuging.

»Knapp unter der Million. Acht Prozent weniger als letztes Jahr, und zehn seit der Frühlingskampagne«, sagte der Chefredakteur.

»Leck mich am Arsch. Wir haben den Preis in den Midlands gesenkt und sitzen immer noch in der Scheiße? Der *Telegraph* hat nur sieben Prozent verloren, der *Guardian* auch sieben. Schon mal dran gedacht, ein paar Journalisten einzustellen?«

Der Chefredakteur brauchte überhaupt keine Journalisten einzustellen, aber das sagte er Ken Cooper nicht.

Der Nächste in der Reihe war der Auslandsredakteur. »Wir haben den Taifun in Malaysia total ignoriert, Chef. Zwanzigtausend Tote und nicht mal eine Zeile auf der Titelseite.«

»Leck mich am Arsch. Unter den zwanzigtausend war auch ein reiches Paar aus Chelsea mit seinem Sohn, der gerade in Harrow angefangen hatte. Die *Daily Mail* hat es gebracht. Wir nicht. Ihr Fehler. Nicht meiner.«

Dann der Wirtschaftsredakteur: »Eine heiße Geschichte von Sir Solomon Dundas, Boss. Die werden diese schottische Bank jetzt doch zerschlagen.«

»Leck mich am Arsch. Dundas ist ein egozentrischer

Wichser. Sein letzter Tipp war Müll. Ich will keine weitere Geschichte, in der er seine klebrigen Finger hat. Nie mehr.«

Der Kulturredakteur bot ihm die sechs besten Schokoladerezepturen an, einen Artikel dazu, warum Bloody Marys auf einmal wieder en vogue waren, und ein Interview mit dem Sohn von Mia Farrow. Ken erwiderte darauf, er solle ihn am Arsch lecken und wiederkommen, wenn er was verdammt noch mal Interessantes habe.

Der Sportredakteur, ein magerer, verhutzelter Typ mit Glatze und randloser Brille, kam erst an die Reihe, kurz bevor die Aufzugtür sich öffnete.

»Boss?«

»Ja?«, sagte Ken.

»Eigentlich nicht … Außer – Sie können mich mal, Boss.«

Ken lachte. Langsam fühlte er sich besser.

Genau die gleiche Vorstellung gab es jeden Morgen. Im Moment herrschte weniger Anspannung als sonst, weil sich alles in der Stadt um eine einzige Story drehte. Alle beim *National Courier* wussten, dass auf der Titelseite Referendum, Referendum, Referendum stehen würde. Thema der Karikatur wäre das Referendum. Auf den Meinungsseiten gäbe es Pro und Kontra zum Referendum. Der Leitartikel würde vom Referendum handeln. *Vielleicht*.

Es waren immer noch fünfundzwanzig Minuten bis zur morgendlichen Redaktionskonferenz. Genug Zeit, damit der Auslandsredakteur seinem Team sagen konnte, es könne ihn mal und solle ihm gefälligst was Interessantes liefern, damit der Wirtschaftsredakteur seinen Bankenkorrespondenten wissen lassen konnte, er solle ihn am Arsch lecken und sich gefälligst nicht immer nur auf denselben alten Informanten verlassen, damit der Kulturredakteur allen, die für ihn arbeiteten, erklären konnte, sie seien verdammte Nichtsnutze, und damit der Sportredakteur drei Zigaretten rauchen konnte. Auf diese Weise entstand eine großartige Zeitung.

Keiner sagte dem Volontär, er solle sich zum Teufel scheren. Keiner kannte auch nur seinen Namen. Er war ein gut angezogener junger Mann Anfang zwanzig, mit perfekter Frisur, ordentlichen Fingernägeln und einem Journalistik-Abschluss. Er hatte, wie bei allen Journalisten unerlässlich, ein überzeugendes Auftreten, gewisse literarische Fähigkeiten und ein gerüttelt Maß an rattenartiger Gerissenheit. Trotz dieser Vorzüge wurde er nur »He!« genannt. Wenn er sich darüber beim Chefredakteur beklagte, erklärte der ihm ziemlich wahrheitsgemäß, dass sein Name doch keine Rolle spiele, weil ja niemand ihn jemals wissen müsse. Wie er waren die meisten jüngeren Journalisten beim *Courier* Volontäre mit Berufserfahrung, die noch zu Hause bei ihren Eltern in Ealing, Primrose Hill oder Highgate wohnten. Weil die Zeitung angesehen und Jobs im Journalismus praktisch kaum zu finden waren, wurde keiner von ihnen bezahlt. Von diesem Arrangement profitierten alle. Die Eltern konnten vor ihren Freunden mit den prestigeträchtigen Jobs ihrer Kinder prahlen. Die Zeitung hatte ein beständiges Angebot von Gratis-Arbeitskräften. Und die Volontäre machten es sich auch ganz nett. Gelegentlich erlaubte sich der Chefredakteur, an die vielen tausend klugen jungen Leute aus ärmeren Familien zu denken, die niemals die Chance bekämen, im Journalismus zu arbeiten – aber er grübelte nicht zu lange, weil er genau wusste, dass das momentane System ökonomisch perfekt war.

Als er eines Tages an seinem Schreibtisch saß, fragte sich der Chefredakteur, ob reiche Eltern, die doch offensichtlich bereit waren, ihren Nachwuchs zu subventionieren, teilweise auch bereit wären, noch einen Schritt weiter zu gehen und sogar den *Courier* zu bezahlen, damit er ihre Kinder einstellte. Daher löhnte der Vater des Volontärs, irgendein Banker, im Moment 30.000 Pfund, damit sein Sohn für die Zeitung arbeiten durfte. Er betrachtete das Geld als gut angelegt: Wenn er 100.000 für ein Gemälde ausgab, damit er auf Dinnerpartys damit angeben konnte, und ein Vielfaches für langweilige Urlaube, um auch damit zu prahlen, dann waren 30.000 eine vergleichsweise geringe Summe, die es ihm ermöglichte, mit der journalistischen Karriere seines beschränkten, aber gutmütigen Sohns zu protzen. Die Hälfte des Geldes floss in die Kasse der Zeitung, die andere Hälfte ging an den Chefredakteur. Der fürchtete zwar, dass Ken Cooper eines Tages merken würde, was da ablief. Das würde dann ein unerfreulicher Tag werden. Und deshalb konnte der Volontär auch nicht ewig bleiben. Er war nur ein Experiment. In der Zwischenzeit nannten ihn alle »He!«. Der Volontär träumte davon, Klatschkolumnist zu werden, und ließ sich nicht entmutigen. Er zeigte Durchhaltevermögen. Und er glaubte fest daran, dass eines Tages auch zu ihm mal jemand sagen würde: »Leck mich.«

WIE MAN GESCHICHTE MACHT

In dem Moment, als Ken Cooper den Aufzug betrat, quetschten sich Lord Trevor Briskett und Ned Parminter, sein Forschungsassistent, gemeinsam in einen Pendlerzug, der Oxford verließ. Sie überflogen beide den *Courier* von heute Morgen. Lord Briskett las die Zeitung von der Mitte aus, beim Leitartikel und den Kommentaren beginnend, danach nahm er sich Wirtschaft und Politik vor, bevor er träge die Titelseite aufschlug. Das meiste dort hatte er schon in den Abendnachrichten des Vortags oder in den Siebenuhrnachrichten auf *Today* erfahren. Ein Prominenter sprach sich fürs Ausmisten aus, ein anderer hatte da eher Zweifel. Die Freundin von jemandem in einer Fernsehserie hatte sich in einem Club betrunken. Wehmütig sann er darüber nach, dass das Zeitalter der Tageszeitungen zu Ende ging.

Ned Parminter wischte auf seinem iPad mit dem Zeigefinger in irrem Tempo durch die Digitalausgabe. Wenigstens beschäftigte sich der *Courier* noch mit gewissem Engagement mit der Politik: Die Nachrichtenseiten schienen eher dahin zu tendieren, dass Großbritannien die EU verließ; bei den Kommentaren wurde die entgegengesetzte Meinung aggressiv vertreten.

Keiner der beiden nahm sich die Zeit, um den kurzen Bericht über die kopflose Leiche von Battersea zu lesen. Leichen, insbesondere kopflose, standen eindeutig in Zusammenhang mit der kriminellen Unterwelt und waren daher politisch unbedeutend. Briskett und Parminter waren an einer größeren Sache interessiert. »Clever wählen«. »Die Freiheit wählen«. Eine in zwei Fraktionen gespaltene Nation.

In seinem typischen groben grünen Tweed, mit dem Kranz aus krausen weißen Haaren und der schweren Hornbrille – was einen gleichzeitig an A. J. P. Taylor und an Bamber Gascoigne erinnerte – war Trevor Briskett durch seine Fernsehauftritte prominent genug, sodass seine Mitreisenden zweimal hinsahen. Auf den Straßen von Oxford – diesem überfüllten, schnatternden Ententeich der Eitelkeit und der gerupften Federn – war er sogar so bekannt, dass Leute ihn auf der Straße anhielten.

Und das mit Recht. Denn Briskett war der beste Politikhistoriker des späten 20. und des frühen 21. Jahrhunderts. Seine früh verfassten Biografien – über Blair, Thatcher, Johnson – wurden immer noch gedruckt, während die Memoiren zahlreicher längst vergessener Politiker schon längst in wohltätigen Secondhand-Läden oder Recyclingcontainern verschwunden waren, nachdem sie sich nur mäßig verkauft hatten. Brisketts Abhandlung über die moderne Verfassung war mit den Werken des viktorianischen Meisterjournalisten Walter Bagehot verglichen worden. Seine Geschichte der britischen Intelligenzija während des Kalten Krieges war von genau den richtigen Leuten gepriesen worden. Als emeritierter Professor in Wadham und Gewinner zahlreicher Literaturpreise war er vor fünf Jahren als Parteiloser ins Oberhaus aufgenommen worden, nachdem er eine königliche Kommission zu Sicherheitslücken im Verteidigungsministerium geleitet hatte. Inzwischen galt er als sicherer Tipp für die nächste Verleihung des Verdienstordens.

Doch irgendwie schien dieser dekorative Zierat, dessen Last ihn weich, langsam und träge hätte machen können, kaum sichtbare Wirkung auf Trevor Briskett zu haben. Mit seinen siebzig Jahren war er so messerscharf, jungenhaft begeistert, boshaft tratschsüchtig und lachte noch genauso dreckig wie schon mit dreißig. Welche Form von Pornografie genau auf dem verlorengegangenen Laptop eines Ministers gefunden worden war. Der Versuch, einen älteren Minister wegen des Kokainkonsums seiner Gattin zu erpressen. Mit wem genau Olivia Kite gegenwärtig ins Bett ging … Wenn man all das wirklich wissen wollte, dann ging man zu Briskett. Der tippte sich dann an die Nasenspitze, beugte sich zu einem, grinste wölfisch, sagte »Dear boy« und plauderte alles aus.

Daher hatte man es auch für eine ziemlich mutige Entscheidung gehalten, als der Premierminister verkündete, er habe Briskett zum offiziellen Historiker des großen Europareferendums ernannt. Der PM, selbst ein Hobby-Historiker, hatte argumentiert, die Entscheidung, vor der das britische Volk jetzt stünde, sei von so weitreichender Bedeutung, dass man ihr – der britischen Nation – einen anständigen, tiefgründigen Bericht eines anständigen Autors darüber schulde. Briskett bekäme, so hatte er versprochen, für die Dauer der Kampagne einen noch nie da gewesenen Zugang zu den Mitgliedern seines engsten Zirkels. Er würde in Downing Street willkommen sein, Kopien der E-Mails und Strategiepapiere erhalten – einfach alles. Und wenn alles vorüber war, dann würden die Leute vielleicht sogar tatsächlich sein Buch lesen.

Kaum hatte der PM das bekanntgegeben, da ließ Olivia Kite im Namen der Aussteiger via Pressemitteilung wissen, dass auch sie Lord Briskett bewundere, für eine Autorität und unabhängige Stimme halte. Daher würde sie ihm den gleichen Zugang zu ihrem Team gewähren.

Die politischen Kommentatoren befanden, die Entscheidung des PM, der Zeitgeschichte zu gewähren, was Briskett »den ultimativen Ringplatz« nannte, sei Beweis seiner großen Zuversicht bezüglich des Ausgangs des Referendums. Seinen Gegnern schadete allein schon seine offenkundige Siegesgewissheit und der Vorsatz, diesen Sieg zur absoluten Rechtfertigung seiner Amtsinhaberschaft zu machen. Olivia Kite blieb nicht viel anderes übrig, als Briskett in Prince Ruperts Zelt ebenso willkommen zu heißen wie in Cromwells.

Briskett bewegte sich gewandt in diesem warmen Rampenlicht. Er wollte, so weit als möglich, alles selbst machen. Nur seinen Protegé Ned Parminter brachte er mit.

Den schüchternen, aber brillanten Doktoranden, von dem Briskett meinte, er könne eines Tages vielleicht selbst ein bedeutender Zeitgeschichtler werden.

Parminter sah mit seinem drahtigen schwarzen Bart und den durchdringenden schwarzen Augen aus wie ein orthodoxer Priester in Zivil. Obwohl er Brisketts weltmännischen Sinn für Humor teilte, hatte sein romantischer englischer Patriotismus etwas Fanatisches an sich.

Zusammen ergaben die beiden ein ziemlich ausgeglichenes Team: Brisketts Vergnügen an politischer Schläue à la Westminster ließ ihn zum überlebensgroßen, prinzipientreuen, aber auch skrupellosen Premierminister tendieren. Parminter dagegen, ein Spezialist für die Entwicklung des Parlaments im 17. Jahrhundert, stand selbstverständlich auf der Seite von Olivia Kite. Die beiden hatten aber natürlich ihre Zugehörigkeiten in diesem Punkt niemals besprochen.

Nun waren sie auf dem Weg zu einem Treffen mit dem Premierminister höchstpersönlich. Während der Zug durch West London Richtung Paddington rollte, beugte Briskett sich auf seinem Sitz vor.

»Ned, Sie treffen dann noch dieses … Mädchen, nach unserem Rendezvous?«

Parminter kratzte sich den Bart unterm Kinn, ein Zeichen seiner Verunsicherung, bevor er zögernd antwortete. »Sie ist von unschätzbarem Wert. Sie ist in alles im Rahmen der Kite-Kampagne eingeweiht. Sie liest alle E-Mails, alle SMS von Kite, auf ihrem offiziellen BlackBerry und auf ihrem privaten. Sie kopiert uns in jedes einzelne Dokument rein.«

»Und weiß die immer reizende Mrs Kite das?«

»Offensichtlich. Ich denke, das muss sie. Jen ist zuallererst loyal, also schätze ich, dass es Kite nichts ausmacht.«

»*Gutes* Kind. Und auch gut für Sie.«

»Da wäre allerdings noch eine Sache. Die ist ein wenig seltsam. Sie scheint auch ziemlich gut Bescheid darüber zu wissen, was auf der Gegenseite vor sich geht. Weit mehr, als sie wissen sollte. Versteckte Verbindungen zu Number 10, vielleicht.«

Briskett rieb sich vergnügt die Hände.

»Wirklich? Schläft sie etwa mit dem Feind? Köstlich. In einem Augenblick wie diesem liegt unser Hauptaugenmerk darauf, was in den jeweiligen Hauptquartieren passiert. Ned, lassen Sie uns in den Angstzuständen schwelgen, in den kleinen Fehden, dem ungerechtfertigten Pessimismus und der närrischen Vermessenheit. Aber in gewisser Hinsicht ist das am wichtigsten, was sich am schwersten aufdecken lässt. Ich meine, was *zwischen* den Lagern passiert. Dort verbergen sich die größten Geheimnisse. Und wie lautet der vollständige Name dieses faszinierenden Wesens, Ned?«

»Jennifer Lewis. Aber sie präferiert Jen. Ich kenne sie schon seit der Uni.«

Briskett schnaubte missbilligend.

»Sie meinen, dass Sie sie schon seit Ihrer Zeit in Oxford kennen. Ich kann diese sich windende Selbsterniedrigung von wegen ›Uni‹ nicht verstehen. Es wäre etwas anderes, wenn es Keele gewesen wäre, aber ich vermute – in Anbetracht der Jugend und Prominenz dieser Dame –, dass sie auch in Oxford war. Oder, die Ärmste, etwa in Cambridge?«

»Somerville.«

»Hmm. PPE, Philosophy, Politics and Economics?«

»Genau.«

»Nun ja …«

Die beiden Männer verfielen in Schweigen, das andauerte, bis der Zug fast in Paddington einfuhr.

Aber Jennifer Lewis würde es an diesem Nachmittag nicht zu ihrer Verabredung mit Ned Parminter schaffen. Ein paar faszinierende neue Umfragewerte waren über Nacht reingekommen und erforderten einige späte Änderungen an der Kampagne. Daher befand sie sich gut sechzig Meilen östlich von London und jonglierte Zahlen im prachtvollen Ambiente von Danskin House. Olivia Kite wandelte inzwischen in einem kurzen, fast durchsichtigen Kimono zwischen den Reihen der freiwilligen Unterstützer auf und ab und checkte die Nachrichten auf ihrem Handy. Niemand dachte auch nur daran, ein Foto von ihr zu machen. Sie waren ein straffes, loyales Team.

Nach dem Frühstück ersetzte Olivia den Kimono durch ein Kostüm von Issey Miyake in kräftigen Farben. Es war ihr ein Anliegen, sich für jeden Arbeitstag in ihrem eigenen Zuhause so zu stylen, als ginge es zu einer Audienz beim König im Buckingham Palace. Aber immerhin hatte der sie im Laufe der Kampagne schon ein halbes Dutzend Mal angerufen. Einige der Unterhaltungen dauerten bis spät in die Nacht.

Danskin House war das Herz der Nationalismus-Bewegung. Es war das Hauptquartier der Rebellen, ein Symbol der Herausforderung von Westminster, wie damals Oxford, als König Charles I. seine Standarte dort vor fast vierhundert Jahren aufgepflanzt hatte. Dennoch war es ein seltsamer Standort für britischen Patriotismus. Das Haus erinnerte in seiner Form vage an die Renaissance und war mit holländischen Kacheln verziert, und die Dächer und Türmchen schimmerten blassblau und orangefarben. Das Anwesen rühmte sich eines italienischen Gartens mit Reproduktionen römischer Statuen aus dem 18. Jahrhundert sowie einem griechischen Tempel oberhalb eines Sees. Ein langer Flur im Haus war mit deutschen Ritterrüstungen dekoriert und mit ein paar ziemlich guten Gemälden, darunter eines des Holländers Pieter de Hooch und eines des spanischen Papisten Murillo. Das einst ungesunde Stückwerk aus der Tudorzeit war nach der Glorious Revolution umfassend im nordeuropäischen Stil umgebaut worden – daher die glasierten Kacheln, Statuen und gekalkten Wände.

Der gegenwärtige Hausherr, Olivia Kites Ehemann Reeder, war halb Amerikaner, halb Ägypter. Doch weil das Haus zufällig pittoresk an einem kleinen Flüsschen in Essex lag, war Danskin schon lange zu einem Wahrzeichen von Englishness geworden. Gern gezeigt in TV-Dokus über Jane Austen und Schauplatz in *Christ Almighty*, einer Hollywood-Adaption von Evelyn Waughs Biografie über Ronald Knox aus jüngerer Zeit.

An diesem speziellen Morgen lehnte sich ein begriffsstutziger Bursche auf dem Rasen an seinen Rechen und beobachtete eine Prozession von Autos auf dem knirschenden Kies der Auffahrt. Die Passagiere verschwanden zwischen den Säulen und dann im Haupteingang des Hauses. Der Junge spuckte auf den Boden. Er war vielleicht ein Narr, aber nicht so dumm, dass er nicht gewusst hätte, was da vor sich ging.

Im Barockgarten hinter dem Haus spazierte Reeder Kite an der bröckelnden trostlosen Venus und dem amputierten Adonis vorbei und dehnte in der spätsommerlichen Hitze seinen Rücken. Schon verblühte Rosen gaben einen sinnlich klebrigen Duft ab, der noch intensiver wurde, als das lebendigere Aroma der Duftwicken vom Spalier rund um die Sonnenuhr dazukam. Schmetterlinge und Bienen schwebten über Beeten mit fetter, feuchter Erde, die dicht mit Sterndolden, Allium und Akelei bewachsen waren, dazwischen hatten sich ein paar Wicken und Weideröschen geschmuggelt. Fruchtbarkeit allenthalben.

Reeder kratzte sich an der Innenseite seines Oberschenkels und fragte sich, wie bald nach dem Mittagessen er zurück nach London abhauen konnte, wo seine Geliebte in ihrer Wohnung in den umgebauten Stallungen faulenzte. Er bewunderte seine neuen Nike-Turnschuhe, die immer noch kräftigen Beine, spannte den Bauch an – auch da gab es noch ein paar Muskeln –, warf die Arme vor sich in die Luft und ging in die Hocke. Zufällig blickte Olivia im selben Moment aus dem Fenster und sah ihren Mann seine Kraft- und Gleichgewichtsübungen absolvieren. Er sieht aus wie ein Walross, das Ballett tanzen will, dachte sie.

Zwischen den Temperaturen drinnen und draußen herrschte ein seltsames Missverhältnis. Innerhalb seiner Mauern war Danskin kalt wie der Tod. Im Verlauf der letzten paar Monate hatte die Frau in den Stallungen in London jede menschliche Wärme beseitigt, die es bis dahin hier gegeben hatte. Die Wirkung von Reeders Ehebruch hatte sich wie Eisnebel ausgebreitet, war durch die Flure und bis unter die Betten geweht. Olivia wühlte nicht mehr in seinem E-Mail-Postfach oder spionierte in seinen Mobiltelefonen, sondern sie hatte ihren Zorn in ein letztes energiegeladenes Zucken im Rahmen der Referendumskampagne umgeleitet. Allmorgendlich tauschte die Familie am Frühstückstisch nur kühle Plattitüden aus. Lange Phasen des Schweigens und vorwurfsvolle Blicke waren an die Stelle der früheren Fassade aus Anstand und Höflichkeit getreten.

Wie um den Zerfall der Familie nachhallen zu lassen, waren aus den wichtigsten Räumen im Erdgeschoss Bilder, Bücher und kleiner Hausrat entfernt worden. Schachteln mit alten Fotos, den ersten Fußballschuhen, Duftkerzen, CDs und ungeliebten Weihnachtsgeschenken waren in die Schränke gestopft und dort vergessen worden. Die geisterhaften Umrisse türkischer Teppiche waren noch auf den kahlen Holzböden zu erkennen. Wo einst elegante Reproduktionen antiker Sessel und polierte Beistelltischchen gestanden hatten, befanden sich jetzt reihenweise eilig zusammengebaute Schreibtische und Plastikstühle. Kabel ringelten sich von Computern und Druckern in alle Richtungen durch das ehemalige Esszimmer, Wohnzimmer und die zweite Küche. Kartons voller Akten, beschriftet mit dicken Filzern, stapelten sich in den Ecken. Karten von Wahlkreisen, bekritzelt mit Ziffern und Namen, waren an die Wände gepinnt, in jedem Raum standen Flachbildfernseher, auf denen permanent die Nachrichtenkanäle von BBC und Sky liefen. Während der Arbeitsstunden waren die Zimmer voll mit schick gekleideten jungen Leuten, die sich mit ernsten Mienen über ihre Schreibtische beugten. Die Köpfe waren an Telefone gepresst und die Hälse selbst dann seitlich geknickt, wenn ihre Finger über die Tastaturen tanzten. Draußen waren als Hintergrundgeräusche Summen und Rauschen zu hören – das lebhaft ländliche England eben; drinnen dagegen klapperten die Tastaturen und man vernahm Gemurmel.

Zunächst hatte Olivia Kites Entscheidung, das Hauptquartier der Kampagne »No to Europe, Democracy First« von Westminster weg in den teuren Landsitz zu verlegen, wo gerade ihre Ehe endete, unerklärlich geschienen. In Wirklichkeit war es jedoch ein Geniestreich, denn es distanzierte die Kampagne vom politischen Establishment in London und schweißte die mehreren hundert hingebungsvollen Mitarbeiter am Arsch der Welt zusammen. Deren erzwungene Kameradschaft bewirkte, dass ihre Bewegung sich inzwischen wie ein Volksaufstand anfühlte – und in gewisser Weise war sie das ja auch. Griechenland war quasi explodiert, Spanien spaltete sich gerade, Frankreich war auf dem Vormarsch; und nun war Großbritannien an der Reihe. Weit weg vom ältlichen, zynischen Whitehall war das hier ein Spitfire Summer wie damals 1940. Und für die Männer und Frauen, die unter Olivia Kite dienten, war Danskin House die Kommandozentrale.

Dabei lag das Haus in Wirklichkeit gar nicht so abgeschieden. Gleich hinter dem Wald aus Eichen und Weißkiefern, der den Barockgarten und den kleinen Park umgab, befand sich eine geschäftige Ortschaft mit einer guten Verkehrsanbindung an die M 11, über die ein endloser Strom von Lastwagen floss. Die brachten Autos aus Deutschland und Container mit fast allem anderen aus China. Um zum lokalen Bahnhof zu gelangen, musste man von Liverpool Street aus nur ein einziges Mal umsteigen. Und die einheimischen Taxifahrer hatten sich inzwischen daran gewöhnt, dass Minister, Anführer kleinerer Parteien, ganz zu schweigen von Fernsehjournalisten und anderen Mitläufern, mit den Morgen- bzw. Abendzügen eintrafen, ungemein wichtig taten und nach »Mrs Kites Haus« fragten.

Trotz der Containerschiffe, die alle paar Stunden in den Hafen einliefen, war die Europäische Union in diesem nördlichen Winkel von Essex ausgesprochen unbeliebt. Union Jacks flatterten vor Pubs und öffentlichen Gebäuden. Mrs Kite war, teilweise auch wegen der rücksichtslosen Untreue ihres Mannes, über die hier reichlich getratscht wurde, in der Gegend ungemein populär.

Was Olivia selbst betraf, so hatte sie ihr häusliches Territorium zurückgewonnen und ihm den Stempel ihrer politischen Identität aufgedrückt. Ihr feiger herumschleichender Ehemann begann schon, sich als Fremder in seinem eigenen Zuhause zu fühlen. Lionel, ihr ältester Sohn, der gerade eine REM-Phase durchlief, nannte seinen Vater einfach nur noch den Tölpel. »Sich ein gutes Leben zu machen, ist die beste Rache«, hallte es von den Flurwänden im ersten Stock wider, wenn Olivia ins Froschgesicht ihres Mannes starrte, der unten im Garten herumhampelte. Und sie dachte sich: Nein, das ist es verdammt noch mal nicht. Mit Stilettoabsätzen über sein Gesicht zu trampeln, bevor ich all seine Träume direkt vor seinen Glotzaugen verbrenne, ihm die Fingernägel einzeln ausreiße und ihn in den Zeitungen demütige … das wäre die beste Rache. Aber wenn die Möglichkeit nicht zur Wahl steht, dann schätze ich mal, ist ein gutes Leben eine akzeptable zweitbeste Variante.

Olivia war Kommandantin der »Cavaliers«. Doch sie hatte nicht die Absicht, ihren Kopf zu riskieren. Sie kam eher nach Oliver Cromwell als nach einem der trägen Stuarts. Jennifer Lewis dagegen sah schon eher aus wie eine Cavalier Lady: hochgewachsen, kurvenreich, zart, mit hellem Teint und Haaren, deren Farbe fast unbeschreiblich war – maisgelb und kupferrot, wie silberne Birken mit kleinen Flammen. Grüne Augen und große zupackende Hände machten sie aber auch gleichzeitig zur Kämpferin; ein eifriger Fußsoldat in Olivia Kites parlamentarischem Aufstand. Olivia behandelte sie fast wie eine Tochter und verließ sich voll und ganz auf das verblüffende Zahlenverständnis und das unprätentiöse politische Gespür der jüngeren Frau.

Während der hektischen Wochen der Referendumskampagne war Jen fast ununterbrochen an der Seite ihrer Chefin. Ungerührt nahm sie Anrufe entgegen und erteilte Anordnungen. Heute wirkten ihre provozierenden Augen jedoch gedankenverloren. Sie musste ständig an das letzte Meeting mit ihrem Ex-Lover, dem Zeitungsreporter Lucien McBryde, denken. Ein Mann mit beträchtlichem Talent zur Selbstzerstörung, schien er jetzt in spektakulärer Geschwindigkeit zugrunde zu gehen. SMS, die sie im Laufe des Wochenendes erhalten hatte, informierten sie darüber, dass er ihr selbst jetzt noch Nachrichten über ihr sehr privates System geschickt hatte.

2

Samstag, 16. September
Fünf Tage vor dem Referendum

VÄTER UND SÖHNE

Zwei Abende zuvor war Lucien McBryde langsam die St James's Street hinaufgegangen. Tief in Gedanken versunken. (Aber nicht tief genug: Es war sein letztes Wochenende unter den Lebenden, obwohl er sich dessen nicht bewusst war. Hätte er es gewusst, dann hätte er wohl das lachsfarbene Licht neben den Gebäuden, den unverwechselbaren Duft des Spätsommers in der Stadt und den über dem St James's Palace kreisenden Turmfalken intensiver wahrgenommen.)

Samuel Johnson vertrat die Ansicht, ein gutes Leben zu leben bedeute, sich moralisch so zu verhalten, als sei man kurz davor zu sterben, während man seinen täglichen Geschäften nachging, als habe man noch weitere fünfzig Jahre zu leben.

Lucien McBryde tat keins von beidem.

Moralisch waren seine größten Schwächen Faulheit und Verantwortungslosigkeit gemildert durch Charme, die Abhängigkeit von einem stimulierenden Pulver und von einem weiteren Stimulans: starken Frauen. Zu seiner Verteidigung hätte er wohl darauf hingewiesen, dass viele Männer sie lediglich als komplizierte und teure Werkzeuge für ihr eigenes Vergnügen betrachteten, während er ein aufrichtiger Bewunderer der Frauen war – ihm gefiel, wie sie rochen und schmeckten, gingen und sprachen – und dass sie dies zu spüren schienen.

»Im Grunde genommen«, pflegte er zu verkünden, »bin ich eine männliche Lesbe.«

In seinem Berufsleben benahm McBryde sich, als hätte er ein endloses, faszinierendes Leben mit unbegrenzten Möglichkeiten für zweite Chancen und Nachverhandlungen um fünf vor zwölf. Seine Steuererklärungen, Rechnungen, Geldanlagen, Altersversorgung und seine Passwörter waren ein einziges Chaos. Fast zehn Jahre lang hatte Lucien McBryde unbeschwert von einem Tag auf den anderen gelebt. Doch sein Vorrat an Sonnenaufgängen und goldenen Sonnenuntergängen erschöpfte sich soeben.

An diesem Abend plagte McBryde pochendes Zahnweh. Er lokalisierte den Schmerz mit der Zunge. Schmerz suchte den Schmerz. Während er mit der Zungenspitze den hinteren Teil seiner Mundhöhle untersuchte, dachte er an die Ereignisse vor zwei Monaten zurück. Damals war sein Vater gestorben, und sein eigenes Leben hatte begonnen, außer Kontrolle zu geraten.

Den alten Robson McBryde, Luciens verwitweten Vater, hatte man nur schwer gernhaben können. In Luciens Fall mochte das vielleicht auch daran liegen, dass die beiden altersmäßig nicht eine, sondern fast zwei Generationen auseinanderlagen. Doch der Hauptgrund war, dass er einem Mann wie seinem Vater nie das Wasser reichen konnte. Mit seinem Gesicht, das an einen Weißkopfseeadler erinnerte, zerfurcht und vernarbt von Konzentration und Humor vieler Jahrzehnte, war Robson McBryde eine Legende in der Londoner Zeitungsmeile Fleet Street und darüber hinaus gewesen: ein Kriegsheld, der anschließend Karriere als Auslandskorrespondent im Nahen Osten gemacht hatte. Für den *Guardian* hatte er über die ersten

Flüchtlingslager in Gaza mit solcher Grausamkeit berichtet, dass der dezente Hinweis eines großen Werbekunden beim makellos liberalen Herausgeber damals zu seiner Entlassung wegen des unausgesprochenen Vorwurfs von Antisemitismus führte.

Robson ging als erbarmungsloser Moralist auf dem Gebiet der Außenpolitik zu anderen Zeitungen und produzierte unendlich viele hellsichtige und faktenstrotzende Spalten über die Unmoral der britischen Außenpolitik im Nahen Osten und anderswo. Bereits in den Suez-Debatten von 1956 wurde er im Unterhaus als Autorität zitiert und galt als die Nemesis des damaligen Premierministers in der Presse.

Lucien war im bedrohlichen Schatten der moralischen Gewissheiten seines Vaters aufgewachsen. Es war eine Kindheit mit auf dem Frühstückstisch ausgebreiteten Zeitungen und wütend pochenden Zeigefingern, mit Tiraden nach der Schule und traurigem Kopfschütteln über sein mangelndes Interesse am Tagesgeschehen und, ganz grundsätzlich, seine akademischen Leistungen. Der alte Robson, ein Liberaler und Fabier der alten Schule, hätte nie die Hand gegen ein Kind erhoben, doch seine beständige Enttäuschung, durchsetzt von gelegentlichen Zornesausbrüchen mit Türenschlagen, ließ ihn zu einem brutal destruktiven humanitären, *Guardian*-lesenden Menschenhasser werden. Sein Sohn, der mit seinem Schachspiel oder vor dem Fernseher auf dem Boden lag, hatte davon geträumt, von den Eltern seines besten Freundes Jonathan aufgenommen und adoptiert zu werden. Das waren freundliche Leute, die keinen besonderen Standpunkt vertraten.

Der Vater hatte seinen Sohn nie als intellektuell ebenbürtig betrachtet. Luciens Versuche, ihn zu beeindrucken, sei es durch Schulaufsätze oder im Gespräch, endeten meist in Schweigen mit harten Augen oder sarkastischen Erwiderungen. (»Ha! Unser selbstgezogener Henry Louis Mencken aus Islington hat, wie es scheint, Ernie mit Nye verwechselt« oder: »Der junge Bob Woodward, nehme ich an? Iran und Persien sind *verdammt noch mal* dasselbe«.) Es ist ja erstaunlich leicht, das Selbstvertrauen eines jungen Mannes zu zerstören.

Als Lucien schließlich nach der Universität einen Job als Klatschreporter bei einer mittelgroßen Zeitung fand, versuchte er nicht einmal, seinen Vater davon zu überzeugen, dass das ein ehrenwerter Broterwerb war. Der alte Mann pflegte jahrelang seine Enttäuschung und versäumte keine Gelegenheit, um die preisgekrönten Altersgenossen seines Sohns zu loben und um ihm peinliche Fragen zu den Quellen seiner kleinen Knüller zu stellen.

Früh in seiner Karriere war Robson Ken Cooper, dem jetzigen Herausgeber des *National Courier,* behilflich gewesen. Seit damals waren sie Trinkkumpane geblieben, die alle paar Monate gemeinsam zu Mittag aßen. Ursprünglich waren sie zu dritt gewesen, aber der engagierte, drahthaarige junge Politiker, der so eine hervorragende Gesellschaft gewesen war und sie jahrelang zum Brüllen vor Lachen gebracht hatte, war ihnen abhandengekommen, weil zu beschäftigt und ehrgeizig für durchzechte Nachmittage. Nachdem er sich in den Jahren von Blair, Brown und Cameron eher bedeckt gehalten hatte, wunderte es keinen der beiden Journalisten, als er relativ spät in seinem Leben von sich reden machte und erst Parteichef, dann Premierminister wurde.

Sich selbst überlassen, waren ihre Mittagessen fast zu einer stummen Angelegenheit geworden, aber irgendwie überdauerten sie Kens anhaltenden Erfolg in der glitzernden, flachen, modernen Zeitungswelt. Da sie an den entgegengesetzten Enden des politischen Spektrums standen, hatten die beiden Freunde sich auf einen Waffenstillstand geeinigt, bei dem das einzig angemessene Thema der katastrophale Niedergang des Landes war. Ihr übliches Spiel war der Versuch, neue Anzeichen zu erkennen und deren Ursprünge zu ergründen.

Nach zwanzig Minuten düsteren Schweigens sagte Ken beispielsweise: »Unangemessen«.

Mit ein bisschen Glück brachte Robson genügend Interesse auf, um darauf einzugehen.

»Unsere Vorfahren sprachen noch von der Sünde des Menschen, du und ich … also, wir pflegten zu sagen, etwas – keine Ahnung, Kindesmisshandlung oder der Versuch, in der Öffentlichkeit die eigene Frau zu erwürgen – sei böse. Heutzutage ist es bloß noch verdammt *unangemessen*. Das ist der verdammte schlimmste Ausdruck, den sie haben.« (»Sie« stand für alle unter fünfzig.)

Robson schlürfte weiter seine Suppe, Ken rupfte seinen Salat kurz und klein. Schließlich stieß einer von ihnen »Schlachter« hervor.

Und so ging es weiter. Manchmal funktionierte der Eröffnungszug auch nicht. »Klettverschlüsse. Verfluchte Klettverschlüsse«, gab beispielsweise Robson von sich, aber Ken schaute nur ausdruckslos hoch und zuckte mit den Achseln. Danach waren weitere etwa dreißig Minuten freundlich verzweifeltes Schweigen garantiert.

Nur bei einem einzigen Thema runzelte Robson die Stirn und zeigte sein Missfallen.

»Dein Junge ist nicht total dämlich, weißt du«, sagte Ken gelegentlich. »Hat letzte Woche eine nette kleine Geschichte geliefert …«

Lucien war vom stellvertretenden Herausgeber des *Courier* eingestellt worden, aber Robson weigerte sich zu glauben, dass es nicht Protektion gewesen war und verzieh Ken diese vermeintliche Weichheit nicht.

Dabei hatte Ken recht: Lucien McBryde war wirklich nicht total dämlich. Und so war er mit gebrochenen Flügeln von Ast zu Ast geflattert und verdiente schließlich beim *Courier* genug, um sich amüsieren und anständig kleiden zu können. Auch wenn er nicht ausdauernd genug war, um sich eine Immobilie oder irgendein anderes Zubehör des ernsthaften Erwachsenenlebens anzuschaffen.

Lucien war nicht auf der Flucht vor seinem Vater. Eine solche Strapaze hätte ihn abgeschreckt. Eher joggte er lässig vor der Verantwortung eines Erwachsenen davon. Und während er die St James's Street hinaufging, schmeichelte er sich selbst damit, dass ihm wenigstens das einigermaßen gut gelungen war. Allerdings war er dann über Jen Lewis gestolpert und abgestürzt. Kopfüber, ohne Reißleine, hatte er sich im freien Fall verliebt.

MÜTTER UND TÖCHTER

Allem Anschein nach – und erst recht wenn man ihr elfenbeinfarbenes, ovales Gesicht und den sinnlich herausfordernden Mund betrachtete – hätte Jennifer Lewis' Hintergrund nicht in größerem Gegensatz zu ihrer Person stehen können. Sie war von einer gestrengen Tante in einem alten Pfarrhaus in Devon großgezogen worden und hatte die Royal Girls' Academy vor den Toren von Exeter besucht. Dort hatte sie einen prachtvoll normalen Eindruck gemacht. Doch Jennifers Kreuz, die schmerzhaft auf ihren schmalen Schultern scheuernde Last, war stets ihre Mutter gewesen. Myfanwy Davies-Jones, eine walisische Dichterin und Romanschriftstellerin mit blonder Mähne und einem Ruf zum Erröten, war im Juli 1963 in der King's Road aufgeschlagen. Wenn auch nicht direkt aus ihrer Schule in einem Bergarbeiterdorf. Aber jedenfalls hatte sie sich kopfüber in die Society von West London gestürzt. Und das waren die aufregendsten und ausschweifendsten Jahre, die diese schmutzigen Straßen mit ihren Reihenhäusern und staubigen Parks je erlebt hatten.

Sie wirkte anziehend auf die Reichen und die Gefährlichen – Männer wie Lord Croaker, der Vermögen durchbrachte und einen Zoo besaß, und den rechtslastigen Journalisten und Politiker Sir Rufus Panzer. Vor Urzeiten war Panzer Kommunist gewesen und hatte sogar freiwillig als Maschinengewehrschütze in einem roten Korps im Spanischen Bürgerkrieg gekämpft. In seinen Sechzigern war er jedoch ein hagerer und extremer Förderer der aufblühenden Rechten bei den Tories gewesen. Trotzdem hatte Margaret Thatcher ihn später abgewiesen: »Brillanter Mann, aber ein bisschen zu viel Glitzern in den Augen.«

Nach einem halben Dutzend Beziehungen mit solch wilden Kerlen und hin und wieder einem Künstler, als harmlose Abwechslung, wurde Myfanwys erster Roman als Schlüsselroman gerühmt, auf den Swinging London gewartet hatte. Nachdem ein rehäugiger Performance-Dichter aus Liverpool sie von ihrer neuen eigenen Berühmtheit abgelenkt hatte, brachte sie einen Sohn zur Welt, den sie jedoch rasch einem Paar unterjubelte, das ihn aus irgendeinem Grund adoptieren wollte. Sie hätte ja eine Abtreibung vorgezogen, wie sie ihren Freunden freimütig gestand, doch war sie zu unorganisiert, träge und vielleicht auch zu ängstlich gewesen, um derlei durchzuziehen.

Das Krankenhaus behielt Myfanwy Lewis lange in Erinnerung – für diese Episode hatte sie beschlossen, zeitweise ihren echten Namen zu benutzen und nicht den, unter dem ihre Leserschaft sie kannte. Noch nie zuvor hatten die Schwestern mit dem starken Geruch von Marihuana in dem Flügel, wo sich die Entbindungsstation befand, zu tun gehabt. Und schon gar nicht mit einem nicht abreißenden Strom von streitenden und sich wieder versöhnenden Besuchern in Lederjacken und Kaftanen, die bis spätabends blieben und Lieder von Joan Baez spielten. Myfanwy hatte den Geburtsschmerz und alles, was er hervorbrachte, zunächst mit unergründlichem Staunen aufgenommen, jedoch schon bald als nützliches Material für eines ihrer erfolgreichsten Bücher verwendet.

Viele Jahre später, ganz knapp vor der Menopause, war sie wieder in das Hospital geschwebt. Immer noch apart, immer noch umschwärmt von sie bewundernden jungen Männern, sehr schwanger und sehr irritiert von dieser zweiten unerwarteten Wendung der Ereignisse. So kam die kleine und widerspenstige Zuleika Maria-Guadeloupe Attracta Gonne Lewis zur Welt.

In späteren Jahren hatte die ungewollte Jen – wie sie vornehmlich genannt werden wollte – ihrer Mutter nie das offensichtlich fehlende Interesse oder auch nur mangelnden mütterlichen Instinkt vorgeworfen. Das wäre auch so sinnlos gewesen, wie einem Vogel Vorhaltungen wegen seines Gesangs zu machen. Als Baby, als Kleinkind und als bemerkenswertes junges Mädchen mit ernstem Gesicht war sie von Freunden zu Verwandten zu Bekannten durchgereicht worden. »Wer hat heute Abend bei Wandervogel Jenny Dienst?«, pflegten die Literaturredakteure Verlagssekretärinnen zu fragen. Jen erinnerte sich nur verschwommen an freundliche, nutzlose Gesichter, Holzfußböden und türkische Teppiche in bunt möblierten Wohnungen und Häusern irgendwo im Londoner West End.

Von Zeit zu Zeit pflegte Mutter kurz zu erscheinen, sie wie einen Pokal bei einer Party oder einem Barbecue zu schwenken und dann wieder zu verschwinden. Allerdings erst nachdem sie ihr ein Bukett unverständlicher blumiger Worte hingeschleudert und ihr eine warme, übelkeiterregende parfümierte Umarmung zum Abschied verpasst hatte. Jen erinnerte sich noch mit Schaudern an den feuchten, ekligen, mit Lippenstift bemalten Mund, die nasse, sich rekelnde Zunge und den Gestank von Tabak und Wein.

In vielen anderen Familien wären Jen und ihre Mutter über all das hinweggekommen und trotzdem gediehen. Jen hätte ihre frühen Jahre zu einer witzigen Story gemacht, um zu vorgerückter Stunde Verehrer zu beeindrucken. Außerdem hätte sie zunehmend das echte exotisch literarische Talent ihrer Mutter bewundert. Genau wie ihr berühmtes Gesicht, etwa das einer zarten Elfe mit Perücke, das gezeichnet oder fotografiert so oft aufgetaucht war: auf den Covern nicht mehr existierender Zeitschriften und in der farbigen Beilage der *Sunday Times*. Myfanwy hätte inzwischen die vorlaute Intelligenz ihrer Tochter zu schätzen gelernt, wie auch ihr Aussehen, das ein Echo ihrer eigenen Schönheit war. Zudem hätte sie ihre kindlichen Triumphe, weisen Sprüche und köstlichen Missgeschicke in spröden Zeitungskolumnen verarbeitet. Letztendlich wären die beiden Freundinnen geworden.

Doch das geschah nie. Jennifer blieben zumindest solche Kolumnen erspart. Sie besaß einfach das falsche Naturell, um ihre Mutter zu verstehen. Temperament ist einem vom Schicksal gegeben, und ihres war nun mal eher prosaisch als literarisch, in ihrer selbstversonnenen Vorliebe für Ordnung sogar fast männlich. Sie hasste Schlampigkeit und das Ausplaudern privater Geheimnisse. Als sie endlich die Romane ihrer Mutter las – *Sieben Predigten für säkulare Sünder* oder *Lepra und die Damentoilette* –, empfand sie sie als emotional inkontinent, frei von Handlung und schlichtweg peinlich. Myfanwys Liebesaffären, die sie mit handfesten sinnlichen Details beschrieb, die damals aus der Feder einer Frau sehr selten waren, hatten sie reich gemacht. Erstausgaben ihrer frühen Werke wechselten inzwischen für Tausende Pfund den Besitzer, während man die Taschenbuchausgaben zwischen Jackie Collins und Margaret Drabble in den Bücherregalen überall in Nordlondon fand. Doch in den Augen ihrer Tochter war dieser literarische Ruhm unbegreiflich.

Jens Leben begann für sie selbst einen Sinn zu ergeben, als sie im Alter von elf Jahren aus London zur Schwester ihrer Mutter geschickt wurde. Einer ernsten, zurückhaltend religiösen Frau, die in Devon mit einem Zahnarzt verheiratet war. Hunderte Meilen von der nächsten Literaten-Party entfernt genoss Jen den gepflegten Rasen und die Klavierstunden in einem großen eichengetäfelten Raum, der nach Kaminfeuer und feuchten viktorianischen Sofas roch. Sie liebte ihre Schule, vor allem den Biologie- und Chemieunterricht, und sie schloss Freundschaft mit einer Gruppe Mädchen, die so zurückhaltend und ernst waren wie sie selbst. Sie sammelte Briefmarken, Schmetterlinge und sogar Fußballkarten. Tagelang – ja sogar über Wochen – fühlte sie sich einfach glücklich.

Oxford war ein weiterer Neustart, ein Ort der Wunder. Als geborene Naturwissenschaftlerin fühlte Jenny sich während der kurzlebigen Regierung Johnson auch zu Politik hingezogen. Abgestoßen von den bierseligen und rüpelhaften Avancen junger Männer, die sich selbst Sozialisten oder sogar Revolutionäre nannten – und nicht nur weil Margaret Thatcher, ihre Heldin in der Politik, auch Naturwissenschaftlerin war –, wurde sie Mitglied der Conservative Party. Jen glaubte an Vernunft und Effizienz. Sie interessierte sich kaum für die Europäische Union – das würde erst noch kommen. Ihre politische Einstellung machte sie nicht gerade beliebt. Aber wenn sie mit den selbstgerechten Argumenten der Linken am College konfrontiert wurde, war sie stolz darauf, niemals die Beherrschung zu verlieren und mit sorgsam memorierten Zahlen und Zitaten zurückzuschlagen.

In ihrem zweiten Studienjahr wechselte sie von Naturwissenschaften zu PPE – Philosophy, Politics and Economics – und wurde eine aktive Tory-Studentin. Dabei verdrängte sie mit ihren spitzen Ellbogen stammelnde junge Männer mit schwitzenden Händen und stieg innerhalb der Hierarchie der Oxford Union Society auf, bis sie in ihrem letzten Studienjahr zur Präsidentin gewählt wurde. Nichts hätte ihre Mutter härter treffen können. An der Uni war sie allgemein als »June« bekannt. Zunächst hatte sie geglaubt, es handele sich um einen Hörfehler, bis sie eines Abends in einer Studentenkneipe ein Mädchen zu ihrer Freundin sagen hörte: »Nein, nicht Jen. *June* – kalt und klar.« Als ihre Mutter, ein regelmäßiger Gast auf den Leserbriefseiten des *Observer* und prominente Streiterin für die Künste, eingeladen wurde, vor der Union zu sprechen, blieb Jen fern. Zu jenem Zeitpunkt hatte sie bereits bei vielen Debatten in der Union die Seite der Gewinner angeführt.

So kam es, dass nach der Universität das Mädchen, das sich eine Zukunft als Laborassistentin oder Wissenschaftlerin in der Forschung ausgemalt hatte, stattdessen in der Parteizentrale der Konservativen anfing. In dieser Männerwelt fand man sie brillant, aber auch schwierig. Ein glückliches Jahr arbeitete sie für den Mann – der inzwischen viel fülliger war und silberne Strähnen in seinem Drahthaar hatte –, der Premierminister werden sollte. Eine katastrophale Affäre mit einem jungen, verheirateten Abgeordneten, der es schaffte, seinen Sitz im Parlament zu behalten, obwohl die Presse ihn bloßstellte, endete jedoch damit, dass sie diesen Job aufgab. Trauriger und klüger als zuvor.

Damals schnappte Olivia Kite sie sich. Die hatte ihren Scharfsinn erkannt und machte sie zur Zahlenfresserin und Chefanalystin der mächtiger werdenden Gruppe der Euroskeptiker innerhalb der Parlamentsfraktion. Schmal, blass und mit dem glänzenden Haar ihrer Mutter erntete sie weiterhin viel Bewunderung – die meiste jedoch aus der Distanz.

SEX UND EINE ART VON EHE

Wer hätte je vorhersehen können, dass die kalte und klare June Lewis und Lucien McBryde, der verstrubbelte, koksende Lobby-Schmierfink, den man einmal aus dem Wahlkampfbus des Premierministers geworfen hatte, weil er rotäugig und mit verkrusteten Nasenlöchern auf der Toilette erwischt worden war, sich so unvermittelt und intensiv zueinander hingezogen fühlen würden? Er war ungepflegt, sie sorgsam gepflegt. Er war verrufen, während sie einen glänzenden Ruf genoss. Er schwankte düster und stümperhaft, während sie so schön und ausgeglichen war wie eine komplexe quadratische Gleichung. Doch beide fühlten innerlich das Gleiche, beide waren von selbstsüchtigen und gleichgültigen Eltern ruiniert worden, auch wenn das nur wenige Menschen geahnt hätten. Einer Freundin hatte Jen erklärt: »Er war der letzte Typ auf Erden, in den ich mich aller Wahrscheinlichkeit nach verliebt hätte. Und genau deshalb ist es passiert.«

Der Sex war, als sie endlich dazu kamen, intensiv und eine Offenbarung. (Dass es seit einiger Zeit nicht mehr hieß, Menschen hätten einander »gehabt«, sondern es miteinander »gemacht«, war Thema einer Unterhaltung zwischen Ken Cooper und Robson McBryde.) Im Bett hatte Jen den einzigen Lebensbereich kennengelernt, in dem Lucien nicht selbstsüchtig war. Zwei Körper wurden zu einem. Außerhalb des Bettes stellten ihre Freunde bewundernd und neidisch fest, sie wären gewinnender und liebenswürdiger geworden.

Der vielleicht glücklichste Tag im Leben von Jen wie von Lucien hatte mit einem Mittagessen in einem chaotischen, aber stimmungsvollen italienischen Restaurant nahe der Victoria Station zu tun. Es war zwar keine Hochzeit, aber eine von Wein und Pasta begleitete Begegnung zweier schreibender Clans, die Robson McBryde ihnen zu Ehren ausrichtete. Gewagte Literatur und leidenschaftlicher politischer Journalismus würdigten und verneigten sich voreinander. Jens Mutter gab viele ihrer erfolgreichsten Anekdoten zum Besten und wurde von dem argwöhnischen betagten Journalisten widerwillig bewundert, während ihre beiden Kinder, die sich sicher fühlten und endlich den Eindruck hatten zu wissen, wer sie waren, ihnen zusahen.

»Luce, lass uns nie einen Hochzeitstag feiern«, hatte Jen gesagt, als sie wieder auf die Straße und in Richtung ihrer jeweiligen Büros wankten. »Lass uns lieber dieses Datum als unseren besonderen Tag feiern und Jahr für Jahr hierher zurückkommen.«

Lucien hatte darauf nichts erwidert. Dieses eine Mal fehlten ihm die Worte. Er versuchte noch, mit diesem seltsamen neuen Gefühl zurechtzukommen – nicht Trunkenheit, nicht Rausch, sondern etwas Ruhigeres und zarter Gefärbtes: vielleicht war es Glückseligkeit.

Doch Glück ist niemals von Dauer. Gerade mal zwei Monate nachdem sie als Paar vereint worden waren, die Finger nicht voneinander hatten lassen können, in der Öffentlichkeit geknutscht und ihre Gespräche mit Küssen abgewürgt hatten, begann London mit einem seiner erstaunlichen Kostümwechsel. Ein paar Wochen lang stiegen die Temperaturen auf die von Paris, wenn nicht gar Rom. Grell glitzerten die gläsernen Türme. Unten in den schattigen Gassen und schwach beleuchteten Straßenschluchten warfen Bürger die grauen wollenen und wattierten Jacken ab. Verdächtig gebräunte oder dicht behaarte Torsos wurden schamlos präsentiert. Verzweifelte Katzen mussten die Gärten der Stadt plötzlich mit Topfbepflanzern und Grillanzündern teilen. Feuchtes Pflaster, das nun getrocknet war, bot Scharen von Stühlen und kleinen Tischen Platz. Bunt gekleidete junge Menschen saßen draußen vor Pubs und Restaurants. Die Düfte von Grillfleisch und parfümiertem Tabak erfüllten die Luft. Hunde tollten wie im Delirium durch die öffentlichen Parks. Wie jedes Jahr wurden die Bewohner Londons zu Gefängnisinsassen, die man in eine hellere Welt der Möglichkeiten entlassen hatte. Und inmitten dieses ganzen Gezwitschers und Geflatters hatten Lucien und Jennifer einen schrecklichen, endgültigen Streit. Wie die meisten der schlimmsten Auseinandersetzungen schien auch diese aus dem Nichts heraus entstanden zu sein. Dennoch zerstörte sie ihre Einigkeit für immer.

Lucien hatte beiläufig eine Ex-Freundin erwähnt, die ihn zum Abendessen eingeladen hatte. Ohne einen bestimmten Grund hatte er Jen zuvor noch nie von diesem

Mädchen erzählt. Jetzt erstarrte sie und giftete ihn dann an. Lucien wurde abweisend und verhöhnte sie. Auf einen Schlag sah Jen ihn mit anderen Augen. Wer war dieser Fremde eigentlich? Ihr Gesicht verschloss sich, wie man einen Reißverschluss zuzieht, ihr schmelzender Blick wurde eisig, und als Lucien sich endlich überwinden konnte, sie nach einem langen Schweigen richtig anzusehen, stellte auch er fest, dass er sie kaum wiedererkannte.

In dem erbitterten Streit in aller Öffentlichkeit, der danach folgte, spuckten sie einander mit Plosiv- und Frikativlauten an, die wie Schrapnelle trafen. Zwar war ihnen beiden plötzlich elend zumute, aber unbewusst hatten sie auch seit Wochen für diese Schlacht der hässlichen Worte, auf dieses Turnier der Gemeinheiten trainiert. Nie waren sie gewandte Plauderer gewesen, doch nun entdeckte, einer im anderen ein Talent für Beleidigungen. Zwanzig Minuten später standen sie stumm und steifbeinig wie Models dort, wo der Trafalgar Square an Whitehall grenzt, bevor sie sich umdrehten und in entgegengesetzte Richtungen davonhumpelten. Als es Abend wurde, hatte Jennifer bereits ihre Sachen aus Luciens Souterrainwohnung in Notting Hill geholt und eine Truppe mitfühlender Freundinnen um sich geschart, um Weinflaschen zu leeren und seinen ohnehin angeschlagenen Ruf zu schreddern. Seine süchtig machende Persönlichkeit war für Jen zu viel gewesen. Dadurch hatten die Wände ihres geordneten Lebens langsam nachgegeben. Nun richtete sie diese beherzt wieder auf.

Lucien hatte es schlimmer getroffen. In den darauffolgenden Tagen erkannte er, dass der erste Mensch, der ihm je das Gefühl vermittelt hatte, ein funktionierender Erwachsener zu sein, ihn verlassen hatte. Er versuchte sich zwar mit Erinnerungen an frühere Liebschaften und der

Verheißung neuer erotischer Freiheit zu trösten, aber er verspürte keinerlei Regung, nur unbändigen Selbstekel. Er überlegte schon, sich von der Hammersmith Bridge zu stürzen, aber er war einfach nicht der Typ, der von Brücken sprang.

Vielleicht war die Trennung sogar unvermeidlich gewesen und so gesehen das Beste. Wären Lucien und Jennifer zusammengeblieben und hätten Kinder bekommen, hätten sie auf diese Weise ihre selbstzerstörerischen Züge an die nächste Generation weitergegeben. Ein französisches Sprichwort sagt ja, die Kinder von Liebenden sind Waisen.

Wenige Tage später befand Luciens Vater sich in seiner Stammkneipe, als er merkte, dass er sein Pint direkt über das Hosenbein des Mannes schüttete, der links von ihm saß.

»Uuf, Groourrgh«, protestierte der Mann. »Hoi, hoi.« Und er sagte es nicht gerade in einem freundlichen Ton. Robson versuchte, sein Glas wieder aufzurichten, aber er hatte keine Kraft in seiner Hand. So schwappte der Rest der Flüssigkeit in den Schritt des Mannes. Der sagte noch mal »Hoi«, und es klang, als meine er es auch so. Robson versuchte, es zu erklären und sich zu entschuldigen, aber aus seinem Mund kam kein Ton. Dann rutschte er plötzlich rücklings von seinem Barhocker und landete mit dem Gesicht nach oben auf dem Boden.

Er war immer noch unerträglich verwirrt, als die zwei Sanitäter eintrafen. Einer sagte zum anderen: »Sollen wir nachher mit Blaulicht fahren?« Der andere antwortete: »Mein Gott, ja, aber vorher sollten wir zusehen, dass der hier nicht blau wird.« Das hörte Robson gern – es gab ihm zumindest ein Gefühl von Wichtigkeit. Aber der Schlaganfall kostete ihn trotzdem das Leben, auch wenn der Krankenwagen mit Blaulicht und Sirene vom Pub weggefahren war.

Die Beerdigung hatte in einem Krematorium im Norden Londons stattgefunden. In Anwesenheit einer vernachlässigten Einheit aus Zeitungsherausgebern, darunter ein verblüffter und bestürzt dreinschauender Ken Cooper, sowie berühmter ausländischer Korrespondenten und Kolumnisten von weniger bekannten Blättern. Der Regen war auf die Rücken und Hüte von etwa zweihundert Leuten geprasselt, die nicht mehr in die Kapelle gepasst hatten. Lucien fehlte. Er verbrachte den Tag in seiner Wohnung, wo er eine Flasche vom Lieblings-Malt-Whisky seines Vaters leerte und heulte.

Die Wochen nach dem Tod seines Vaters überlebte er, indem er sich in die großen feuchten Augen einer Reihe mitleidiger Mädchen stürzte. Arbeitsfähig hielt er sich durch das Schnüffeln angesagter Stimulanzien. Allerdings wurde die Erfüllung seines Zeitsolls, wie Cooper missmutig zur Kenntnis nahm, noch erratischer.

BIBLIOTHEKSSPIEL

An jenem Samstag bewunderte Lucien McBryde müßig die gediegenen Namen auf den alten Ladenschildern an der Straße – bei Lobb gab es Stiefel, bei Lock Hüte, bei Berry Bros & Rudd augenzwinkernd sündigen Alkohol, bei Hockney Tabak. Dann bog er unmittelbar vor dem Gebäude des *Economist* nach rechts ab und schlenderte an die nordwestliche Ecke des St James's Square. Das schmale Gebäude dort mit seinen hohen Fenstern konnte man wohl am ehesten sein spirituelles Zuhause nennen. Es war die London Library, diese von bärtigen idealistischen Bürgern der viktorianischen Zeit gegründete private Institution. Die lebenslange Mitgliedschaft war ein Geschenk seines Vaters aus jener kurzen Phase, als er ein vielversprechender Autor zu werden schien. Die Sammlung übertraf jede andere Privatbibliothek. Der dunkle Lesesaal, in dem es nach alten Büchern und alten Männern roch, war der beruhigendste Ort, den man in diesem eine halbe Quadratmeile großen Clubland nur finden konnte.

Doch das war nicht der Grund, warum Lucien McBryde herzukommen pflegte. Versiert in den Gefahren von E-Mail, SMS und Mobiltelefonie hatte er die Bibliothek doch tatsächlich zu seinem privaten Kommunikationszentrum erkoren. Um diese Zeit an einem Samstag wäre normalerweise geschlossen gewesen, doch heute Abend war die alljährliche Party in vollem Gange und McBryde taumelte mitten hinein. Ausnahmsweise hielt er nicht Ausschau nach dem nächsten Drink, ob gratis oder nicht. Er war wie üblich hier, um eine Nachricht zu versenden.

Wenn er einer Frau nachstellte oder es mit einer ausgesprochen privaten Informationsquelle zu tun hatte, vermied McBryde all die modernen Kommunikationsmittel, denn die waren schließlich anfällig dafür, ausspioniert zu werden. Von pickeligen Jugendlichen, die konkurrierende Zeitungen bezahlten, bis zum GCHQ, der britischen Regierungskommunikationszentrale, wie es beim *Guardian* hieß, sowie wahrscheinlich auch von den Amerikanern und Chinesen. So übermittelte er seine sensibelsten Nachrichten, indem er dem Empfänger lediglich Titel und Autor eines bestimmten Buchs nannte und eine altmodische handschriftliche Notiz in dem Exemplar in der London Library deponierte. Danach musste das Mädchen, der Beamte oder Juniorminister nur noch an das schmale Metallregal treten, das Buch herausnehmen und den Zettel herausfischen. Dann wiederholte sich der Vorgang, wenn der Empfänger ihm den Standort seiner eigenen

Buch-Nachricht per SMS mitteilte. Bislang hatten alle Seiten diese Methode für ganz und gar sicher befunden.

Natürlich hatten das auch andere spitzgekriegt, und die Warteliste für die Mitgliedschaft bei der London Library war sprunghaft gewachsen. Die ehrwürdigen Regale begannen nach Leidenschaft und geheimen Liaisons zu riechen. Viele dieser vermeintlich Bibliophilen befingerten eine Geschichte der frühen französischen Könige mit abwesendem Blick oder strichen mit ihren Handflächen über ein Skizzenbuch der Anatomie, während sie in Wirklichkeit versuchten, den leidenschaftlichen Brief eines verheirateten Mannes oder einer verheirateten Frau zu erhaschen oder das Angebot zu einem ungehörigen oder politisch heiklen Rendezvous.

Das Entscheidende am postalischen Service der London Library war jedoch, dass die Nachrichten in Büchern hinterlassen werden mussten, bei denen keine Gefahr bestand, dass die falsche Person sie entnahm – etwa ein müßiger Besucher, der das System gar nicht kannte. Man musste sie demnach in Büchern zu durch und durch langweiligen Themen verstecken, in Büchern, die niemand mit Verstand je würde aufschlagen wollen. McBryde hatte mit obskuren schwedischen Philologen experimentiert, mit unbekannten viktorianischen Romanciers und mit eng beschriebenen Wälzern zum strukturellen Marxismus im 20. Jahrhundert. Aber letztlich war er bei den Werken des Journalisten und Gelegenheitshistorikers Dominic Sandbrook gelandet. Sandbrook war unwissentlich zum Kuppler in McBrydes lebensverändernder Liebesgeschichte geworden. So war zwischen dessen Seiten wenigstens ein wenig pulsierende Energie entstanden.

An diesem Abend hatte Lucien sich hierher aufgemacht, um eine Nachricht für Jennifer zu hinterlassen, allerdings keine romantische, obwohl schon das Niederschreiben ihres Namens seinem Herzen einen schwindelerregenden Stoß versetzte. Er zog seine Mitgliedskarte durch den Scanner und betrat die Bibliothek. Dann ging er nach oben in die Abteilung »Geschichte Englands«, wo er den neuesten von Sandbrooks Wälzern aus dem Regal nahm. Eine achthundertseitige Geschichte Großbritanniens von 1982 bis 1983. Da hinein legte er seine Botschaft.

Er war verschwitzt und fühlte sich schwach, als er sich auf den Weg zurück auf den St James's Square machte, und schob sich an den Partygästen vorbei. Sir Tom Stoppard war sehr ins Gespräch mit Andrew Wilson vertieft. Sobald er draußen war, checkte er sein Handy, das voller zunehmend lapidarer Nachrichten aus dem Büro war. Er scrollte sie durch und löschte sie anschließend. Es ergab ja nicht den geringsten Sinn, Reporter zu sein, wenn man an Besprechungen teilnehmen und mit den Chefs kommunizieren musste.

McBryde plante eine lange – eine wirklich sehr lange – Nacht. Trotz allem war er doch noch eine Spur mehr Journalist als Alkoholiker. Der Tipp, den er Jennifer gab, stammte von Alois Haydn, dem berüchtigten Strippenzieher aus Number 10. Haydn kannte jeden in London. Er *war* London. Sein größtes Geheimnis war McBrydes letzte Liebesgabe an Jen. Es an sie zu verraten, war ein Geniestreich. Oder zumindest dachte McBryde das. Doch seit ihrem Treffen plagte ihn eine Frage. Warum hatte der für seine manipulativen Fähigkeiten berühmte kleine Mann ihn ausgesucht? Er schuldete ihm schließlich keinen Gefallen. Haydn?

Ein guter Journalist nimmt nicht nur, was ihm gegeben wird; er fragt sich auch stets, warum ihm etwas gegeben wurde. Als er in einem nahen Pub vor einem Whisky Soda herumlungerte, konzentrierte McBryde sich sehr, während er seinem geschenkten Gaul näher ins Maul schaute. Alois Haydn hatte immer nur Alois Haydn im Blick. Das wusste jeder. Aber die Story, die er ihm erzählt hatte, war so beschaffen, dass sie Haydn selbst in ein schlechtes Licht rückte – oder eines Tages rücken würde. Wenn es also nicht um Macht ging, worum dann? Um Geld?

Wenn auch aus den total falschen Gründen – die mit Clubs in Soho und Drogendealern zu tun hatten –, war es Lucien doch gelungen, sich einige ziemlich gute Kontakte zu den dunkleren Zonen der City zu verschaffen. Also schrieb er eine SMS an Charmian Locke, einen uralten Schulfreund, über den er gehört hatte, dass er gerade für eine der größeren Handelsbanken arbeitete. Mit ihm arrangierte er für den folgenden Abend ein geheimes Treffen. Lucien glaubte, dass sie beide bis dahin schon ziemlich besoffen sein würden, aber er bildete sich ein, seinen Drink schon noch festhalten zu können. Er würde sich alles merken, was zur Sprache käme.

3

Montag, 18. September
Drei Tage vor dem Referendum

WER IST ALOIS HAYDN?

Die Kühle des Montagmorgens war verflogen. Ein wolkenloser Himmel und grelles Sonnenlicht, das in den Augen schmerzte, wurden von den Fenstern der obersten Stockwerke in der Hauptstadt reflektiert. Ein Leichnam war in der Leichenhalle, die für verdächtige Tote reserviert war, deponiert worden. Das Straßenpflaster war bereits gereinigt, das Absperrband der Polizei entfernt, und die Pendler liefen wieder achtlos über die Stelle, an der ein junger Journalist gestorben war. Ungefähr eine Meile westlich von hier, fast ebenso unsichtbar, glitt ein perfekt gepflegter kleiner Mann so zielstrebig über den Piccadilly, dass seine kleinen Füße den Asphalt kaum berührten.

Es hieß einst über keinen Geringeren als Stalin, er sei während seines Aufstiegs zur Macht wie ein verschwommener grauer Fleck gewesen, immer im Hintergrund, nie im Fokus. Alois Haydn besaß das gleiche Talent. Irgendwie betrachtete man ihn nie genauer. Egal, wie viel Mühe man sich gab, man erinnerte sich selbst nach einem schwierigen Meeting nie an sein Gesicht. Falls er überhaupt je einen Schatten warf, dann einen dünnen, dampfförmigen. An diesem Morgen war er unterwegs zu einer wichtigen Besprechung mit den Managern des irgendwie mysteriösen Unternehmens Professional Logistical Services oder PLS.

Alois Haydns Name stand seit über zehn Jahren auf den Listen der einflussreichsten Briten. Alle politischen Parteien hofierten ihn. Seine Sommerfeste in Oxfordshire lockten Minister, Promis und Intellektuelle gleichermaßen an. Am See und im Partyzelt mischten sich preisgekrönte Romanciers und aufstrebende Politiker: Man konnte den Lucasischen Professor ins Gespräch vertieft mit dem Star einer angesagten amerikanischen TV-Serie, der in Eton studiert hatte, vorfinden oder Prince Andrew und den jungenhaften Herausgeber des *Guardian* mit den kurz geschorenen Haaren am selben Tisch. Einen Monat vor dem Event eine Einladung zu erhalten, das war zum festen Bestandteil des inoffiziellen Ehrenkodexes von Großbritannien geworden. Auf dem gleichen Niveau wie eine Veröffentlichung bei *Desert Island Discs,* eine Titelgeschichte bei *Private Eye* oder ein Vortrag in Davos. Gewöhnliche Schaulustige drängelten sich am Tor, um einen Blick auf die Ankommenden zu erhaschen; auf dem Partygelände machte ein Modefotograf, der den Royals nahestand, informelle Fotos.

Der Gastgeber Alois Haydn wurde jedoch selten fotografiert. Im Stil von Gatsby war er darauf meist nicht mehr als ein Leinenanzug, den man irgendwo zwischen den Schatten im Hintergrund erahnte. In diesem Jahr war die Party jedoch zur allgemeinen Enttäuschung abgesagt worden. Haydn war von den Cotswolds, dem ländlichen Herzland des englischen Establishments, an die Küste von Essex umgezogen, an den Rand einer Insel, wo er sich ein neues Haus bauen ließ. Der Symbolgehalt dieser Aktion wurde viel kommentiert.

Nachdem er Rocks Point, eine elegante viktorianische

Villa am Meer, die auf einer winzigen sandigen Insel thronte, erworben hatte, erregte er einen Aufstand in der Gegend, als er das gesamte Anwesen – von den gemauerten Türmchen und Zinnen bis zu den weitläufigen Stallungen und gusseisernen Gewächshäusern – hatte plattmachen lassen. An derselben Stelle war eine trostlose Ansammlung aus Würfeln, Pyramiden und Pilzen entstanden, die den Eindruck vermittelten, ein schlampig gebautes außerirdisches Raumschiff habe dort eine Bruchlandung hingelegt. Pikanterweise lag das Anwesen nur wenige Meilen von Olivia Kites Danskin House entfernt.

Es wurde viel spioniert. Die Mainstream-Medien hatten gerade begonnen, Minidrohnen und winzige Helikopter, ausgerüstet mit Kameras und Mikrofonen, zu verwenden. Die Jagd auf Geflügel in den Sümpfen der Gegend hatte eine lange Tradition, und so lud Haydn Freunde aus London, Leute aus der Grafschaft, aber auch zwielichtige Osteuropäer zum Schießen ein. Immer wieder schossen sie die Drohnen ab. Webseitenbetreiber waren außer sich, und Anwälte rieben sich die Hände.

Er konnte sich das erlauben: Haydn Communications hatte damals in den 1980ern die alte Welt der gentlemanhaften PR auf den Kopf gestellt. Das war nicht lange, nachdem Nigel Lawson die gemütliche alte Welt der City kurz und klein geschlagen hatte: Einer von Alois' großen Würfen war die Privatisierung von British Gas. Seine frühen Jahre lagen in geheimnisvollem Dunkel, aber er schien aus einer angesehenen Familie zu stammen. Seine sehr viel ältere Schwester Camille Haydn hatte mit ihrer Installation zur Geschichte der weiblichen Sexualität den Turner-Preis gewonnen, und sein sehr viel jüngerer Bruder Liddell Haydn war der Gründer der gleichnamigen und sehr erfolgreichen Fernsehproduktionsfirma. Haydn selbst wirkte fast wie aus dem Nahen Osten, und manche behaupteten, er sei aus einem Kinderheim geholt worden. Bezeichnenderweise gab es keine Fotos aus seiner frühen Kindheit. Er selbst sprach jedoch nie über solche Dinge, weder mit Freunden noch in der Öffentlichkeit.

Haydns Braut, die Tochter des radikalen Tory-Kollegen und Grundbesitzers Lord Mortlake, hatte ihm bescheidenen ererbten Reichtum und ein Entree in die höchsten Kreise der Konservativen Partei verschafft. Der Reichtum und die Kontakte blieben ihm auch nach der Auflösung der Ehe im Zuge seines Coming-out erhalten. Jetzt lebte er in einer eingetragenen Lebenspartnerschaft mit dem indischen Kurzgeschichtenautor Ajit Gupta. Von denjenigen, die behaupteten, Bescheid zu wissen, wurde oft behauptet, Haydn sei »mehr New Labour als alles andere«, und zweifellos war es ihm unter Tony Blair blendend gegangen. Er hatte Tony, Cherie und den Kindern seine Ferienvilla in Umbrien zur Verfügung gestellt, und man wollte ihn mit Tony in Chequers Tennisspielen gesehen haben. Peter Mandelson hatte ihn angeblich unter seinen Kurzwahlen gespeichert.

Alois Haydn war, wie es scheint, ein Mann, den man kaum fassen und nur schwer beschreiben konnte. An diesem speziellen Morgen spazierte er im spätsommerlichen Sonnenschein am Ritz vorbei und war auf dem Weg zu einem Zimmer voller Leute, die sich rühmten, gute Beobachter zu sein – einige davon sogar professionelle. Wie hätten sie ihn wohl beschrieben?

Sie hätten berichtet, dass Haydn ein Mann in mittleren Jahren von etwas unterdurchschnittlicher Größe und durchschnittlichem Gewicht war. Sein Haar war haselnussbraun und leicht gewellt. Sein Gesicht war olivenförmig und avocadofarben, mit dunklen, tief liegenden Augen wie zwei getrocknete Datteln. Er hätte fast Inder sein können. Sein Anzug stammte von Ozwald Boateng, seine Schuhe waren Budapester aus Italien. Er trug eine hellgraue Seidenkrawatte über einem cremefarbenen Hemd, und seine Nägel schienen farblos lackiert. Sein Blick? Unergründlich. Sein Bildungshintergrund? Unbekannt. Sein psychologischer Trieb? *Pscht*. Er trug eine kleine Ledertasche sorgsam mit beiden Händen und lief so leichten Schrittes, als würde er sanft vom Wind vorangeblasen.

DER ZAUDER-FONDS

Alois Haydn nahm auch seinen Reichtum leicht. Die beträchtlichen Geldreserven, die er angehäuft hatte, nannte er seinen »Zauder-Fonds« – Geerbtes und Verdientes, das er erwogen hatte, in Grundbesitz, Aktien oder Erholungsurlauben anzulegen, wozu er jedoch nie gekommen war. Weil das Geld nur auf der Bank lag, wo es langsam an Wert verlor, nannte er es auch sein »Eisgeld«: Tropfen für Tropfen schrumpfte es langsam und schmolz weg. Als er kurz vor dem letzten Weihnachtsfest endlich aufgehört hatte zu zaudern, stand der Zauder-Fonds bei 4.745.201 Pfund und 20 Pence. Das meiste davon transferierte er auf ein neues Konto am Golf, und die restliche halbe Million ließ er sich in Fünfzigpfundnoten auszahlen. Das erforderte viel Papierkram, lästige Diskussionen mit Bankleuten und nervöses Einpacken, aber schließlich bekam er die Summe in wasserdichtes Papier gewickelt und stopfte sie in einen Rucksack.

Alois mochte eine undurchsichtige Herkunft haben, aber sein Verstand war sehr klar. Großbritannien war seiner Ansicht nach am Ende. Dreißig Jahre lang immer mehr

Geld für ein immer aufwendigeres Leben auszugeben, während gleichzeitig immer weniger hart und effizient gearbeitet wurde, das hatte der einst großen Nation einen irreversiblen Schaden zugefügt. Ob Tory oder Labour – alles Heuschrecken. Das war keine Politik, sondern Dekadenz.

In Alois' Augen gab es zwei mögliche Szenarien für die Zukunft. Entweder kamen die Sozialisten zurück, und angesichts der vorherrschenden wütenden Stimmung in der Öffentlichkeit würden die Forderungen nach höheren Steuern die Reichen und die Ausländer vertreiben; sie würden aus London fliehen wie Schwärme von Zugvögeln bei einem plötzlichen Kälteeinbruch. Oder trotz größter Bemühungen des regierenden Premierministers würden die radikalen und nationalen Rechten die Macht übernehmen und allem, inklusive dem Arbeitsmarkt, kurzzeitig enormen Schaden zufügen. In jedem Fall würden die Immobilienpreise abstürzen, und diejenigen, die in Großbritannien blieben, hätten keinen sicheren Ort für ihr Geld. Alois traute den Beteuerungen der Regierung bezüglich der Sicherheit der Banken nicht. Er kannte sich ein bisschen in Geschichte aus.

Er hatte sogar seinen ganzen Mut zusammengenommen und mit dem Premierminister über seine Befürchtung gesprochen. Das war nicht leicht. Der PM hatte eine Art, einen anzusehen, mit gerunzelter Stirn und so, dass seine buschigen Augenbrauen dunkle Schatten über seine Augen warfen, den Mund in wortloser Verachtung verzogen. Da fühlte man sich in einer Auseinandersetzung bereits geschlagen, ehe er auch nur ein einziges Wort gesagt hatte. Als er endlich den Mund aufmachte, erinnerte seine Stimme – die ganz nach Schotter, Kieseln und dazwischen rasch fließendem Wasser klang – an seinen jüngsten persönlichen Triumph in Deutschland und die Verhandlungslösung, die für alle Seiten akzeptabel war. Genau das, was er dem Land nun in Form eines Referendums vorlegte.

»Warum, Alois, glauben Sie, dass ich meine Gesundheit ruiniere – *ruiniere* – und die Reste meiner Popularität opfere, wenn es mir nicht darum ginge, das arme alte britische Volk geschickt zwischen den beiden Katastrophenszenarien hindurchzusteuern, die Sie so eloquent beschrieben haben? Das Ruder packen. Backbord und Steuerbord: die ökonomischen Analphabeten von Sozialisten sind Scylla und die Stammtisch-Nationalisten Charybdis. Mein Job ist es, Wachs in die Ohren der Bevölkerung zu stopfen und uns an den Sirenen vorbeizumanövrieren, durch die weißen Schaumkronen und hinaus auf die offene See. Und das werde ich, selbst wenn es das Letzte ist, was ich tue. Glauben Sie mir, Alois. Bleiben Sie bei uns, und lassen Sie Ihr Geld, wo es ist.«

Alois hatte den Premierminister immer bewundert, ja, fast vergöttert. Das war seine einzige Schwäche, und er nahm sie sich selbst nicht übel. Doch nach dieser Unterhaltung und trotz des hypnotischen Blicks des Premierministers ging er nicht überzeugt fort. Zwei Tage später liquidierte er den gesamten Zauder-Fonds und kaufte zwei Tickets, für sich und Ajit, nach Dubai.

Diverse interessante Leute aus der Islamischen Republik Iran und dem pakistanischen Sicherheitsservice hatten Dubai diskreter als die Schweiz und sicherer als Singapur genannt – noch dazu war es näher. Die Banken dort eröffneten Konten für große Summen Devisen und stellten dabei nur ein Minimum an Fragen und Formalitäten. Die Architektur, die Hitze und das vulgäre Shopping waren verglichen mit der Hilfsbereitschaft der Finanzinstitute geringfügige Unannehmlichkeiten.

Ajit, den das britische Wetter ohnehin abstieß, war von der Idee eines Kurzurlaubs in Dubai hingerissen und gerührt, als Alois für ihn packte. Das tröstete ihn schon fast über das Holzklasse-Ticket hinweg – Alois reiste wie immer First Class. Doch nachdem Ajit, als er in seinem Rucksack nach dem Waschbeutel suchte, festgestellt hatte, dass er gerade unwissentlich eine Riesensumme Pfund durch den Zoll gebracht hatte, während Alois nur ein paar T-Shirts und eine Kreditkarte mit sich führte, erlebte das Paar seinen ersten großen Streit.

»Aber du bist doch gut durchgekommen«, verteidigte Alois sich.

»Darum geht es nicht. Du hast mich reingelegt. Du hast es kaltblütig getan und mich in Gefahr gebracht. Du hast dich scheiße benommen.«

»Du meine Güte, Ajit. Keiner, der in der Holzklasse mit einem Rucksack fliegt, wird auf Devisen gefilzt. Du passierst die Drogenhunde und bist aus dem Schneider. Es wäre viel riskanter gewesen, wenn ich das in meinem Gepäck gehabt hätte. Und wenn ich dir vorher davon erzählt hätte, wärst du erbärmlich gewesen – total tuntig und schwitzend und verängstigt –, dann hätte man dich mit Sicherheit geschnappt.«

»Nenn mich nicht erbärmlich. Und schon gar nicht tuntig. Ich bin keine ›Tunte‹. Ich bin nicht ›gay‹ und nicht ›queer‹. Ich bin nur ein altmodischer, einfacher Arschficker. Und ich bin verdammt noch mal stolz drauf, ein Arschficker zu sein. Alles, was ich von dir verlange, Alois …«

Sie redeten laut genug, um in der Ankunftshalle die Aufmerksamkeit der Geschäftsmänner und der Taxifahrer in ihren weißen Gewändern zu erregen. Dieses Land war voll von stolzen Arschfickern, aber sie sprachen nicht oft mit lauter Stimme in der Öffentlichkeit darüber.

Der Streit verlief im Sande, aber er hinterließ bei Ajit eine fürchterliche Laune und verdarb beiden die Ferien. Alois hatte das Geld zu der Bank gebracht, die ihm sein Vermögensberater bei Raworth & Reid empfohlen hatte, und dort ein neues, unauffindbares Konto eröffnet, die ultimative Sicherheit also, aber das brauchte selbst in Dubai einen ganzen Vormittag. Ajit sollte sich allein am Hotelpool sonnen, aber der stellte sich als von einer öligen Schicht Sonnencreme bedeckt heraus. Außerdem wimmelte es dort von kreischenden arabischen Teenagern, die sich Bälle zuwarfen und einander nass spritzten. Noch dazu war die Sonne viel zu heiß. Ajit kam zu dem Schluss, dass er Dubai hasste, und zog sich nach drinnen in den Fitnessbereich zurück, um seine schlechte Laune an ein paar Kugelhanteln und auf dem Laufband loszuwerden.

Ein drahtiger Mann mit strubbeligen Haaren, der nur ein Paar Shorts trug, grunzte an der Rudermaschine. Beide kämpften sich vierzig Minuten lang ab, bevor sie unter der erfrischenden kühlen Dusche ins Gespräch kamen. Der Ruderer stellte sich als Charmian Locke vor, »eine Art Banker« aus London. Gemein fügte er noch hinzu: »Schie müschen der einzige Inder schein, der schich an dieschem beschischenen Fleck aufhält.«

Der Sprachfehler irritierte Ajit, zumal er durch die riesigen Zähne – wie strahlend weiße Grabsteine – seines Gegenübers noch auffälliger wurde. Er schien jedoch zu kommen und zu gehen. Ob es seine Art war, Zuneigung zu demonstrieren? Aber wie auch immer, er erklärte jedenfalls, dass sein Partner hergekommen war, um etwas Geld zu investieren, und er sagte, dass ihm Dubai ein bisschen wie ein Drecksloch vorkäme.

»Scho schlimm ischt esch nicht. Dasch Problem ischt, esch ischt weder arabisch noch weschtlich«, sagte Charmian. »Esch ischt ein Loch, schätze ich – dasch Loch zwischen beiden.« Er und Ajit unterhielten sich darüber, warum in diesem surrealen, sandigen kleinen Land so viel Geld gemacht wurde. Als Schriftstellter respektierte und fürchtete Ajit Geld. Aber Charmians offensichtliche Gier und Cleverness waren fesselnd, und Ajit begann die Unterhaltung mit seinem neuen Bekannten so interessant zu finden wie seine Zähne beängstigend.

Als er und Haydn, beide nach wie vor verstimmt, ein paar Tage später zum Flughafen zurückkehrten, hatte er Charmian vergessen. Aber dann begegneten sie einander in der Warteschlange. Ajit stellte ihn Alois als den brillanten Finanzexperten vor, den er im Gym des Hotels getroffen hatte. Natürlich reiste auch Charmian vorne im Flugzeug, und so unterhielten er und Alois sich den ganzen Flug bis London nonstop. Einer der großen Vorzüge des Reisens erster Klasse besteht darin, dass es alle Gauner zusammenbringt.

Charmian Locke hatte für eine der größten Investmentbanken der Welt gearbeitet, bevor man seinen Blog über das Leben in der Londoner City nach der Finanzkrise zu dem Computer zurückverfolgte, mit dem er arbeitete. Er war wegen Verletzung der Geheimhaltungsklauseln seiner Firma gefeuert worden. In Wahrheit hatte er sich einfach gelangweilt. Sein verdienter Ruf als einer der hellsten Köpfe auf dem Handelsparkett hatte zur Folge, dass bald Sir Solomon Dundas, ein Freund seines Vaters, ihn kontaktierte. Der flamboyante ehemalige Privatbankier, der jetzt für ein Unternehmen namens PLS stand, machte ihm ein Angebot. Die Bezahlung war nicht übermäßig gut, aber der Job schon.

»Er ist ein verdammt kluger Bursche. Aus der neuen Generation. Durch und durch respektabel – bring ihn bloß nicht dazu, dich mit seinen Riesenbeißern anzulächeln«, lautete die Empfehlung von Solomon. Und so ergab es sich, dass Alois Haydn einen weiteren Kontakt zu Professional Logistical Services bekam.

PROFESSIONAL LOGISTICAL SERVICES

Auf sein Betreiben hin war die Vereinigung der eminent publiken Britannier zusammengekommen, um Alois Haydn in einem privaten Club in der Nähe von Shepherd's Market zu treffen. Er hatte sie ordentlich herumbeordert. Der Mann war ein Verrückter, was Geheimhaltung anging. Im Raum herrschte eine gewisse Irritation, weil sie alle von dringender Arbeit weggerufen worden waren. Sie waren es nicht gewohnt, vorgeladen zu werden, und sie waren es nicht gewohnt zu warten.

Dieser Club war ein Überbleibsel eines London, das – zumindest aus der Perspektive Außenstehender – längst nicht mehr existierte. Es war das London, in dem Gentlemen niemals braune Schuhe trugen, es sei denn zu Cordhosen und Tweedsakkos. Das London, in dem Tabakhändler den Zigarettentabak genau so mischten, wie Sir es bevorzugte, und wo Purdey-Jagdgewehre für die jungen Söhne paarweise gekauft wurden. Das London von Türen ohne Schilder, von den Albany Chambers, in denen betuchte Junggesellen residierten (die nicht einfach eine »Wohnung« und schon gar kein neumodisches »Apartment« hatten). Wo Tee stets Darjeeling und Gin immer Pink Gin war. Es war ein London, das inzwischen offen gestanden hauptsächlich für reiche ausländische Nostalgiker im Sonderangebot zu haben war. Aber es existierten eben auch noch ein paar Winkel, wo man all diese Traditionen pflegte.

Vor einem verzierten Kamin aus Marmor war ein Kreis gepolsterter Ledersessel arrangiert worden. Einer der Anwesenden rauchte in der Tat – Tabak. Ein diskretes handgeschriebenes Schild an der Tür wies Clubmitglieder darauf hin, dass die Red Library bis zur Lunchtime für PLS reserviert war. Der volle Name des Unternehmens, dessen Führung sich in dem kleinen stickigen Raum in Mayfair getroffen hatte, war ganz bewusst gewählt worden, weil es der langweiligste und nichtssagendste überhaupt war.

Das Durchschnittsalter der im Raum Versammelten lag deutlich über siebzig, und eines dieser wettergegerbten und bekannten Gesichter musste sogar schon mindestens neunzig sein. Doch die Versammlung strahlte dennoch Macht und Erfahrung aus. Ein informierter Beobachter – Ken Cooper beispielsweise – hätte jeden Einzelnen dort erkannt.

Admiral Lord Jock Dalgety, ehemaliger Chief of the Defence Staff, rieb sich seine lange rote Nase und murmelte etwas zu General Sir Mike Patten hin, der die britischen Streitkräfte im Irak geführt hatte und nach wie vor nicht überzeugend wie ein Geschäftsmann wirkte. Dame Cecily Morgan, ehemalige Direktorin des MI5, saß völlig reglos und stumm, die Hände im Schoß gefaltet. Sie war nach einem spätabendlichen Club-Dinner von General Patten rekrutiert worden, als sie sich als die letzten beiden verbliebenen Gäste an einem Zehnertisch wiedergefunden hatten.

»Worauf kannst du dich denn mal im Ernst noch freuen, Cecily?«, hatte er sie gefragt, während sie an ihren Brandys nippten.

»Nun, Mike, ich denke mal, noch fünf oder sechs Jahre der Selbständigkeit in meiner Wohnung. Dazulernen, jedes Jahr mit ein bisschen mehr Schmerzen klarzukommen, und dann das übliche überheizte, nach Pisse stinkende Heim. Zum Kotzen, diese Orte. Ich habe zwar ein paar Nichten und Neffen, aber keine Kinder. Das macht der Geheimdienst eben aus einem. Dabei habe ich noch mehr Glück als die meisten: genug Geld für anständigen Wein und ein Filmabo, bis ich schließlich den Löffel abgebe.« Schon als junge Frau war Cecily für ihren unverblümten Ton berüchtigt gewesen.

Der alte General nickte heftig. »Wovor mir wirklich graut, ist, wenn das alte Mädchen als Erste geht. Mir selbst überlassen, werde ich jeden Abend zu viel Whisky trinken und dann eines Abends, wenn ich zum Pissen wanke, im Badezimmer stürzen. Kann nicht mal mehr das Theater genießen. Schwache Blase. Das alte Mädchen macht ein anständiges Omelett und hat ein Auge auf mich, aber ihr geht's nicht gut. Die trainieren einen fürs Schlachtfeld und dafür, was da passieren kann, aber wo ist der Lagebericht für diese letzten zehn Jahre?«

Patten begann, Dame Cecily ein interessanteres mögliches letztes Kapitel zu schildern, in dem sie ordentlich verdienen und selbst in ihrem fortgeschrittenen Alter noch an spannende Orte der Welt reisen könnte, wo sie tatsächlich ein paar der Gegner aus alten Zeiten treffen könnte, denen ins Gesicht zu sehen sie sich niemals hätte träumen lassen. Die Machthaber wären darüber nicht glücklich, aber was konnten sie schon tun. Sie war ja bereits allmächtig gewesen. Es war nicht schwer gewesen, sie zu überzeugen, insbesondere als sie erfuhr, dass der geheimnisvollen Firma viele Leute angehörten, die sie ihr ganzes Berufsleben lang gekannt hatte. Lord McDonald, der feuerfressende Vorstand von United Meats, und Baroness Tessie Fremantle, die ewige Finanzministerin mit dem Aussehen einer zweiten Miss Marple, würden zu ihren Kollegen zählen. Ebenso Dickie Greene, der ehemalige Direktor des Secret Intelligence Service und Vorsitzende des Joint Intelligence Committee, mit haarigen Ohren und einer Vorliebe für dunkelrote Pullover.

Jeder der jetzt in diesem Raum Versammelten hatte in seiner Vergangenheit Dinge getan, die er lieber nicht öffentlich bekannt wissen wollte – getürkte Zahlen, Verschleierung, brutal beendete Karrieren und im Fall von Dame Cecily Wegschauen, wenn Feinde Großbritanniens gefoltert oder sogar getötet wurden. Sie alle waren faltig und gezeichnet von Jahren der Verantwortung und schwieriger Entscheidungen. Keinem blieb noch viel Zeit. In finanzieller Hinsicht hatten sie es alle »bequem«, aber sie fühlten sich auch allesamt in der eingeschränkten Welt der Pensionierung unbehaglich und kribbelig. Ein letztes Abenteuer war für jeden Einzelnen viel verlockender als irgendeine Form von Bezahlung, die dabei herausspringen mochte.

Trotz des hohen Durchschnittsalters im Vorstand und der allgemein trägen Atmosphäre war PLS eine relativ junge Organisation. 1988 hatten einige ehemalige Angehörige des Geheimdiensts, pensionierte Offiziere und eine Handvoll Adler aus dem Finanzgeschäft sie gegründet, um britischen Unternehmen »fortgeschrittene Forschungstechnik« zur Verfügung zu stellen, wenn diese in gewisse Schwierigkeiten geraten waren. In der Firmensatzung und frühen Gesprächen über Verträge war nichts im Entferntesten Illegales erwähnt. »Keine Knarren, keine Viren, keine Einbrüche. Außer als letzter Ausweg«, so lautete das inoffizielle Motto von PLS. Und die Firma war stolz darauf, eine Fassade äußerster Seriosität aufrechtzuerhalten.

Bei einem Großteil der Arbeit ging es schlicht darum, die richtigen Leute zu kontaktieren oder zusammenzubringen. Sie wollten ein Kraftwerk in der Türkei bauen? Dann fand PLS den Minister heraus, dessen Zustimmung entscheidend war. Ihnen war ein großer Deal in Russland geplatzt? Dann brachte PLS die Gründe in Erfahrung und war sogar bereit, die vertraulichsten Details des Angebots in Erfahrung zu bringen, das letztlich den Zuschlag bekommen hatte. War eine größere Bank in Schwierigkeiten mit der Bankenaufsichtsbehörde FSA, wegen angeblicher Geldwäsche in Südamerika oder der Karibik, dann konnte PLS klären, wer genau bestimmte Geschäftsbücher offengelegt und wer dafür bezahlt worden war. Im Stillen wurde dann mit den geeigneten Vollzugsbehörden verhandelt, um die Sache wieder auszubügeln.

Ex-Botschafter griffen zum Hörer, um Leute im US-Außenministerium anzurufen, mit denen sie früher Golf gespielt hatten. Oder ehemalige Geheimdienstoffiziere nutzten alte Kontakte in Florida oder Mexico City. Wenn es beispielsweise zu Problemen wegen einer nötigen, aber diskreten Zahlung an einen saudischen Prinzen im Zusammenhang mit dem Vertrag für eine Turboprop-Trainingsmaschine kam, von der viele hundert Jobs in Walsall abhingen, dann konnte Professional Logistical Services ziemlich sicher mit einem Anruf rechnen. Danach ließ sich alles zur rechten Zeit klären: Die zweifellos nötigen, aber nicht ausreichend diskreten Zahlungen waren »missverstanden« worden – der Prinz, der nicht nur Patriot und Geschäftsmann, sondern auch Menschenfreund war, beabsichtigte, das Geld für die Verbesserung der Arbeitsbedingungen von Bangladeshis im Königreich zu verwenden. Folglich war es kein Bakschisch, sondern eine Hilfszahlung. Und so drehte die Erde sich weiter, und der Kundenstamm von PLS wuchs. Man öffnete Türen, von deren Existenz die meisten Menschen gar nichts wussten. Einer größeren Öffentlichkeit war die Firma praktisch unbekannt, aber ihre Erfolgsquote war ausgesprochen hoch.

Die Büros von PLS befanden sich in einer Sackgasse beim Green Park, keine hundert Meter von Clarence House entfernt, zwischen einem Boutique-Hotel und dem Hauptquartier eines Hedgefonds. Analysten, Zahlenakrobaten und das Sekretariatsteam arbeiteten lange Tage in den stillen, holzgetäfelten Räumen des kleinen Gebäudes mit dem cremefarbenen Stuck.

In dem heißen verrauchten Zimmer bei Shepherd's Market wandte sich Dame Cecily an Admiral Dalgety.

»Also wirklich, Jock? Wo steckt die kleine Nutte denn?«

DIE ROMANTIK DER FLEET STREET

Über jeden der altehrwürdigen Mitarbeiter von Professional Logistical Services gab es ein Dossier in den Büros des *National Courier*. Mit unscharfen alten Fotos, Artikeln über längst vergessene Auseinandersetzungen zu Verteidigungsausgaben und kleinere abteilungsspezifische Skandale, Listen der Ehrengäste zum Geburtstag der Queen aus alten Zeiten und auf Vorrat geschriebene Nachrufe. Doch nichts verband die Namen miteinander, und es existierte auch kein einziger Hinweis auf PLS, nicht einmal in der Wirtschaftsredaktion. Dabei war dies nach heutigen Maßstäben eine anständige Zeitung, die sich noch einigermaßen behaupten konnte.

Alle Redaktionsräume sehen mehr oder weniger gleich aus – schmutzig beige Wände, desolat viele unaufgeräumte Schreibtische, hinter denen weise alte Säcke, die sich mit der menschlichen Trägheit auskennen, sitzen und den Jungen und Dummen Aufträge erteilen. Ken Cooper war hier der Herausgeber, Kommandant auf seinem eigenen Poopdeck, und zwar nicht weil er der Älteste oder der Klügste oder der Furchterregendste war – obwohl er ziemlich alt, clever und fast schon unheimlich war –, sondern weil er lebendiger war als alle anderen in der Redaktion. Sein Herz pumpte gehaltvolleres Blut. Seine Lungen atmeten mehr von dem knappen Sauerstoff aus der Klimaanlage ein. Er lachte lauter. Seine Wutausbrüche waren heftiger. Selbst zwischen den Schreibtischen, sogar auf den schmalen Korridoren zu den Aufzügen, ging er nicht bloß, sondern tobte. Er sprang und brüllte und fuchtelte mit den Armen, wenn alle anderen vor Erschöpfung wie gelähmt waren. Und so rüttelte er die Zyniker wach und sorgte dafür, dass sie sich einsetzten; er brachte die Gelangweilten in Bewegung und machte sie neugierig. Er war der Idealtyp eines Zeitungsherausgebers, und sein Altenglisch war berühmt und fließend.

»Verfickt und zugenäht, in zwölf-verfickt-Punkt fettgedruckter Fick-Bodoni. Verfickt in elf verfickten Dimensionen.«

»Tja, da hast du recht, Boss.«

»Zum Teufel mit dieser verfickten Zeitung und allen, die verfickt noch mal auf ihr segeln. Wir saufen verfickt noch mal alle ab. Fick dich. Fick mich. Am besten, du fickst mich seitwärts mit einer Atex-Maschine und mit viel verficktem Enthusiasmus. Und wenn du schon dabei bist, fick meine verfickte Ehefrau gleich mit.«

»Wusste gar nicht, dass du wieder geheiratet hast, Boss.«

»Hab ich auch nicht. Ach, verfick dich … du …du …«

»Ficker?«

»Fi… Fi… Fi…«

Aber da schlich sich ein kleines Lächeln auf Ken Coopers Gesicht. Er begann zu lachen. Und Eddie Fitt, der

Nachrichtenredakteur, lachte auch. Die beiden kannten einander, seit sie als Ersatzspieler am Katzentisch beim *Newcastle Chronicle* angefangen hatten. Fitt hatte es als Erster nach London geschafft, wo er vom großen Harry Evans eingestellt worden war, bevor er zum *Observer* des kleinen Donald Trelford wechselte. Damals hatte er sich in der schwulen Großstadt bereits geoutet und hatte zum ersten Mal in seinem gekrampften, nervösen Leben Spaß. Cooper war ein Jahr später nachgekommen, hatte auf Fitts Sofa geschlafen und sich die Augen in Bezug auf einige Leute öffnen lassen, die im Blickpunkt der Öffentlichkeit standen. Er hatte sich durch Murdochs Blätter hochgearbeitet, bevor er nach Wapping flitzte, wo er auch nach deren Umzug blieb. Er überlebte die Belagerung und Charlie Wilson, den Herausgeber aus Glasgow, den er sich später teilweise selbst zum Vorbild nahm. Er hatte ihm den Spitznamen »Fingers« verpasst. (»Warum eigentlich ›Fingers‹, Mr Wilson?« – »Weil das alles ist, womit du dich verfickt noch mal festklammerst, Kleiner.«)

Rechtzeitig war er des Lebens im beträchtlichen und wachsenden Schatten von Andrew Neil müde geworden und zur *Mail* abgewandert. Dort hieß es, der legendäre Paul Dacre habe ihn »liebevoller als ihn je zuvor jemand eine Nutte genannt hatte« eine Nutte gerufen. Er hatte damals schon genug miese Beziehungen und geschwätzige Kollegen gehabt und verfügte über eine Zunge, die scharf genug war, um regelmäßig in der Kolumne »Street of Shame« von *Private Eye* aufzutauchen. Sein Eheexperiment hatte ihn allerdings verbittern lassen. Es bescherte ihm auch einen nachlässigen, wütenden Sohn und explosive wöchentliche Streitereien mit seiner Ex-Frau, die damals für den konkurrierenden *Correspondent* arbeitete. Als er das Angebot bekam, zum *Courier* zu gehen, rief er

Eddie Fitt an, den er längst überflügelt hatte, und bat ihn, mit an Bord zu kommen. (»Verfickter Giftbecher, Eddie. Genau dein cup of tea.«)

»Aber mein Gott, Eddie«, fuhr Cooper fort, der sich inzwischen wieder ein bisschen beruhigt hatte. »What the fuck? Wo ist dieser verfickte McBryde?«

»Keine Ahnung, Boss. Er ist zwar ein verdammt guter Reporter, aber auch ein verdammter Chaot. Ich habe ihm Dutzende Nachrichten hinterlassen, mündlich und schriftlich. Hab ihm mitgeteilt, dass diese kopflose Leiche unser Fall ist, was auch immer passiert, was auch immer er rauskriegen kann. Ich hab mit Kohle gewunken. Aber von jenseits des großen schwarzen Teichs der Zerstreuung in Soho kommt einfach keine Antwort, keinerlei Echo.«

»Okay. Also … irgendwann wird er sich melden. Inzwischen müssen wir hiermit weitermachen.« Cooper warf den Packen heftig angestrichener und kommentierter Zeitungen über den Tisch, die er auf der Autofahrt in die Redaktion durchgearbeitet hatte. »Sag McBryde, er soll mich anrufen, sobald er aufkreuzt. Und bitte Carol, meinen Lunch mit dem verfickten Lord Fauntleroy abzusagen. Ohne Angabe von Gründen. Ach ja, und sag Scadding, sie soll in mein Büro kommen, pronto.«

Lucy Scadding, die Chefredakteurin für Politik, war mit ihrem Stellvertreter innerhalb von Sekunden zur Stelle. Sie hatte schon fast eine Stunde vor Coopers Tür herumgelungert, das Handy an den Kopf geklebt, nickend und einsilbige Laute ausstoßend. Lucy war der entschlossene Typ – sie mied in ihren Artikeln Worte wie »vielleicht«, »könnte«, »man munkelt, dass« und »Gerüchten zufolge«. Sie kannte die goldene Regel: Jede Überschrift mit einem Fragezeichen am Ende verdiente die Antwort »Nee, nicht wirklich«. Sie wusste auch nur zu gut, dass sie sich innerhalb der nächsten paar Tage entweder unter den klügeren Köpfen in der Parlamentslobby etablierte, und zwar als eine, die das Referendum richtig einschätzte … oder scheitern würde. Ohne Druck dann. Sie war ein wenig zu einem Liebling des Premierministers geworden. In erster Linie weil sie die politischen Biografien gelesen hatte und daraus zitieren konnte. (Die meisten Politikreporter hatten ja praktisch keine Ahnung von oder kein Interesse an Politik; seriöse Politiker vergöttern die wenigen Ausnahmen.)

»Hallo, Ken. Wie lange haben wir? Die Dinge werden langsam spannend drüben in Number 10.«

»Nicht mehr als zwanzig Minuten, Lucy. Das Land mag zwar kurz davor stehen, verfickten politischen Selbstmord zu begehen, aber ich muss eine Zeitung mit lebenserhaltenden Maßnahmen produzieren. Und vor der Konferenz habe ich vor ein paar verfickten Marketing-Erdmännchen zu kriechen. Also fass dich kurz und knapp.«

Lucy Scadding setzte sich, obwohl ihr Herausgeber noch an seinem Schreibtisch stand, klappte ihr iPad auf und wischte mit einem Finger so lange, bis sie gefunden hatte, was sie suchte.

»Also, als Erstes, allgemeiner Lagebericht. Alle rechnen nach wie vor mit einem ›Ja‹ zu Europa, obwohl alle Anzeichen dafürsprechen, dass der Abstand sich verringert. Ipsos Mori, YouGov, Populus – unterschiedliche Methoden, aber alle kommen mehr oder weniger zu den gleichen Ergebnissen. Die Jungs aus der City sagen, die Staatsanleihen halten sich ganz gut, und die Top-Footsies reiten alle oben auf der Welle mit. Wir erwarten, dass der PM eine Abschlusstour durch die Provinz macht und eine große Pressekonferenz heute oder morgen. Wir rechnen damit, dass er sich die Gegend von Birmingham aussucht, weil es da sehr knapp ist. Ich habe heute Morgen mit den üblichen Verdächtigen in Number 10 gesprochen, und die Stimmung dort ist ziemlich munter. Allerdings scheinen einige aus dem inneren Zirkel ein bisschen hektisch zu sein. Irgendwas ist im Busch, das weiß ich. Ich kann nur den Finger noch nicht in die Wunde legen.

Auf der anderen Seite beharren die Leute von Olivia Kite darauf, dass noch alles offen ist. Sie sagen, sie würden noch später am Tag ein paar abtrünnige Tories und einige sehr altgediente Leute von Labour präsentieren. Auch hier rechne ich damit, dass es in Birmingham passiert. Aber ich bin nicht überzeugt, dass das reichen wird. Ich denke, es ist Zeit für eine große, fette Prognose auf der Titelseite – wir bleiben drin.«

»Hohoo, Mädel. Ruhig Blut! Lass uns nicht die verfickte Ziellinie überschreiten, bevor die Gäule aus den verfickten Startboxen draußen sind«, sagte Cooper. »Es läuft ja mehr oder weniger so, wie wir's vorhergesagt haben. Der PM macht draußen Wahlkampf, und Olivia liegt nur ein klein wenig zu weit zurück. Aber du hast recht. Sieht aus, als wäre es schon gelaufen. Was passiert also danach? Fast sofort ein Stühlerücken, was, Lucy? Er kann doch die Rebellen im Kabinett nicht behalten, nach allem, was sie in den letzten paar Wochen von sich gegeben haben. Sei der Konkurrenz voraus, Mädchen. Ich will einen anständigen Artikel über das neue Kabinett.«

»Ich bin mir nicht so sicher, ob es ein Stühlerücken geben wird. Nach seinem Deal mit den Deutschen und angenommen, er kann das hier abwenden, wird er als der erfolgreichste PM seit Thatcher dastehen. Zumindest für ein paar Wochen wird er ein Held sein und sich zu gegebener Zeit international jeden Job aussuchen können, den er möchte. Aber er wird auch noch Parteivorsitzender sein und kann nicht damit rechnen, eine allgemeine Wahl zu gewinnen, wenn die Partei zersplittert ist. Also wird er die maximale Einigkeit aus diesem Konflikt rauszuholen versuchen. Er wird versuchen, die Nachfolge zu regeln – wird ihm nicht gelingen, aber er wird es probieren –, und die Wunden verbinden. Also glaube ich, dass er mit seinem Sieg sehr behutsam umgehen wird. Er hat eine harte kleine Intrigentruppe aus guten Leuten um sich, aber ich rechne damit, dass er zurücktritt. Wahrscheinlich Ende des Jahres.«

»Nun, verfickt schön für ihn. Verfickt schön für uns. Wir werden es von Anfang an gewusst haben.«

Cooper meinte natürlich, dass er es gewusst hatte. Der zunehmend aufmüpfige Sohn des Eigentümers war ein überzeugter »Patriot« und »Gegen die Tyrannei Europas«-Typ. Der Eigentümer litt seit Wochen an der Linie, für die das Blatt sich entschieden hatte, und dieser Druck war unangenehm gewesen. Cooper betrachtete sich seit dessen Anfangszeit im Parlament als ein Freund des Premierministers. Selbst jetzt aßen sie noch hin und wieder zusammen. Also hatte er sich auf die Seite dieses Mannes gestellt und teilte die absolute Überzeugung des PM, wonach dieses Referendum gewonnen werden musste – und gewonnen werden würde. Sein politischer Leitartikelschreiber, ein intellektueller Veteran mit Froschaugen, war gegenteiliger Ansicht, wie auch der halbe Newsroom, vor allem die Jüngeren.

Früher hätte Cooper den Leitartikler einfach gefeuert und die anderen eingeschüchtert. Er hatte stets den traditionellen Widerspruchsgeist des *Courier* gefördert und sich zwei lange Jahre gegen das neue Gesetz zur Pressezensur der Regierung Cameron gestemmt. Damals war sogar von Gefängnis die Rede gewesen. Aber nachdem der

Eigentümer nicht wusste, was er denken sollte, sein Sohn sich auf dem Kriegspfad befand, die Verkaufszahlen schwach waren und die verdammten Blogger und anderen digitalen Wichser immer mehr Wind machten, waren Ken Coopers alte Gewissheiten längst Vergangenheit. Außerdem glaubte er an die kreative Spannung unter seinen Journalisten und hatte nur so eben an einer redaktionellen Ausrichtung festgehalten. Dabei war Lucy Scadding zu einer wichtigen Verbündeten geworden. Vielleicht, so überlegte er kurz, hatte sie es sich auch deshalb mit solcher Selbstverständlichkeit auf seiner Couch bequem gemacht. Doch inzwischen stand auch der froschäugige Leitartikler in der Tür und meldete sich zu Wort.

»Die Sache ist doch die, Mr Cooper, dass es am Ende nicht wirklich aufgeht. Bei allem Respekt für Lucy, ich glaube auch, dass in Number 10 was im Busch ist. Ich denke, die letzten Umfrageergebnisse beunruhigen ihn. Die ganze Kohle, die man in die Ja-Kampagne gesteckt hat, scheint sehr wenig – wenn überhaupt irgendwas – bewegt zu haben. Es gibt Anzeichen dafür, dass es zu knapp wird, als dass man irgendwas vorhersehen könnte. Wir haben ja noch nicht mal eine Ahnung davon, wie viele Leute überhaupt abstimmen gehen. Also sehe ich wirklich nicht, warum alle so zuversichtlich scheinen.«

Lucy Scadding hörte auf, mit ihrem Handy zu spielen, und begann, in Ken Coopers Stil zu reden. »Es liegt wirklich beim PM. Sie – wir – glauben immer noch an den Arschficker. Er ist scheiße und hat es so oft verschissen – aber er ist *unsere* Scheiße, und er hat nun mal dieses Lächeln, das Leute dazu bringt, zurücklächeln zu wollen. Und er hat nie einen wichtigen Kampf verloren. Keinen einzigen. Auch wenn er es diesmal schon so ziemlich bis zur letzten Minute offenlässt. Mir fällt kein Grund ein, warum er gestern nicht bei der *Andy-Marr-Show* war. Barney Jones war außer sich. Ich schätze, er hat irgendwas ganz Besonderes in der Hinterhand.«

»Höchstwahrscheinlich. Glauben Sie, er wird uns diesen verfickten Artikel schreiben?«

Lucy tippte wieder auf ihrem Telefon herum. »Ja, ja. Ich habe vor etwa einer halben Stunde eine Antwort bekommen. Er sagt, das meiste würde ›das Team‹ machen, aber er wird es für einen alten Freund wie Sie personalisieren.«

Gut, dachte Cooper. Es gibt also noch ein paar Stellen, wo ich zähle. Er ließ Lucy Scadding und das Froschauge zurück und stürmte in den Newsroom. Wie immer empfand er den im Vergleich zu den alten Zeiten als traurig still. Die Hälfte der Leute dort waren arme, geistig umnachtete Absolventen der »Medienwissenschaft«, die gratis arbeiteten. Was für ein verfickter Betrug, dachte Cooper. All die sich summierenden Studentenkredite, um überalterte Schreiber, die zu Professoren geworden waren, zu beschäftigen, gebaut auf das hohle Versprechen, die verblendeten Kids würden einträgliche Arbeit finden. Nun, es war aber keine verfickte einträgliche Arbeit mehr übrig. Vielleicht würde er, nachdem sie ihn schließlich doch gefeuert hatten, mit einem Plakat die Universitäten abklappern: »Medienwissenschaften? Verhungert gefälligst stilvoll.« Wahrscheinlich würde man ihn dafür einlochen. Das wäre mal eine verfickte Story.

Am Umbruchtisch war Eddie Fitt gerade beim Telefonieren. Er sah Cooper und schüttelte den Kopf. Immer noch nichts von McBryde.

»Fuck, fuck, fuckety fuck«, murmelte Cooper. Und er musste sich selbst eingestehen, dass die Angelsachsen sprachlich eine ziemlich fantasielose Bande waren.

BEINAHE EINE UNTERHALTUNG

Zwei Gestalten lagen in benachbarten Kühlboxen und warteten auf die klappbaren Stahltische mit den kleinen Gummirädern. Die eine war die kopf- und handlose Leiche eines Mannes um die sechzig, den man aus der Themse gefischt und inzwischen vom Schlamm und Schlick gesäubert hatte. Die andere war der tote, aber ansonsten unversehrte Körper des 28-jährigen Zeitungsreporters Lucien McBryde, inzwischen ebenfalls nackt. Dass Letzterer den Auftrag gehabt hatte, Ersteren auszuforschen, konnte zum gegenwärtigen Zeitpunkt keiner wissen.

Die Pathologie war ein langgestrecktes flaches Gebäude, umgeben von einer hohen Ziegelmauer und einem elektrischen Stahltor. Es gab kein Schild, nicht einmal eine Hausnummer. Nicht weit entfernt vom schicken Chelsea Harbour und gegenüber von einem nichtssagenden internationalen Hotel war es der übliche Aufbewahrungsort für die Opfer eines gewaltsamen Todes in der Londoner Innenstadt. Hierher hatte man die zerfetzten Opfer der Terroranschläge vom 7. Juli gebracht, mögliche Mordopfer, eindeutige Mordopfer, Selbstmörder und die Kids, die bei den Bandenkriegen von Brixton und Hammersmith erst getötet hatten und dann selbst getötet worden waren.

Einheimische wussten darüber Bescheid und bemerkten die unbeschrifteten Lieferwagen und Krankenwagen, die die Tore regelmäßig passierten, aber für die meisten Londoner war es eine Lücke, eine bebaute Vakanz in einem anonymen Dreieck verlorener Immobilien. Google Maps lieferte keine Angaben; bei Streetview sah man nur einen verschwommenen Streifen aus Ziegeln und ein Metalltor. Trotzdem handelte es sich um ein Bauträgerobjekt der Spitzenklasse. Seit Jahren waren sie scharf darauf. Oder, wie ein Immobilienmakler aus der Gegend formulierte: »Es ist der reine Irrsinn, ein so saftiges Uferstück anstatt lebenden Spekulanten Kadavern zu überlassen. Das ist doch nicht englisch.«

Jenseits der Mauer, nachdem ein Anruf einem das Tor geöffnet hatte, gab es einen großzügigen Parkplatz und ein kleines Büro – gepolsterte Stühle, ein staubiger Gummibaum, zwei alte Computer und ein Kalender mit Fotos nackter fetter Frauen. Das Personal bestand aus einem unrasierten, erschöpft aussehenden Mann und einer müden Sekretärin. Dahinter führten Flure mit Fotos englischer Seebäder an den Wänden zu schweren Türen und dicken Plastikvorhängen. Hinter diesen war die Luft unter den Lichtleisten kühl und stickig zugleich, und der Essiggeruch von Formaldehyd konnte etwas Süßlicheres nicht ganz überdecken. Helfer brachten die Körper aus der Kühlkammer in die Räume mit Zementboden, wo die Autopsien stattfanden, und spülten die Flüssigkeiten weg, nachdem die Gerichtsmediziner, Polizei und Pathologen ihre Arbeit gemacht hatten und wieder weg waren.

Welcher Typ Mensch suchte sich so einen Job aus? Nicht unbedingt schlechte Menschen. Eher solche, die sich einerseits nach ruhiger finanzieller Sicherheit sehnten und ein leichtes Faible fürs Schaurige hatten. Friedhofshumor endete schließlich nicht bei Shakespeare. Berühmte Leichen wurden manchmal mit Lippenstift oder Pappnasen verziert, bevor das Leichenhaus am Abend schloss. Zu Weihnachten war eine gewisse Menge unangemessenes Lametta durchaus üblich. Einmal hatte es fast einen Skandal gegeben, als Verwandte vom indischen Subkontinent unerwartet auftauchten und einen Stahl-Tycoon in Damenstrumpfhose vorfanden. Lucien McBrydes schmaler, aber bemerkenswert langer Penis hatte heute für viele Kommentare gesorgt, aber niemand hatte sich daran zu schaffen gemacht.

Wären die Themse-Leiche und der investigative Journalist dazu imstande gewesen, hätten sie sich einander bestimmt zugewandt und sich angeglotzt, erstaunt von ihrer feuchtkalten Nähe. Vermutlich hätten sie sich gefragt, wer wohl als Nächster auftauchen würde, und der Gedanke, was die weiß behosten Hilfskräfte als Gutenachtgeschenk zurücklassen würden, hätte sie umgetrieben. Doch da der eine ein gebrochenes Genick hatte und dem anderen der Kopf fehlte, konnten sie solche Blicke nicht tauschen.

KONSTITUTIONELLE MONARCHIE

Der Fraktionschef Ronnie Ashe erlebte gerade etwas, das er nicht mehr gespürt hatte, seit er als kleiner Junge in die Vorschule gekommen war. Er fühlte sich unzureichend. Das war auch keine Überraschung. Vom neuen Privatsekretär des Königs war er vor einer halben Stunde in den Buckingham Palace zitiert worden, um zu erklären, warum der erste Minister des Königs offenbar zu beschäftigt war, um seine übliche Audienz bei Seiner Majestät wahrzunehmen. Diese war seit Beginn der neuen Regentschaft auf den Montagmorgen verlegt worden. Und der König war »not amused«.

Ronnie hatte beschlossen, zu Fuß durch den St James's Park zu gehen, um sich vorzubereiten. Das würde fast so schnell gehen, als wenn er den offiziellen Jaguar bestieg und sich chauffieren ließ, hatte er gedacht. Doch er hatte sich in der Zeit verschätzt und kam zu spät. Auch darüber war der König »not amused«.

Ronnie wurde von einem Stallmeister durch den Hof und von dort über ein erstaunlich kleines Treppenhaus ins private Arbeitszimmer des Königs gebracht. Ein Porträt der verstorbenen Königin dominierte die Wand hinter dem Schreibtisch, während der restliche Raum mit Aquarellen des Königs von Motiven in Schottland, Indien und Windsor dekoriert war. Zwei Armsessel mit grünem Seidenbezug waren in gebührendem Abstand für das Gespräch zurechtgestellt worden. Ronnie verbeugte sich, strahlte und blieb stehen, bis der König mit einer genervten Handbewegung auf die Sitzgelegenheiten deutete. Wäre der Premierminister zugegen, hätte ihn ein Diener mit einem Glas seines bevorzugten Talisker Malt-Whiskys erwartet. Aber für Ronnie gab es nicht mal eine Tasse Tee.

Dabei waren Ronnie Ashe und Seine Majestät einander durchaus bekannt. Ashe hatte echtes Geld gemacht, indem er das Unternehmen seines Vaters für Landmaschinen ums Doppelte vergrößerte, und schon früh in seiner Parlamentskarriere war man auf ihn zugekommen, damit er Treuhänder in einer der bevorzugten Wohltätigkeitsorganisationen des Prinzen würde. Ronnie war genug Mann von Welt, um zu wissen, dass Treuhänder nur die Abkürzung für »Zahl oder finde Leute, die es tun« war. Er tat ein wenig von beidem, wurde ein paarmal zum, wie er seiner Frau gegenüber sagte, »Snob-Lunch« eingeladen, und schließlich durften beide ein Wochenende auf dem Landsitz des Prinzen verbringen. Mit seinem technischen Hintergrundwissen verfügte Ronnie oft über nützliche Tipps für königliche Reden. Einige Monate lang hatte er dem jungen Prinzen auch in jeweils ein paar Tagen erklärt, wie das Parlament eigentlich funktionierte. Als Stammgast in Cheltenham, Lingfield, Epsom und Ascot sowie als genialer und aufmerksamer Zuhörer war er ein Mann der Sorte, die die Windsors gerne um sich hatten.

Doch wie so viele, die sich plötzlich in dieser Position wiederfanden, hatte auch Ronnie Ashe einst den Fehler begangen, »sich etwas zu erlauben« – er war nur ein bisschen zu vertraulich gewesen. Und schon lernte er die berüchtigte Windsor-Kühle kennen. Das hatte sich angefühlt, als wäre er aus dem Gleichgewicht gestoßen worden. Wie ein Schuljunge, den man dabei erwischte, wie er etwas diffus Beschämendes tat. Und erstaunlicherweise war er bestürzt gewesen.

Der Premierminister, der ja zwanzig Jahre älter war als er selbst, hatte es ihm erklärt. »Das Geheimnis der Monarchie? Schnelle Abgänge, Ronnie. Da kommt die Hand, dazu das Lächeln, und du fühlst dich wie eine Million Dollar. Dann realisierst du plötzlich, dass sie sich verdrückt haben, zum Nächsten weitergegangen sind. Oder du unterhältst dich mit ihnen, und Ihre Majestät tönt: ›Tatsächlich? Wie faszinierend! Warum bloß hat mir das noch niemand gesagt?‹ Dann machst du den Fehler und laberst ein bisschen weiter, und du bemerkst plötzlich, wie ihre Augen glasig werden. Eine Art Nebel hat sich über ihren Blick gelegt. Das habe ich schon eine Million Mal gesehen – Botschafter und Schauspieler, Minister und Herausgeber fragen sich dann: ›Wie konnte *das* denn bitte passieren? Wo sind sie denn hin?‹ Aber so muss das laufen, Alter. Kein Leerlauf. Keine zu große Nähe. Und natürlich ist es schlimmer für diejenigen, die noch ein bisschen näher dran sind. Wenn du also weiterhin eingeladen werden, wenn du in diesen Gremien sitzen und vielleicht eines Tages einen Viktorianischen Orden kriegen willst, dann musst du das Spiel mitspielen und ihre Regeln kennen. Maße dir nichts an. Träum nicht davon, ein Freund zu sein. Merk dir ein für alle Mal: schnelle Abgänge.«

Ronnie Ashe hatte es sich gemerkt und gelernt, so war er bald wieder geladen worden. Zum Essen und Übernachten in Windsor. Er hatte den König zu Kinderclub-Besuchen begleitet und es geschafft, in seinem Wahlkreis einen Royal für die Eröffnung des neuen Business College zu kriegen. Er scherzte und hörte königliches Gelächter, genau wie er über königliche Scherze lachte – die sogar nicht mal schlecht waren, aber trotzdem oft Mitleid mit dem Mann weckten.

Heute jedoch gab es eher wenig königlichen Humor. Das ziegelrote Windsorgesicht zitterte vor Wut. Der Rücken war kerzengerade.

»Was zur Hölle ist da los, Ronnie? Was zur Hölle denkt er sich eigentlich?«

»Eure Majestät, es tut mir so leid. Ich weiß, es wirkt schlecht …«

»Schlecht? Es wirkt verdammt unverschämt. Es wirkt unverschämt gegenüber seinem Monarchen und so, als hätte er seine Position vergessen. Als wäre er irgend so ein verdammter Präsident vom Kontinent.«

»Eure Majestät, der Premierminister meint es nicht respektlos. Er hat versucht, Sie telefonisch zu erreichen. Es ist nur so, dass er in diesen letzten paar Tagen, bevor das Land wählt, völlig …«

»Oh, eingedeckt mit Arbeit ist, das ist mir klar. Anscheinend zu beschäftigt, um dem souveränen Staatsoberhaupt des Vereinigten Königreichs von Großbritannien und Nordirland zu erläutern, ob es dessen Schicksal ist, Mitglied der Europäischen Union zu bleiben oder – wie heißt das doch gleich? – ›unsere Souveränität für ein neues Zeitalter der Größe zu reklamieren‹, hmm? Ich bin mir sicher, dass er Memoranden und Briefing-Unterlagen und Umfrageergebnisse durchzusehen hat. Es ist nur so, dass er sein Gespür für die verdammte Perspektive verloren zu haben scheint. Und Perspektive ist das, worum es bei diesen Audienzen letztlich geht, Ronnie, müssen Sie wissen.«

»Sir, wenn ich mir erlauben darf, der Premierminister ist äußerst besorgt …«

»*Sie* würde diesen Fehler nicht begehen, wissen Sie, Ronnie. Ich stehe über der Tagespolitik. Ich habe keine Meinung zu alledem. Aber Mrs Kite war überaus aufmerksam. *Sie* hätte ihren Monarchen sich nicht die Beine in den Bauch stehen lassen.«

»Sir, der Premierminister hat mich geschickt, um sich persönlich bei Ihnen zu entschuldigen und Sie zu bitten, ihm dieses eine Mal zu verzeihen – nur dieses eine Mal. In diesen schwierigsten und forderndsten Tagen seines politischen Lebens, in denen er das Gefühl – der Premierminister fühlt das sehr heftig –, in denen er das Gefühl hat, das Schicksal der Nation liegt in seinen Händen. Er sagte mir, dass er schon viele Gespräche mit Ihnen, Sir, geführt hat, die ihn zu der Überzeugung und dem Vertrauen darauf geführt haben, dass Sie einander in dieser Sache *absolut* verstehen. Er sagte mir weiters, dass er sich immens gestärkt fühle von der Weisheit und dem Urteilsvermögen, die Sie ihm im vergangenen Jahr haben zuteilwerden lassen und auf die er sich auch jetzt stützt …«

Während der Fraktionsführer weitersprach, registrierte er eine leichte Entspannung der königlichen Schultern. Die Gesichtsfarbe des Monarchen hatte von Gewitterlila über Pflaume zu Ampelrot gewechselt und war inzwischen nur noch grellrosa. Auch wenn er noch nicht besänftigt war, wirkte er doch zumindest nicht mehr wütend. Der Sturm war im Abflauen. Ronnie Ashe machte weiter.

»Sire – Sir –, der PM fühlt, dass Sie in diesem zugleich größten Test Ihrer bisherigen Regentschaft Ihre Kritiker vollkommen widerlegt haben, die meinten, es würde Ihnen nicht gelingen, über der Auseinandersetzung zu stehen. Und dass Sie ungeachtet Ihrer – vollkommen berechtigten und in der Tat unwiderlegbaren – Kritik an der EU und deren Einfluss auf Ihr Land das große Ganze gesehen haben. Und dass Sie Ihrer Regierung ein Gefühl für Perspektive vermittelt haben, das einzelnen Politikern völlig fehlte ... ja, fehlte ...«

Der König nickte. Er gestattete sich ein ironisches Lächeln. »Aber es ist keine sehr ... *nette* ... Art, mit einem bekloppten alten Monarchen umzugehen, der *vielleicht* doch das eine oder andere weiß, nicht wahr? Einfach nicht zu erscheinen. Das möchten Sie vielleicht erwähnen.«

Ashe hielt den Zeitpunkt für gekommen, ihm Druck zu machen. »Sir, wenn Sie so großzügig wären, wie es ja ohnehin Ihre Art ist, und am Telefon mit ihm sprechen würden, dann, und das weiß ich, wäre der PM so bewegt wie dankbar. Er braucht Sie, Sire – Sir. In diesem Moment nötiger denn je.«

Wieder nickte der König. Er beugte sich vor, griff nach dem alten weißen Telefon und drückte eine einzige Taste. »Den Premierminister, bitte.«

Dann sah er Ashe über den Schreibtisch hinweg an, als hätte er schon vergessen, dass der Fraktionsführer sich überhaupt im Raum befand.

»Sie können jetzt gehen.«

Der Anruf aus dem Buckingham-Palast wurde über »Switch«, wie die Telefonzentrale der Downing Street genannt wurde, sofort durchgestellt. Der Premierminister hatte Switch besonders ins Herz geschlossen. Großbritannien, so pflegte er oft zu denken, war zu einer Nation geworden, in der viele Dinge, die man einst für selbstverständlich gehalten hatte, inzwischen völlig verschwunden waren. Eine preiswerte, effiziente Post, umsichtige, unanfechtbare Banker, eine unbürokratische und zuverlässige Polizei, die keine Storys an die Presse durchsickern ließ, Pfarrer, die in schönem, klarem Englisch predigten, und Leute, die sich in diesen Kirchen versammelten, um liebenswürdigere und einfach bessere Menschen zu werden … Wohin waren sie alle verschwunden? Unter den stillen Institutionen, die nach wie vor funktionierten, unverändert und höchst zuverlässig, war Switch ein kleines Juwel.

Die Damen von Switch vermochten jeden an jedem Ort und zu jeder Zeit aufzuspüren. Einen Teilzeitkonsul, der bekanntermaßen trank, in Jakarta, einen pflichtvergessenen Hinterbänkler, der sich vor dem Geschäftsführer der Regierungspartei auf der Insel Skye versteckte, einen Schattenminister, der für den nächsten Tag eine verdächtige und gefährliche Frage im Sinn hatte – Switch holte sie alle innerhalb von Minuten ans Telefon. Niemand wusste so ganz genau, wie sie das machten. »Sie sind der Geist von Bletchley Park und Agatha Christie in einem«, hatte der PM bei seinem Toast auf sie während der Weihnachtsfeier für das Personal gesagt.

Das Telefon klingelte im Allerheiligsten des PM, das inzwischen bis auf wenige Ausnahmen für alle tabu war.

Eine fleckige, fleischige Hand griff nach dem Hörer. »Der König ist für den Premierminister in der Leitung«, sagte Switch.

»Eure Majestät, das ist sehr gütig von Euch«, brummte die vertraute Premierministerstimme.

Der PM trumpfte mit großer Autorität auf. Zwar entschuldigte er sich dafür, die wöchentliche Audienz versäumt zu haben, aber er überzeugte mit der Nähe des Abstimmungstermins, damit, wie wichtig es sei, dass er sein Versprechen an Berlin über die Zukunft der EU einhalte, und mit der drohenden Gefahr eines Bankensturms, wenn die Umfragen weiter dagegensprächen, dass Großbritannien drinbleibe. Nach nur wenigen Minuten war der König so gefesselt vom politischen Drama, dass ihm seine Beschwerden wegen des Protokolls selbst kleinlich vorkamen. Er wagte auch nicht, seine spätabendlichen Unterhaltungen mit Mrs Kite anzusprechen. »Kleinlaut« war für den Monarchen ein neues Gefühl, aber genau so kam er sich nun vor.

Inzwischen saßen Lord Briskett und Ned Parminter in dem winzigen Wartezimmer auf der linken Seite des Flurs in der Downing Street. Im Kamin, dort, wo sich eigentlich ein Rost hätte befinden sollen, stand ein alter Safe aus Metall. Gelangweilte Besucher schauten manchmal hinein, fanden darin aber nur ein paar ausrangierte kaputte Büroutensilien.

Nachdem sie die Sicherheitsschleuse passiert hatten, gaben Briskett und Parminter höflich ihre Handys ab und legten sie in einen Holzschrank, dessen numerierte Fächer die perfekte Größe für BlackBerrys und iPhones hatten. Gerade zeigte Parminter Briskett die Ausdrucke der aktuellsten internen E-Mails der »Nein«-Kampagne.

»Sehen Sie«, sagte er, »es ist in Wirklichkeit nicht mehr so eindeutig, wie alle behaupten. Sie stellen Suggestivfragen und halten das komplette Datenmaterial zurück. Alle manipulieren. Auf beiden Seiten ist es inzwischen für faire Berichterstattung zu ernst. Hinter den Kulissen drehen die Umfrageinstitute schier durch. Der echte Stoff sind die Daten, die direkt an Kite gehen – und auch an den PM, möchte ich wetten. Die Zahlen von Manchester und Sheffield beispielsweise dürften interessant sein.«

Briskett rieb sich die Stirn. »Es ist in der Tat knapp. Ich bin mir sicher, dass Olivia Kite für die letzten Tage noch ein, zwei große Überraschungen im Köcher hat. Wie ich sehe, kriegen wir nicht mehr geschickt, was zwischen ihr und den Jungs aus dem Big Business hin- und hergeht. Ich frage mich, ob der eine oder andere nicht noch für die Unabhängigkeit plädiert. Genau das braucht sie. Last-Minute-Zusicherungen vom großen Geld. Aber ich bin mir nicht sicher. Vielleicht kriegt das ›Nein‹-Lager auch endlich mal Panik. Es wird faszinierend sein zu beobachten, wie der PM seine eigenen Umfragen interpretiert.«

Ned schob seine Papiere wieder zusammen. »Denken Sie, es gibt überhaupt Chancen auf eine objektive Einschätzung von ihm? Ich meine, er verabscheut Kite und den Rest der Truppe doch wirklich.«

»Oh nein, Ned, da liegen Sie ganz falsch«, sagte Briskett. »Ganz falsch. Ich kenne ihn ja schon seit Jahren. Er verfügt über viele besondere Eigenschaften – Charme, Energie, Glauben an sich selbst, körperliche Kraft, Liebenswürdigkeit, sogar ein bisschen vom alten Charisma. Schicken Sie ihn in einen Raum voller fremder Menschen, und er scheint ihre Namen instinktiv zu kennen. Ich habe ihn schon nach Ehegatten und Kindern fragen hören, von deren Existenz er definitiv keine Ahnung haben konnte. Und erzählen Sie ihm nur ein einziges Mal von einer Erkrankung oder einem Sohn in Schwierigkeiten, und er wird sich noch Jahre später daran erinnern und sich danach erkundigen.«

»Oh, er ist ein bemerkenswerter Mann. Aber kennen Sie seinen größten Vorzug als Politiker? Das ist seine Objektivität. Er kann jede Situation, in der er sich befindet, nehmen, herumdrehen, daraus aussteigen und sie von außen betrachten. Er vermag, wie die Opposition zu denken, wie Menschen, die ihn durch und durch hassen, und genau zu verstehen, was sie denken. Er ist absolut unsentimental. Er kennt seine eigenen Schwächen und die Stärken der anderen – aber instinktiv, nicht nur abstrakt. Er *empfindet* ein Problem von allen Seiten. Wenn es also nur einen Menschen in diesem ganzen gesegneten Königreich gibt, der wirklich weiß, was los ist, dann sitzt er am Ende dieses Flurs und erwartet uns.«

Nach einer langen Pause fragte Parminter: »Tut er das wirklich? Ich meine, auf uns warten. Wir sitzen hier nun schon seit dreißig Minuten.«

Briskett stand auf und band seine leuchtend gelbe Krawatte neu, und zwar im spiegelnden Glas über einem Gemälde von Spencer Gore, einem Lieblingsmaler in Number 10.

»Unsinn. Dreißig Minuten sind nichts. Um uns herum wird Geschichte gemacht. Man kann es riechen, Ned.« Er schnüffelte grinsend.

Da ging die Tür auf, und es erschien mit einem breiten einladenden Lächeln, das Brisketts zu spiegeln schien, eine große, attraktive Frau. Sie hatte die Hände auf die Hüften gestützt und trug ein rotes Sakko sowie einen Rock, den sich nur wenige Frauen über fünfzig zugetraut hätten.

»Hallo, Darling«, sagte sie mit rauher, schelmischer

Raucherstimme. »Wie geht es dem legendärsten Historiker der ganzen Welt? Sie sehen so schlimm aus wie immer, Trevor. Und wer ist dieser umwerfende junge Mann?«

»Dies, meine liebe Amanda, ist mein Forschungsassistent Ned Parminter, der es – wenn ich jetzt so darüber nachdenke – Ihnen selbst zu verdanken hat, dass er heute mit mir herkommen durfte. Ned, darf ich vorstellen? Die Türhüterin, Privatsekretärin, Girl Friday, Mädchen für alles und alter Kumpel des Premierministers, Amanda Andrews.«

Parminter streckte eine Hand aus. »Sie sind eine sehr faszinierende und, wenn ich mir das erlauben darf, kaum fassbare Frau«, sagte er. »Ich bin sehr erfreut, Sie endlich persönlich kennenzulernen.«

»Die Freude ist ganz meinerseits, Jungs«, sagte Amanda. »Und ich habe einige exzellente Neuigkeiten für euch. Soeben habe ich vom PM persönlich die Zustimmung erhalten, euch die Protokolle der Referendum-Steuerungsgruppe von heute Morgen zu zeigen, also das Aktuellste, was auf unserer Seite gerade gedacht wird. Außerdem bin ich autorisiert, euch die In-Box der persönlichen E-Mails des PM zu zeigen. Ich denke, darin werdet ihr einige interessante Nachrichten finden, auch wenn ich natürlich dabei sein muss, während ihr sie durchseht. Ich habe auch bereits Sandwiches und Kaffee bestellt.«

Briskett wirkte fast verdattert, aber es gelang ihm, seine übliche Unerschütterlichkeit zurückzugewinnen. »Liebe Amanda! Das ist natürlich eine großartige Sache und ein unerwartetes kleines Bonbon. Aber ich frage mich, wann wir in der Lage sein werden, uns mit dem großen Mann persönlich zusammenzusetzen? Uns wurde ein Tête-à-tête versprochen, und dieses ganze Projekt hängt schon sehr davon ab, dass wir seine Gedanken direkt, also so frisch wie nur möglich, von ihm mitgeteilt bekommen, während die Dinge ihren Lauf nehmen.«

»Ja, Trevor, das verstehe ich natürlich. Wir haben das versprochen und werden ihn auch liefern. Die Sache ist nur die, dass leider etwas ziemlich Heikles und Unerwartetes passiert ist. Wir haben, wie gesagt, eine Stunde für Sie reserviert, aber der PM meint, es wäre besser, die aufs Ende der Woche zu verschieben. Er verspricht, dann auch mehr Zeit für Sie zu haben und noch offener – ›gefährlich offen‹ lautete seine Formulierung, meine ich – zu reden.« Amanda strahlte und kniff vor Freude die Augen ein wenig zu.

Briskett konnte spüren, wie er scheiterte, und kniff. »Dennoch lässt sich nichts mit einem richtigen Gespräch von Angesicht zu Angesicht vergleichen …«

»Wir sind nur deshalb den ganzen Weg von Oxford hierhergekommen«, fügte Parminter hinzu.

»Darling«, sagte Amanda, »Sie zumindest haben die ziemlich kurze Reise aus Oxford nicht unternommen, um nur uns zu treffen. Ein kleines Vögelchen hat mir gezwitschert, dass Sie sich auch mit einer gewissen Jennifer Lewis treffen, dieser sehr schlauen und formidablen jungen Lady, die unsere nicht allerbeste Freundin Mrs Kite berät.«

Parminter glotzte sie an.

»Woher ich das weiß? Nun, mein Lieber, ich verfüge über einen ganzen Schwarm kleiner Vögel, die ständig überall herumzwitschern, mit ihren kleinen Handys, ihren kleinen Kameras und ihrer unendlichen, liebenswerten Neugier. Und stört es uns etwa, dass Sie und Miss Lewis – die mir nebenbei bemerkt ziemlich verknallt vorkommt – unter einer Decke stecken? Das tut es nicht. Nicht im Geringsten. Das ist Ihr Job. Sich mit beiden Seiten zu beschäftigen, wie abgemacht. Und was für ein vergnüglicher Job das doch zu sein scheint, Mr Parminter.«

Inzwischen wirkten beide Herren ziemlich geschlagen und schienen sich mit der Tatsache abgefunden zu haben, dass sie den PM nicht zu Gesicht bekommen würden. Amanda führte sie aus dem Wartezimmer und am Porträt von Lord Walpole vorbei. Der alte Schwerenöter mit Perücke war Großbritanniens erster Premierminister gewesen. Sie leckte sich die Lippen genau vor ihm, bevor sie ihnen den Gnadenschuss gab.

»Da Sie beide so trübsinnig und enttäuscht dreinschauen, habe ich noch eine letzte Überraschung. Und diesmal ist es keine weitergereichte Nachricht vom großartigen Mann. Diesmal agiere ich auf eigene Initiative. Er könnte das missbilligen. Meine Güte, vielleicht versohlt er mir sogar den Hintern.«

Briskett wagte kaum zu atmen.

»Trotzdem, meine Süßen, habe ich beschlossen, im Sinne von Fairplay und voller Offenheit euch zu verraten, was der PM jetzt genau in diesem Moment tut und warum eine gewisse Person Vorrang vor meinem Lieblingshistoriker und seinem strubbeligen Forscher hat, der halb verliebt in den Feind ist. Er telefoniert gerade – und zwar schon seit einiger Zeit und noch einige Zeit – mit dem König.

Königlein ist ziemlich aufgeregt. Königlein weiß nämlich ganz genau, welche Seite seines biologischen selbstgebackenen Vollkornbrötchens frisch gebuttert ist. Trotz seiner gelegentlich seltsamen Ansichten weiß Königlein, dass viele hübsche Unternehmen sein Königreich verlassen werden, falls das United Kingdom die Europäische Union verlässt. Und dass viele Bauern ihre Jobs und Pensionen verlieren und deshalb ziemlich heftig revoltieren würden. Hat man eine Revolution erst einmal losgetreten – und glaubt mir, Jungs, fünfzig Jahre alte Verbindungen mit Kontinentaleuropa zu kappen, das wäre ein revolutionärer Schritt –, dann, so lehrt uns die Geschichte, weiß man nie, wo es endet. Könige kennen ihre eigene Geschichte, selbst wenn sie sonst nicht viel Durchblick haben. Also ist Königlein auf unserer Seite, zumindest vom Verstand her.«

Das Trio war weiter den Flur entlanggegangen, wo gute britische Gemälde des vergangenen Jahrhunderts zu hängen pflegten – Briskett nahm einen Spencer, einen weiteren Gore und einen Nicholson zur Kenntnis. Jedes Jahr, ungefähr im September, wurden sie ausgetauscht. Sie näherten sich dem Kabinettssaal, dessen Tür natürlich wie üblich verschlossen war. Dann ging es nach rechts, in Richtung des Privatbüros des Premierministers, doch auch an dem führte Amanda sie forsch vorbei und das berühmte Treppenhaus mit der Fotogalerie der Premierminister hinauf in den weißen Salon mit den hübschen Vergoldungen, der unter Margaret Thatcher restauriert worden war und in dem ein ausgezeichneter Turner über dem Kamin hing. Sie befanden sich im prächtigsten Repräsentationsraum von Downing Street, wo ausländischen Würdenträgern Drinks serviert wurden und von wo aus der Premierminister TV-Interviews zu geben pflegte.

Die Aussicht auf Horse Guards Parade und den St. James's Park war prachtvoll.

Doch Lord Briskett war alles andere als geblendet. Dass man ihn hierherbrachte, empfand er nicht als Kompliment. Ihm war nur zu bewusst, dass die echte Arbeit im Stockwerk darunter geleistet wurde, im Kabinettszimmer, im Büro des PM und in denen der Privatsekretäre und persönlichen Referenten. Unten ging es zu wie in einem Bienenstock, auf den engen Treppen und in den überhitzten Zimmern war es voll und laut. Dieser Salon war dagegen ruhig, behaglich und still – aber das war eben nur Show. Brisketts Verärgerung wurde jedoch ein wenig gemildert von seiner Neugier auf die Haltung des Königs zum Referendum. Das klang doch nach genau der Art von Insider-Geschichte, die sein Buch zum Gesprächsthema machen würde.

Nachdem sie alle Platz genommen hatten, fuhr Amanda fort. »Königleins Herz ist jedoch ein ganz anderes Organ. Wie wir alle wissen, hat es ihm in ferner Vergangenheit gewissen Ärger beschert. Nun, inzwischen schlägt es ziemlich leidenschaftlich für Old Britannia, Roastbeef und die romantische Vorstellung einer Unabhängigkeit von ausländischen Typen. Kite ist ein gerissenes Weib, und sie hat ihn auf die Bergspitze gebracht, von wo aus sie ihm die goldene Aussicht auf ausgedehnte biologische Weiden zeigte, ohne Atomkraftwerke oder Windparks, die Hofreiterei in alter Pracht, mehr Geld für die gute alte Navy und vor allem ein Ende dieser pestilenzartigen Gesundheits- und Sicherheitsvorschriften, von denen Königlein glaubt, sie würden das gemeine Volk gängeln. Und Königlein – um es ganz offen zu sagen – ist wankelmütig.«

Lange bevor Lord Briskett aufhörte, mit seinem antiken Goldfeder-Parker-Füller zu schreiben, und Ned Parminter seinen Rekorder ausschaltete, wussten beide Männer, dass sie eine echte Story hatten.

Dann brachte Amanda ihnen eine Abschrift des jüngsten E-Mail-Verkehrs des PM, der eher wegen des Tons und der Scherze interessant war als wegen der darin enthaltenen Informationen. Danach gingen die beiden noch die Protokolle der morgendlichen Besprechungen im Erdgeschoss durch. Lauter gutes Zeug, auch wenn es ihre Enttäuschung darüber, den Premierminister nicht persönlich getroffen zu haben, nicht ganz aufwog.

Als sie schon im Gehen den schmalen Flur vor dem Büro des PM passierten, stießen sie auf den Außenminister und den Fraktionschef, die aufgeregt miteinander flüsterten. Briskett kannte beide, aber es schien sie zu befremden, ihm hier zu begegnen. Vielleicht sorgte die mögliche Abtrünnigkeit Seiner Majestät für Wirbel im innersten Zirkel.

Die beiden Männer trennten sich, nachdem sie Downing Street verlassen hatten. Parminter, dessen Gedanken hauptsächlich um Jennifer Lewis kreisten, versuchte sie anzurufen, um ihre Meinung zur Buckingham-Palace-Geschichte zu erfahren, erreichte jedoch nur ihre Mailbox. Während er durch den St James's Park zum Lunch ging, rief Lord Briskett einen alten Freund im Buckingham-Palast an. Zu seiner Erleichterung und seinem gelinden Erstaunen bestätigte dieser Mann, ein Angehöriger der königlichen Rechercheabteilung, so ziemlich das, was Amanda erzählt hatte: Dass es nicht unmöglich, wenn auch zweifellos verfassungswidrig wäre, dass der Monarch im letzten Moment vor diesem entscheidenden Referendum intervenieren und seiner Besorgnis hinsichtlich einer fortgesetzten Mitgliedschaft Großbritanniens in der EU Ausdruck verleihen würde.

All das machte Lord Briskett sehr glücklich. Über dem Teich war plötzlich ein großes Geflatter – orientalische Enten, Schwäne, giftgrüne Sittiche und Tauben. Ein Sonnenstrahl, der durch die rasch dahinziehenden Wolken fiel, brachte die scharlachroten Jacken und silbernen Brustpanzer der Leibgarde drüben vor Whitehall zum Leuchten. Plötzlich wirkte die ganze Welt strahlender und unvorhersehbarer. So fühlte sich *Lebendigkeit* an. Briskett verspürte einen Schauer von Erregung und blieb kurz stehen, um zur Downing Street zurückzuschauen. Er konnte genau die Fenster sehen, hinter denen der Premierminister sitzen musste. Dann drehte er sich wieder um und marschierte an den Enten, den Tränenden Herzen und Margeriten sowie der Horse Guard Parade vorbei. Er überquerte die Mall und nahm immer zwei Stufen der langen steinernen Treppe auf einmal, bevor er auf das palladianische Gebäude mit weißem Stuck zusteuerte, in dem sich sein Club befand.

EIN LUNCH IM CLUB

Da es Montag war, dachte sich Briskett, sollte es ein anständiges Stück Roastbeef geben, das der Kellner stilecht direkt vom eigens dafür vorgesehenen Trolley servierte. Und vielleicht traf er seinen alten Freund Ken Cooper vom *Courier* an der Bar oder auch diese lustige alte Schachtel vom MI5, die sich eine bequeme Position verschafft hatte, um auf dem privaten Sektor Geheimnisse zu verticken. Mit beiden würde es sich lohnen zu reden. Und er hatte etwas zu berichten, da würden ihnen die Augen aus dem Kopf fallen. Was für ein Spaß Geschichte doch während ihrer Entstehung war, wenn man einmal tatsächlich mittendrin war und sie nicht nur von außen betrachtete. Er rieb sich kräftig die Hände und blies hinein, nicht weil sie kalt waren, sondern weil es ihm ein Bedürfnis war, seiner Stimmung irgendwie physisch Ausdruck zu verleihen.

The Universities and Constitutional Club verfügte im Untergeschoss über ein Schwimmbad mit altmodischen Umkleidekabinen aus Holz, das gesundheitsbewusste TV-Persönlichkeiten und Beamte anlockte, während die gemütliche Bar, die Hunderte politische Karikaturen und vergilbende Titelblätter schmückten, die beste Weinkarte

Londons vorzuweisen hatte. Clubmitglieder ließen ihre Mäntel und Taschen in der schwarz-weiß gefliesten Lobby, wo man Haken und offene Fächer nutzte – dass irgendetwas wegkommen könnte, war undenkbar. Im Speisesaal gab es ein wenig abseits besondere runde Tische, die für die ultraregelmäßigen Gäste reserviert waren, etwa für den steinalten Romancier und den Manager von ITV, die immer gemeinsam zu Abend aßen. Ein anderer war ausschließlich den Staatssekretären und Untersekretären vorbehalten. In der Mitte stand eine lange, schmale Tafel für die Heimatlosen und Streuner, die unerwartet und ohne Begleitung erschienen.

Im Hereinkommen inhalierte Briskett den kräftigen und appetitanregenden Duft von gebratenem Fleisch. Ken Cooper war tatsächlich an der Bar und hatte ein kleines Glas Champagner in der Hand. Niemand aus der verdammten Journaille trank noch, grübelte Cooper grimmig vor sich hin. Um die Mittagszeit sowieso. Selbst als verfickter Herausgeber hatte er das Gefühl, sich dafür in einen privaten Club zurückziehen zu müssen. Wann war nur der ganze Schampus verschwunden? Wahrscheinlich als die Scheißamis begonnen hatten, die City of London zu übernehmen, und ihre Mineralwasserkultur mitgebracht hatten, zusammen mit ihrem verfickt perfekten Grinsen und ihren in Fitnessstudios gestählten Körpern. In diesem Land, hatte Cooper immer gesagt, war Wasser das, wogegen man den Mantelkragen hochschlug und in das man eine Angelschnur warf, und kein verdammtes Getränk. Er brütete weiter über den verschollenen Lucien McBryde und wägte wie alle anderen in seinem Kopf die Wahrscheinlichkeit, dass das Land in ein paar Tagen dafür stimmte, die EU zu verlassen.

Coopers Miene hellte sich auf, als Briskett ihm von der

anderen Seite der vollen Bar aus winkte und auf ihn zukam.

»Einen Pink Gin?«

»Ach, wenn es dir nichts ausmacht, nehme ich auch irgendwas Sprudeliges, Ken. Ich kann dir was flüstern, das dir wahrscheinlich den Tag versüßen und die Schlagzeile für den morgigen Tag ändern wird.«

Cooper bestellte zwei weitere Gläser Champagner, und die beiden Herren begaben sich zu einem kleinen Tisch neben einem der hohen Fenster, die auf den St James's Park hinausgingen. Von einem Sofa auf der anderen Seite des Raumes aus beobachteten sie Dame Cecily Morgan und Admiral Jock Dalgety, die sich gerade über den lästigen und anspruchsvollen neuen Klienten von PLS, Alois Haydn, ausgetauscht hatten. Die alte Spionin – die rein physisch eine ziemliche Ähnlichkeit mit Margaret Rutherford aufwies – hatte nichts von ihrem Spürsinn verloren: Obwohl sie und der Admiral sehr ins Gespräch vertieft gewesen waren, vermochte sie die Körpersprache zwischen Lord Briskett und Ken Cooper zu registrieren. Wussten die beiden irgendwas? Der Historiker war normalerweise kein aufregender Bursche, und selbst auf diese Entfernung merkte sie, dass irgendwas im Busch war.

Sie wandte sich erneut dem Admiral zu. »Wie ich schon sagte, Jock, sie können das nicht sehr viel länger aufrechterhalten, nicht einmal mit unserer Hilfe. In der Tat wirkt es auf mich so, als hätte dieser absurde Wichtigtuer Lord Briskett schon irgendwas spitzgekriegt und würde es gerade an die Yellow Press ausplaudern. Würden Sie mich nur für einen Augenblick entschuldigen?«

Leicht unsicher begab sich Dame Cecily zum Tisch am Fenster und fuchtelte dort Ken Cooper mit ihrem Krückstock aus dem Krankenhaus vor dem Gesicht herum.

»Ich habe ja immer gesagt, dass wir Gesindel wie Sie hier nicht reinlassen sollten. Was für eine Schmiere saugen Sie denn da gerade von der Antwort der modernen Geschichte auf Jeremy Clarkson auf? Und lügen Sie mich nicht an, Ken. Ich kann an Ihrem kleinen Schweinsgesicht ablesen, dass da irgendwas im Busch ist.«

»Es ist der König, teure Cecily«, erwiderte Briskett, den ihr Clarkson-Seitenhieb getroffen hatte, was er sich jedoch nicht anmerken lassen wollte. »Der wundervollste Wirbel steht kurz davor, loszubrechen. Der arme alte König ist in Panik geraten, und der Premierminister hat alle Hände voll mit einer Auseinandersetzung zu tun, die sehr gut ihn oder seinen Monarchen zu Fall bringen könnte. So was hatten wir seit Pitt dem Jüngeren und dem irren König George nicht mehr.« Er seufzte. »Ich wünsche mir nur, dass Ken hier verstünde, was für eine große Sache das ist.«

Er war zu Recht verschnupft. Cooper starrte vage ins Leere und war eine absolute Enttäuschung als Empfänger dieser sensationellen politischen Neuigkeit gewesen. Ein Vibrieren in seiner Hosentasche hatte ihm gerade den Tag verdorben. Niemand vom *Courier* durfte ihn zur Mittagszeit anrufen – das war ein Gesetz, das jeder in der Redaktion kannte. Lucy Scadding hatte ihm trotzdem eine SMS geschickt.

Das kurze und fröhliche Zwitschern seines Handys war in dem Speisesaal mit einer Reaktion aufgenommen worden, wie man sie von einem erdbebenartigen Furz erwartet hätte. Wütende Köpfe wirbelten herum. Hochfahrende Damen mokierten sich. Ein Kellner erlaubte sich, seinen Mund offen stehen zu lassen, als sei er eine Forelle, die sich einem schwirrenden Insekt nähert. Ken hatte selbstvergessen und lässig Lucys Nachricht gelesen, gerade als Briskett loslegte. Er hatte nichts davon mitbekommen, was der

Historiker gesagt hatte. Die Nachricht lautete: »Es gibt schlechte Neuigkeiten über Lucien, Boss. Richtig schlecht. Wir sind dran und werden mehr wissen, wenn Sie wieder hier sind.«

Cooper merkte, wie schwer er atmete. Der Club wirkte dämmrig, wie unter Wasser, die Stammgäste schienen seltsam verzerrt. Briskett redete immer noch, aber Cooper ignorierte ihn, während sein Daumen wie ein Kolibri über seinem Telefon schwebte. »Wann? Wo? Wie? Seid ihr euch sicher?«

Wenige Sekunden später sorgte das durchdringende optimistische elektronische Geräusch für ein weiteres kollektives Erschauern im Raum.

»Leiche heute Morgen gefunden. Könnte gesprungen sein, aber Cops glauben das nicht. Sehr rätselhaftes Timing. Lucy.«

Cooper verspürte plötzlich Übelkeit. Dann war McBryde also tot und hatte sich nicht bloß irgendwohin verpisst. Sein erster Gedanke war, dass er sich durchaus umgebracht haben könnte. Nachdem die Beziehung zu dieser Frau aus Olivia Kites Team in die Brüche gegangen war, war er außer sich gewesen. Und abgesehen davon, wer sollte schon Lucien McBryde ermorden wollen? Er war zwar ein einigermaßen kluger Bursche, aber wirklich nur ein Abflussrohr für das Dreckwasser anderer Leute – das Kanalrohr, nicht die Jauche, wie es jemand mal treffend ausgedrückt hatte. In der sentimentalen Tradition der alten Fleet Street hatte Cooper immer ein vage väterliches Interesse für den Sohn seines alten Freundes aufgebracht.

Mit blasser Miene wandte er sich Dame Cecily und Lord Briskett zu.

»Tut mir leid, aber ich muss sofort zurück in die Redaktion. Es hat eine schreckliche Tragödie gegeben. Ziemlich nah am inneren Zirkel, fürchte ich. Bitte entschuldigen Sie mich.«

Mit diesen Worten ging er und schob sich durch den inzwischen vollen und lauten Speisesaal.

Briskett, der sich noch vor ein paar Minuten gefühlt hatte wie ein missmutiger Vogel, der ein Ei gelegt hatte und dafür von niemandem gelobt wurde, war ein wenig getröstet, als die alte Spionin vorschlug, er könne mit ihr und Jock Dalgety zu Mittag essen. Dame Cecilys wahres Ziel war natürlich, herauszufinden, wie viel er über das, was in Downing Street vor sich ging, wusste oder zumindest vermutete.

Da er davon nichts ahnte, fühlte Briskett sich wie in einen Vorort des Himmels versetzt. Während des Essens konnte er spüren, wie sein Verstand ähnlich einer wundervollen Maschine arbeitete. In seiner Fantasie wurde ein Kapitel geschrieben. Das würde ihm am kommenden Wochenende aus den Fingern fließen. Komplett ausformuliert, mit nicht einem einzigen falschen Semikolon. Er schmierte sich den Rest seines Stiltons auf einen Cracker und zerkaute ihn mit größtem Vergnügen, während er sich vorbeugte und zu Dame Cecily meinte: »Nur das eine begreife ich nicht, Gnädigste. Was führt der PM im Schilde, dass er sich am letzten Wochenende vor dem großen Tag versteckt? Es sieht ihm doch gar nicht ähnlich, sich zu verstecken. Er war nicht mal gestern Abend bei Marr. Keiner, den ich kenne, hat ihn seit Tagen gesehen.«

»Da liegen Sie gänzlich falsch, Trevor. Sie kennen *mich*, und ich habe erst den gestrigen Abend in seiner Gesellschaft verbracht. Die Wahrheit ist, dass die Hälfte der Strippenzieher aus der Finanzwelt und die Botschafter jedes wichtigen Landes verzweifelt erfahren wollen, was er plant, falls das Referendum etwa doch anders ausgehen sollte. Da geht ein ganzes Universum von Parallelplanung vonstatten, und selbst wenn er die ›Ja‹-Kampagne anführt, muss er sich daran beteiligen. Der Mann ist nur einfach wahnsinnig beschäftigt. Ich habe schon Leute hart arbeiten sehen, aber so etwas ist mir noch nicht untergekommen. Aber wie auch immer, Sie selbst haben uns doch gerade erzählt, dass er heute Morgen mit dem König telefoniert hat, abgesehen von der Anrufsendung im Radio mit Dermot Murnaghan. Daher verstehe ich nicht recht, was Sie meinen.«

Briskett ließ den letzten Fingerbreit vom Rotwein der Hausmarke in seinem Glas kreisen. Dame Cecily und Admiral Jock Dalgety musterten ihn mit dem gleichen frostigen Gesichtsausdruck. Er starrte zurück.

»Sie haben ihn also *gesehen,* sagen Sie? Er war nicht persönlich im Palast, und ich habe den starken Verdacht, dass ich wieder vertröstet werde, wenn ich versuche, ihn morgen zu treffen. Was ist da los? Ist er krank, oder was?«

Der Admiral beugte sich aggressiv vor. »Sie, Lord Briskett, sollten doch am besten wissen, dass wir anders als die Amerikaner nicht das Recht haben, in den medizinischen Akten unserer Staatslenker herumzuschnüffeln. Alles, was wir von ihnen verlangen dürfen, ist, dass sie ihren verdammten Job machen. Und ich kann nicht das geringste Anzeichen dafür erkennen, dass der Premierminister seine vielen verdammten Jobs nicht macht. Das Parlament steht natürlich während der Referendumskampagne nicht still. Also gehört es zu seinen Pflichten, die Kräfte für die proeuropäische Sache zu bündeln und die Öffentlichkeit von ihrer Richtigkeit zu überzeugen, während er gleichzeitig die Panikmacher und Hosenscheißer aus der Wirtschaft beruhigen muss. Der arme Teufel. Einen weniger fähigen Mann würde das schon umbringen. Aber soweit ich das beurteilen kann, agiert der PM bemerkenswert effektiv.«

Dalgety rollte eine perfekte Kugel aus einem Stückchen Brot und schaltete auf pathetischen Whitehall-Sprech um. »Ich kann nur für mich selbst sprechen, doch ich könnte jeden Versuch, zu diesem Zeitpunkt Verzagtheit zu verbreiten, nur missbilligen.«

Briskett errötete und lehnte sich auf seinem Stuhl zurück. »Über Zeitgeschichte zu schreiben, Admiral, bedeutet mehr, als einfach Briefe oder Umfrageergebnisse zu lesen. Wenn ich einen bescheidenen Ruf genieße, dann deshalb.« Er tippte an seine Nase. »Ich besitze einen Instinkt. Ein Gespür für das Spiel, und ich kann riechen, wenn etwas nicht stimmt. Sie zwei sind dermaßen verstrickt, wie man es nur sein kann. Die Tatsache, dass Ihnen missfällt, was ich sage, macht mich nur noch misstrauischer. Verdammt, es fängt schon an, sich anzufühlen, als hätten wir überhaupt keinen Premierminister.«

Dame Cecily war eine formidable Frau, und sie ließ den Mut nicht sinken. »Trevor Briskett, wir mögen keine engen Freunde sein, aber ich würde uns als einander herzlich verbundene Bekannte bezeichnen. Ich respektiere Ihre Arbeit und genieße Ihre Gesellschaft – jedenfalls meistens. Also bitte verstehen Sie, dass mir nicht gefällt, was ich Ihnen jetzt sagen muss: Sie machen sich selbst absolut zum Narren. Ich weiß nicht, ob es am Wein zur Mittagszeit liegt oder ob nur die Realität Sie langweilt, aber wenn diese Unterhaltung bekanntwürde – wenn Mr Cooper noch hier wäre und in seiner Zeitung davon berichtete –, dann wären Sie das Gespött Londons. Und London hätte damit, offen gestanden, sogar recht. Sie bekämen den gleichen Ruf wie der arme Hugh Trevor-Roper, nachdem er die Hitler-Tagebücher für echt erklärt hatte.«

Mit dieser unglücklichen, kränkenden Bemerkung endete das Mittagessen.

Kaum hatte er das Gebäude verlassen, blieb Briskett auf den Stufen stehen und versuchte, Ned Parminter anzurufen, erreichte ihn jedoch nicht. Er starrte Richtung Whitehall, wo das Rund von London Eye hinter den drei weißen Türmen des Verteidigungsministeriums aufragte. Trevor Briskett glaubte seiner Nase so wie ein Christ an seinen Erlöser, und er war nicht geneigt, sich von Dame Cecily Morgan oder Admiral a. D. Jock Dalgety schikanieren zu lassen. Er konnte den beißenden Gestank riechen, der von Number 10 herüberwehte. Irgendwas war dort definitiv im Busch. Und er würde herausfinden, was.

4

Freitag, 15. September
Sechs Tage vor dem Referendum

DIE EREIGNISSE NEHMEN EINE SELTSAME RICHTUNG

Der Premierminister hatte seiner Königin und seinem Land während des Falkland-Kriegs gedient und danach die Royal Navy verlassen, um in die Politik zu gehen. Hinterbänkler war er nur ein Jahr lang gewesen. Im Amt hatte er entschieden, entschieden, entschieden, gestritten, überzeugt und trotz einer hervorragenden Opposition viele bemerkenswerte Siege errungen.

Er hatte eine Industriepolitik wieder eingeführt, die geprägt von erfahrenen Leuten aus der Wirtschaft und Lokalpolitikern gerade begann, Früchte zu tragen. Er hatte eine ordentliche Fachausbildung wiederbelebt, sodass eine Generation britischer junger Männer – und sogar weniger Frauen – die Fähigkeiten besitzen würde, etwas Nützliches zu tun. Indem er das Wohlfahrtswesen dezentralisierte, hatte er die Kosten gesenkt und trotzdem ein faireres und weitaus beliebteres System etabliert. Jede einzelne dieser Errungenschaften hätte ihn zu einem bedeutenden Politiker gemacht, aber zusammengenommen waren sie außerordentlich, und das wusste er.

Außerhalb des Parlaments hatte er Frauen geliebt und verlassen und seine eigenen Kinder geliebt und verloren, sogar während sein Ruf in der Öffentlichkeit immer besser wurde. Aber nun fühlte er sich ausgelaugt. Es war später

Nachmittag am Freitag, aber das erklärte es wohl kaum. Der PM – der sich inzwischen sogar selbst »der PM« nannte – war ein tougher alter Knochen. In seinen Adern floss kein gewöhnliches Blut, sondern Elan – bester, sprudelnder Elan mit einem Spritzer *Premier-Cru*-Begeisterung.

Wie jeder gute Politiker war er in der Öffentlichkeit vor allem für eine Handvoll eher trivialer Äußerungen und seine gelegentlichen Niederlagen bekannt. Seine wahren Errungenschaften blieben hingegen weitgehend unbekannt. Sein spritziger Witz und seine lockere Schlagfertigkeit, die schon zu seiner Zeit als junger Unterleutnant offensichtlich gewesen waren, sorgten dafür, dass die Prime Minister's Questions deutlich unterhaltsamer waren als unter Brown oder Cameron. Die rasante Brutalität, mit der er inkompetente Minister feuerte und weniger bekannte Leute ernannte, ließ die Blogger und Nachrichtenseiten im Netz wachsam bleiben. Sein berüchtigtes Verhalten im Privaten, das, wie ein Redakteur vom *Guardian* ihm unter vier Augen einmal bescheinigt hatte, sexueller Nötigung gefährlich nahekam, hatte ihm bislang keine Probleme beim Wahlvolk beschert.

Seine Frau hatte entschieden, weder im Stillen zu leiden noch ihn fertigzumachen. Sie entschied sich stattdessen für einen eleganten Ausweg ohne Demütigung und lebte fast gänzlich ihr eigenes Leben. Beim alljährlichen Parteitag erschien sie in teure Couture gekleidet an seiner Seite, das restliche Jahr über wohnte sie in einem Apartment mit Blick über den Regent's Park. Diverse prominente Geschäftsmänner begleiteten sie auf Partys. Falls das den PM störte, so ließ er es sich zumindest nicht anmerken.

Was waren im Wesentlichen seine echten Errungenschaften im Amt? Sie waren tiefgründig, aber schwierig zu definieren. Er hatte die großen historischen Veränderungen berücksichtigt und sein Land mit subtil veränderten Schwerpunkten von den Felsen weggesteuert. Selten kämpfte er auf dem hell erleuchteten täglichen Schlachtfeld der Kehrtwendungen und flüchtigen Skandale, sondern schwebte eher wie ein scharfsinniger, wachsamer alter Bussard hoch über allem. In gewisser Weise empfand er es so, als sei sein einziger richtiger Job, die Verantwortung zu tragen. Und das Einzige, worauf es in seinen Augen wirklich ankam, war, wie sein Land in der Welt dastand und wie es seinen Weg in die Zukunft machen würde.

Er blickte sich in dem vollgestopften, aber gemütlichen Büro um: Da waren die schlichten Sessel und Sofas, auf denen so viele historische Gespräche stattgefunden hatten, die gerahmten politischen Karikaturen und Zeitungstitelseiten, der bedeutungslose Nippes, den man bei G8-Treffen und europäischen Gipfeln austauschte. Er war in Bezug auf das Projekt Europa kein naiver Enthusiast, denn ihm war klar, dass sich die Union eigentlich mit der Demokratie nicht vereinbaren ließ. In den Augen der Öffentlichkeit brauchte eine parlamentarische Demokratie Schaumschlägerei und den Trubel erhobener Stimmen, viel ordentlich gesalzenen Missbrauch und eine Auswahl vertrauter, leicht zu karikierender Gesichter. Wie sonst konnten normale, beschäftigte Menschen etwas so Abstrusem und langsam Voranschreitendem ihre Aufmerksamkeit schenken?

Oh ja, der würdelose Kompromiss, der die parlamentarische Demokratie ausmachte – das einzig verdienstvolle politische System, das in der modernen Welt überdauert hatte und in der geschäftigen halben Quadratmeile, die ihn umgab, erfunden worden war –, brauchte gewaltige Reden und groteske Übertreibungen, diese verdammten Tageszeitungen und dämlichen Comedians im Fernsehen.

Eine Sprache, eine Demokratie, ein Land. Das ließ sich einfach nicht in zwanzig und ein paar Sprachen, verteilt auf stolze alte Nationen, die immer noch wenig über einander wussten – und, was noch viel wichtiger war, auch nicht wissen wollten –, bewerkstelligen. Das Internet, die Brüsseler Propaganda, paneuropäische TV-Sender und die elitären Kommentare in den hochpreisigen Tageszeitungen – in vierzig mühevollen Jahren hatten sie kaum etwas bewegt. So zu tun, als könne die britische Demokratie in diesem neuen Superstaat überdauern und gedeihen, war eine Lüge.

Doch dieser Premierminister blickte weiter und seine Überlegungen gingen tiefer. Anders als Heath und sogar als Thatcher hatte er sich niemals selbst etwas vorgemacht.

Instinktiv wusste er schon fast sein ganzes Leben als Erwachsener lang, dass die Länder Europas, sein eigenes eingeschlossen, pleite und in einem rasanten historischen Niedergang begriffen waren. »Zwei Generationen lang«, so hatte er im House of Commons erklärt, »haben wir zu viel konsumiert. Wie verzogene Teenager beim Ausgehen.« Er fixierte ein gerahmtes Titelblatt des *Economist*: eine Karikatur, auf der ein winziger, verängstigter Europäer zu zwei amerikanischen und chinesischen Titanen aufblickt. Das war nur zu wahr. Von den einst so starken und rücksichtslosen Spaniern bis zu den ehemals genialen und fleißigen Holländern waren die Völker Europas inzwischen freimütig dekadent und hilflos in einer Zeit, wo besser organisierte Mächte sich anschickten, sie zu ersetzen, und Millionen aus der arabischen und afrikanischen Welt unter Ellbogeneinsatz hierherdrängten. Ein Europa, das jetzt zerfiel, würde bald nur noch ein Vakuum sein, ein Spielplatz für amerikanische Technologie, chinesisches Geld und russische politische Ambitionen.

Und Großbritannien? Das befände sich wieder einmal in der Rolle, verzweifelt zu versuchen, aus einer Position der Bedeutungslosigkeit das Gleichgewicht der Kräfte zwischen Berlin und Paris zu vermitteln. Das wäre jedoch unmöglich. Ein Wellington würde der heutigen Zeit seinen Dienst erweisen, indem er mit dem blauen Barett der UN Nahrungsvorräte in Äthiopien bewachte. Europa war nichts anderes als ein Haufen verängstigter und halbnackter Staaten, die sich nach Wärme suchend zusammendrängten. Aber selbst das war in den Augen des PM noch besser als die Alternative.

Da klopfte es an der Tür. Sam Mulligan, der in seinem Privatbüro im Erdgeschoss für seinen Terminkalender zuständig war, steckte sein freundliches rotes Gesicht herein und hob fragend die blonden Augenbrauen. Der PM lächelte, schüttelte jedoch den Kopf und winkte schwach ab. Er brauchte Zeit zum Nachdenken, und die Mannschaft hier hatte dafür Verständnis.

Langsames Kollabieren und dann ein langer, harter Kampf, um das abzuwenden. Nichts davon konnte man je in der Öffentlichkeit sagen. Kein Wort. Jahrzehnte des langsamen wirtschaftlichen Wiederaufbaus, in denen man lernen musste, wieder härter zu arbeiten, die geizigen Reichen ebenso auspressen zu müssen wie die schwachen Armen, all das bedeutete, dass Politik keinen Spaß machen würde. Seiner Ansicht nach ungefähr bis 2050. Sich plagen und schinden, schinden und plagen. Alle seriösen Politiker kannten die Wahrheit – die Finanz- und Wirtschaftsminister, die Präsidenten und Außenminister –, nur wagte es keiner, sie vor den feindseligen Blicken der unwissenden Massen offen auszusprechen. *»Pas devant les enfants«*, hatte der französische Präsident bei ihrem letzten Treffen gespottet.

Und so dachte der PM bei sich, während er in seinem

Privatbüro hinter dem Kabinettszimmer saß und auf die Zweige der voll erblühten pinkfarbenen Rosen schaute, die über die Mauer zwischen dem Garten von Number 10 und der Horse Guards Parade ragten, dass sein Job schlichtweg bedeutete, die Last des Niedergangs so elegant und gelassen zu tragen, wie er es vermochte. Noch ein paar Jahre lang, bis er sie an die nächste arme Sau weitergab, die hoffentlich auch über starke Arme und eine Spur gesunden Menschenverstand verfügte.

Doch genau jetzt, als die Band der Grenadier Guards mal wieder ihre Instrumente für eine weitere Probe stimmte, verspürte er eine unwiderstehliche Müdigkeit. Genau jetzt verspürte er einen ihm bis dahin unbekannten Schmerz rund um seinen Hemdkragen. Genau jetzt legte er seinen Kopf mit der berühmten Mähne behutsam auf den Schreibtisch. Eine unerwartete Wendung der Ereignisse. Müde. Schmerzend. Erfreulich unaufgeregt. Er fragte sich noch müßig, was Olivia Kite wohl aus dem hier machen würde, dann schloss er die Augen und starb.

»DAS KANN ER NICHT MACHEN«

Olivia Kite war weit weg in Essex, aber in Number 10 wuselte es. Nur etwa ein halbes Dutzend der hundertfünfzig Leute, die dort in Vollzeit arbeiteten, hatten das Recht, nach einem kurzen Klopfen das Büro des Premierministers zu betreten. Sam Mulligan hatte die Parole ausgegeben, dass »der alte Mann mal wieder vor sich hin brütet«. Die erste Person, die diese vorsichtige Warnung ignorierte, war Amanda Andrews. Erstaunt, den PM schlafend halb auf seinem Schreibtisch liegend vorzufinden, schüttelte sie ihn behutsam an der Schulter.

Aber er schlief nicht, wie eine Art Instinkt ihr fast augenblicklich verriet. Sie schob ihre Finger unter seinen Hemdkragen, um nach dem Puls zu fühlen. Amanda schrie nicht, sie war eine Frau der alten Schule. Allerdings weinte sie ein bisschen, und ihre Wangen waren noch nass, als der Außenminister Jason Latimer zu einer Besprechung hereinkam, die schon seit letzter Woche im Kalender gestanden hatte. Viele Leute hielten Jason für den Lieblingsnachfolger des PM, doch Amanda wusste es besser. Dennoch schüttelte er den Kopf und schien ehrlich empört, als er sich nun über den Schreibtisch des Premierministers beugte.

»Das kann er nicht machen. Nicht jetzt. Er kann nicht abtreten und uns seinen verdammten Tod antun. Nicht jetzt, wo wir ihn am dringendsten brauchen. Amanda, das verbitte ich mir ausdrücklich.«

Latimer knackte mit seinen langen Fingern, richtete sich auf und dehnte seinen Rücken, dann fuhr er sich mit den Händen durch sein langes goldenes Haar und schüttelte es, als ob es nass wäre. Als geborener Schauspieler trat er an das hohe Fenster und drehte sich so um, dass seine Silhouette wie ein Racheengel über dem zusammengesunkenen Premierminister schwebte.

»Dieser Mann war mein Freund. Ich werde ihm, wie Sie ja sehr gut wissen, als Premierminister nachfolgen. Hier ist jetzt kein Platz für Sentimentalität oder falsche Gefühle. Ich fühle, was ich hier fühle« – offensichtlich ergriffen schlug er sich an die Brust – »doch dies ist ein Moment, in dem man nachdenken muss« – nun tippte er sich mit einem langen knochigen Finger gegen die hohe, gefurchte Stirn, in die seine goldenen Locken fielen – »und ein Moment der Nachdenklichkeit sagt uns ... Was sagt er uns, Amanda?«

»Das müssen schon Sie mir sagen, Herr Außenminister«, erwiderte Amanda trocken. »Sie sind doch der Politiker.«

Wegen der besseren Wirkung knöpfte er sein Jackett zu und schleuderte eine Hand in Richtung Fenster.

»Ja. Das bin ich. Und mein politischer Instinkt sagt mir, dass wir es uns dort draußen, wo Millionen warten, einfach nicht leisten können, unseren Anführer zu verlieren. Ich glaube, die Partei ist reif für mich, und das Land wird es auch sein. Aber dies ist der Höhepunkt der Schlacht. Verlieren wir unseren König, dann werden unsere Streitkräfte ihr Herz verlieren. Die Menschen sind mit uns – einfach weil sie diesen Mann lieben. Wir sind ihm durch so vieles gefolgt. Er hat Freunde in Berlin, Paris und London. Er hat die Bürde geschultert« – inzwischen genoss Latimer den Klang seiner eigenen Stimme deutlich mehr als Amanda – »und wenn sie da draußen erfahren, dass der Anführer gefallen ist, wird unsere Sache, fürchte ich, auch fallen. Mrs Kite wird auf uns herabstürzen wie ein … wie ein …«

»Ein Drache?«, schlug Amanda vor.

»Ganz recht.«

In diesem Moment ertönte eine neue Stimme. Leise, dröhnend und mit schottischem Akzent.

»Oder vielleicht wie ein Assyrer?«

Amanda und Latimer drehten sich um und sahen einen großen Mann in der Tür stehen, die das PM-Büro mit dem engen kleinen Raum verband, in dem der Stab seiner engsten Mitarbeiter saß. An jenem Nachmittag war er fast leer, abgesehen vom üblichen Dutzend Computer und der Privatsekretärin fürs Redenschreiben, die gerade in ein Loch in der holzvertäfelten Wand guckte. Es hatte einen netten nostalgischen Touch, dass alle Papiere vom Stockwerk darunter, der echten Hochsicherheitsdrehscheibe aller Aktivitäten von Number 10, über einen stummen Diener, also einen Aufzug, heraufkamen, den man vermutlich in edwardianischer Zeit eingebaut hatte, um Sandwiches oder Kalbskoteletts zu transportieren. Heute diente er zur Übermittlung von Nachrichten, für die selbst das Downing-Street-Intranet noch zu unsicher schien.

Der Mann in der Tür begann zu rezitieren:

»Es kam des Assyrers gewaltige Macht,
die Cohorten sie glänzten in goldener Pracht,
und es blitzten die Speere, wie Sternenlicht spielt
auf dem Meer, wenn es nächtlich Judäa bespült.«

»Der alte Mann liebte seinen Byron.«

Der das sagte, war Nelson Fraser, Kommunikationsreferent des PM und der Öffentlichkeit wegen seiner Vorliebe für traditionelle schottische Kleidung gut bekannt. Nun stand er da, fummelte an seinem Sporran und ließ die Szene auf sich wirken.

»Der Außenminister im Allerheiligsten des Premierministers, offenbar für den ersten Rang im Royal Opera House spielend. Miss Andrews mit verschmierter Mascara auf den Wangen. Unser großer Anführer – nun ja, vornübergebeugt. Ich bin geneigt, das Undenkbare zu denken. Schon immer habe ich mir Sorgen gemacht, dass er es nicht bis zur Pensionierung schaffen wird. Armer netter Mann. Ist es nicht noch ziemlich früh, Latimer, um die politischen Chancen durchzurechnen? Aber ich vermute, der alte Mann hätte nichts anderes erwartet. Vielleicht hätte er es sogar gutgeheißen. Und wie es der Zufall will, bin ich in diesem einen Punkt ganz Ihrer Ansicht. Er *kann* das jetzt nicht machen. Wenn wir unseren Anführer nur ein paar Tage vor dem Referendum aus der Gleichung streichen, wird Olivia Kite das verdammte Ding gewinnen. Und wenn es erst passiert ist, dann ist es passiert. Dann sind wir ein für alle Mal draußen aus der EU. Was eine verdammte Katastrophe wäre. Nein, er kann nicht abtreten und uns wegsterben. Wie pflichtvergessen. Dieses eine Mal, Außenminister, muss ich Ihnen zustimmen.«

Amanda tupfte sich das Gesicht ab, das ganz blass geworden war. »Wollen Sie damit ernsthaft andeuten, dass wir die Nachricht vom Tod des Premierministers vor der gesamten britischen Öffentlichkeit so lange verheimlichen können, bis wir das Referendum überstanden haben? Das wären noch sechs Tage. Sie wissen doch, was sich in diesem Gebäude befindet – hundertfünfzig paranoide Klatschmäuler auf einem kleinen Schiff im Auge eines Hurrikans zusammengequetscht. Wie sollten wir da so etwas wie das hier verheimlichen können?«

Fraser und Latimer wussten beide, dass sie recht hatte. Number 10 Downing Street ist ein kleines, vollgestopftes Dorf mit Aufzügen und Hintertreppen, winzigen Büros, eines neben dem anderen, und einer großen, dauernd anwesenden Belegschaft, die ständig Neuigkeiten aus Moskau und frische Handtücher, letzte Umfragen, Kaffee und Sandwiches, Telefonanrufe aus Washington und frisch geputzte Schuhe für den Premierminister heranbringt. Es ist ein Dorf, in dem jeder jeden kennt, jeder auf den anderen eifersüchtig ist und es nur eine einzige wirklich geltende Währung gibt: die Nähe zum PM. Seinen Tod zu verheimlichen wäre schwieriger, als den Tod des Papstes im Vatikan zu vertuschen.

Doch Amanda hatte gerade erst angefangen. »Und was passiert dann? Was passiert mit denen von uns, die das Geheimnis gehütet haben, wenn wir gestehen müssen, die britische Öffentlichkeit, das Parlament und den König höchstpersönlich belogen zu haben? Denn das wird rauskommen. Es ist nur eine Frage der Zeit. Da wären die Reden, die Interviews, die öffentlichen Auftritte, all die Gelegenheiten, bei denen der PM gesehen und gehört werden muss. Die knüpfen uns auf, liebe Jungs, einen nach dem anderen, an den Laternenpfählen vor dem House of Commons. Ich kann schon den Strick um meinen schlanken Hals spüren. Ich merke schon, wie meine langen Beine zucken.«

Jason Latimer, der hinter dem Premierminister gestanden hatte, trat jetzt beiseite und setzte sich in den Lieblingssessel seines bisherigen Anführers. Dort hatte der PM schwarzen Kaffee mit Whisky genippt und mit seinen engsten Ministern und Beratern Strategien ausgeheckt.

»Amanda, denken Sie nach. Beruhigen Sie sich. Alles, was wir tun müssen, ist, den unglückseligen Tod des PM um ein paar Tage zu verschieben, damit wir ihn nach der Abstimmung bekanntgeben können. Das könnte so sein wie mit Nelson bei Trafalgar: Tod im Augenblick des Siegs, der Kommandant an Deck im Herzen der Schlacht. Da bleibt kein Auge trocken. Wir müssen nur ein wenig Zeit gewinnen. Das kann doch nicht unmöglich sein. Was wir vor allem brauchen, ist eine Legende. Ich weiß, dass es schwer ist, aber, Amanda, ich frage Sie: Wie viele Leute wissen genau, wo er zu jeder gegebenen Stunde ist? Kaum jemand hat doch uneingeschränkten Zugang zu diesem Büro oder zu seinem Apartment oben, außerdem hat er seinen privaten Aufzug.«

Amanda war in Gedanken weit weg und fragte sich, wie es sich wohl anfühlen mochte, aufgehängt zu werden. Sie hatte schon gehört, dass Männer … Aber sie war eine belastbare Frau. Da registrierte ihr Verstand auch schon wieder, was der Außenminister sagte.

»In gewisser Weise, Jason, haben wir Glück. Das liebe Referendum sorgt dafür, dass wir das Parlament quasi ignorieren können. Fast alle sind weg. Die meisten Kabinettsmitglieder sind auch unterwegs, um für die eine oder andere Seite zu werben, und in Whitehall herrscht mehr oder weniger Stillstand. Der PM hat mit dem Finanzminister oder irgendjemand anderem in den nächsten Tagen keine Termine anberaumt. Aber ich komme auf meinen ersten Punkt zurück, nämlich dass dieser Ort die echte Gefahr bedeutet. Es gibt mindestens zwanzig Leute, vom Terminreferenten über den Personenschutz bis zu den wichtigsten persönlichen Referenten, die jederzeit an diese Tür klopfen könnten. Der Fraktionschef. Der behäbig plumpe Sam Mulligan. Margaret mit dem Tee. Und so weiter. Einer von uns könnte sich draußen auf den Flur setzen und sie alle eine oder zwei Stunden lang abwimmeln, aber nicht viel länger. Sie wissen, was das hier für ein Ort ist, und zwar besser als jeder andere. Jemand muss nur mit der Presse reden oder mit irgendeinem seiner Lieblingsblogger. Wenn wir auch nur die geringste Chance haben wollen, müssen wir die übliche Downing-Street-Routine irgendwie abblasen, und zwar mit einer wasserdichten Coverstory. Aber wie wir das bewerkstelligen sollen, ist mir schleierhaft …«

»Mir auch«, gestand Jason Latimer.

Nelson Fraser strich mit den Fingern gedankenverloren den Saum seines Kilts entlang. Es handelte sich um einen Ancient Hunting Tadger, eines der seltensten Schottenmuster überhaupt, mit seinen Streifen in Moosgrün, Blassrosa und der Farbe von Teeflecken. Sein Sporran war ein Geschenk von Wladimir Putin nach einem Moskauer Gipfel. Er war aus echtem Mammutfell gemacht. An schwülen Tagen stank er ein wenig nach Schwefel und Melasse.

»Mir ist es ebenso schleierhaft«, sagte er schließlich. »Offen gestanden glaube ich, das wäre jedem schleierhaft. Man müsste schon Beelzebub höchstpersönlich sein, um das durchzuziehen. Also brauchen wir genau diesen Burschen.«

»Jetzt bin ich aber baff«, brummte der Außenminister von seinem Sessel aus. »Schon seit Alastair Campbell glauben die Leute zwar, Sie müssten für Ihren Job vor allem in den schwarzen Künsten bewandert sein. Aber nicht mal ich hätte vermutet, dass Sie einen heißen Draht zum Hades haben.«

»Nicht ganz. Den hatte nicht mal der alte Nick, aber dafür etwas, das fast genauso gut ist. An wen hat sich der PM immer gewandt, wenn etwas wirklich Schwieriges, etwas richtig Heikles zu erledigen war?«

DAS SPIEL

Amanda starrte auf das knittrige ätzende Säckchen aus Mammutfell. Dieser Geruch war wirklich sehr speziell. »Sie wollen doch damit nicht etwa sagen, dass wir Alois Haydn einweihen sollen?«

»Wer zum Teufel sonst könnte das hinkriegen?«

Als der Premierminister noch am Leben gewesen war, hieß es, wenn er sich allein in einem Zimmer aufhielt, gäbe es darin mehr politisches Verständnis und Intelligenz als irgendwo sonst in Westeuropa. Nun war er fort, aber die drei in seinem Büro verbliebenen Leute verfügten auch über eine Menge Grips. Amanda Andrews war schon damals, in den trostlosen Jahren in der Opposition, sein Mädchen für alles gewesen. In all der Zeit hatte sie Hunderte von Abgeordneten und Tausende von Lobbyisten überredet, beschwatzt und bezaubert. Jason Latimer hatte schon die meisten Ministerämter innegehabt und Großbritannien in der Europäischen Kommission vertreten. In seiner Jugend hatte er in Washington für den Apparat der Demokratischen Partei gearbeitet. Nelson Fraser kannte die britischen Medien durch und durch und mit all ihren Launen und Stimmungen.

Trotzdem waren die drei sich stillschweigend darin einig, dass diese Aufgabe ihre Fähigkeiten überstieg. Der Job, den Tod des Premierministers überzeugend und lange genug zu verheimlichen, war so gefährlich und riskant, dass sie Alois Haydn dafür brauchten.

Es war Amanda, die den Anruf erledigte.

»Wir brauchen Sie, Ally-Boy. Ich fürchte, der PM hatte eine Art Anfall.«

»Tststs. Aber ich bin kein Arzt, Amanda. Ist es ernst?«

»Nun ... sozusagen. Er ist genau genommen tot. Darum brauchen wir Sie ja. Das darf nicht sein, wenn Sie verstehen, nicht wahr? Nicht vom politischen Standpunkt aus.«

Am anderen Ende der Verbindung herrschte Schweigen. Amanda konnte spüren, dass Haydn diese neue Situation abschätzte und durchrechnete, was das politisch und persönlich bedeutete. Schließlich sagte er: »Nnnnnein, das darf nicht sein, Amanda. Auf gar keinen Fall und bestimmt nicht jetzt. Mausetot?«

»Mausetot. Also denken Sie scharf nach.«

»Bin schon dabei. Ich bin in einer halben Stunde bei Ihnen.«

Die Wahrheit ist doch, sobald wir beginnen, uns zu fragen, wie eine Sache bewerkstelligt werden kann, sind wir schon geneigt, sie zu tun. Wie viele verrückte Eskapaden, unwahrscheinliche Geschichten und kriminelle Verschwörungen haben mit der theoretischen Frage angefangen:

»Wenn ich das machen wollte, womit würde ich beginnen?« Man nehme eine Handvoll erfahrener politischer Strippenzieher, stelle ihnen eine Aufgabe, und der Mechanismus hat bereits zu ticken angefangen. Als Haydn eintraf, saß Fraser draußen vor der Tür des PM und wimmelte mögliche Eindringlinge mit einer fadenscheinigen Story über einen dringenden Anruf in Washington ab.

Was auch immer die Leute über Alois Haydn redeten – und sie redeten viel –, niemand bestritt, dass er sehr schnell im Denken war. Er kam herein, strich dem toten Premierminister kurz mit dem Handrücken übers Haar und drehte sich zu den anderen um.

»Das hier kann nur gelingen, wenn wir zwei Dinge tun. Wir müssen die Illusion aufrechterhalten, dass der PM noch am Leben ist, damit meine ich, dass er seinen Verpflichtungen nachkommen, gesehen und gehört werden muss. Gleichzeitig müssen wir einen Weg finden, um jeden davon abzuhalten, während der nächsten fünf Tage in diesen Raum oder in seine Wohnung zu gelangen. Ich habe darüber schon nachgedacht und kann Ihnen sagen, dass wir einige seriöse, organisierte und professionelle Unterstützung brauchen werden. Haben Sie schon von PLS – oder Professional Logistical Services, wie es ausgeschrieben heißt – gehört? Keiner von Ihnen. Das ist enttäuschend, erstaunt mich jedoch nicht. Wie auch immer, das sind jedenfalls die Leute, die wir brauchen.«

Fraser widersprach: »Wir können den Kreis der Mitwisser wohl kaum noch erweitern. Und schon gar nicht um Menschen, die wir nicht kennen.«

Haydn lächelte fein. »Erstens, wie Sie noch merken werden, kennen Sie viele von ihnen. Zweitens ist es bereits zu spät, um zu versuchen, das für uns zu behalten. Manchmal sind längere Mauern die stärkeren, und wie Sie sehen werden, könnten wir keine diskretere Organisation finden. Ich habe bereits einen Anruf getätigt. Sobald ich diesen Leuten die Situation persönlich erklärt habe, müssen wir sie hierher ins Haus bringen. Aber ich verspreche Ihnen, dass niemand auch nur das Geringste davon bemerken wird.«

Wenn man das Vorzimmer der persönlichen Referenten beim Büro des PM in Number 10 Downing Street verlässt und sich nach links wendet, stößt man als Erstes auf einen Karnickelbau aus winzigen Büros, wo die persönlichen Referenten ihre eigentliche Arbeit verrichten. Dahinter kommt ein Flur, der durch eine Sicherheitstür oder eher eine Luftschleuse wie bei einem U-Boot zum größeren Beamtenapparat des Kabinettsbüros führt. Die Leute in Number 10 können das Kabinettsbüro passieren und von dort überall in Whitehall hingelangen, inklusive – durch einen geheimen Tunnel – ins Verteidigungsministerium. Viel schwieriger ist es für das Personal des Kabinettsbüros, von der anderen Seite zu kommen, da das elektronische Passiersystem schlau konfiguriert ist und fast nur Verkehr in eine Richtung erlaubt. Es gibt noch weitere interessante Räume in diesem Bereich von Number 10, etwa das polizeilich gesicherte Zimmer, wo die Überwachungskameras auf einen kleinen Schrank gerichtet sind, in dem die Flaggen liegen, die herausgeholt und präsentiert werden, wenn ausländische Würdenträger zu Besuch kommen. Der wichtigste Raum ist jedoch die Küche, wo Tee, Kaffee und Sandwiches zubereitet werden. Dorthin begab sich jetzt auch der Außenminister und kehrte mit einem Tablett ins Büro des PM zurück.

Die vier noch lebenden Personen im Zimmer hatten sich plötzlich erschöpft und ausgehungert gefühlt. Jetzt nippten und kauten sie in feierlicher Stille. Langsam kam ihnen die ganze Tragweite ihres Vorhabens zu Bewusstsein. Sie planten, die britische Bevölkerung just in dem Moment zu täuschen, als diese eine lebenswichtige Entscheidung zu treffen hatte, die über die Zukunft der Nation, möglicherweise über die des ganzen europäischen Kontinents entscheiden würde. Allen war bewusst, dass sie ebendies taten, weil sie den früheren Premierminister so geschätzt hatten und weil sie glaubten, ein Sieg Olivia Kites und der Austritt Großbritanniens aus der Europäischen Union wäre eine nationale Katastrophe. Allerdings änderte es nichts an der Tatsache, dass sie Hochverrat begingen. Wenn man ihnen auf die Schliche kam, würde man sie für Jahrzehnte, vielleicht sogar für Jahrhunderte als Schurken in Erinnerung behalten. Dennoch hatte auch jeder Einzelne persönliche Gründe dafür, ihren Plan umzusetzen.

Jason Latimer wollte der nächste Premierminister werden. Falls Olivia Kite das Referendum gewann, würde sie fast sicher die Krone erben, und all seine Hoffnungen auf Number 10 wären vernichtet. Doch wenn die Täuschung funktionierte und der PM im Augenblick des Sieges »starb«, wäre Jason gut plaziert, um ihm nachzufolgen. Dass der PM ihn stets von Herzen verachtet hatte, spielte keine Rolle mehr.

Amanda Andrews war trotz ihres provokativen Auftretens vielleicht der politischste Mensch im Raum. Sie hatte den PM vergöttert und war eine glühende toskanaliebende Europhile. Doch viel wichtiger als das war ihr glühender, beinahe schon unkontrollierbarer Hass auf Olivia Kite. Zu den Zeiten, als Kite noch in Number 10 ein und aus gegangen war, hatten die beiden Frauen sofort gegenseitige Abneigung verspürt. Amanda hasste Olivias Gesicht, ihr Make-up, ihre Kleidung, ihren Geruch, ihre Schuhe und ihren Akzent. Olivia empfand, falls das überhaupt möglich war, einen noch etwas größeren Widerwillen gegen Amanda. Ob am Küchentisch oder im Sitzungssaal, wir sind alle solchen irrationalen Abneigungen ausgeliefert; sie bestimmen unser Schicksal, egal ob wir ihnen nachgeben oder vergeblich gegen sie ankämpfen.

Nelson Fraser sah seinen historischen Moment gekommen. Egal ob er als Held oder Bösewicht daraus hervorging, er würde das Rohmaterial für eines der großartigsten Bücher, die je über Politik geschrieben worden waren, abgeben. Außerdem konnte ihm das wegen mehrtägigen Krisenmanagements nötige Festsitzen in diesem Gebäude endlich die lang ersehnte Gelegenheit bieten, Amanda Andrews beträchtlich näherzukommen.

Und Alois Haydn ... der war Alois Haydn. Er konnte eine Verschwörung ebenso wenig ablehnen wie der verblichene PM Alan Clark ein »Häschen«.

Als die Sandwiches gegessen und die Kaffeetassen geleert waren, schlüpfte Fraser aus dem Büro und kehrte mit einem Stapel kleiner bedruckter Karten zurück. Das waren die Verpflichtungen des PM für den Tag. Ein Auszug aus dem elektronischen Kalender, normalerweise trug er diese Kärtchen in der Brusttasche mit sich herum. Sie wurden so erstellt, wie man eine gute Soße zubereitet, indem man sie reduziert. Das Rohmaterial für den Tag traf elektronisch ein: all die Anfragen, Routinebesprechungen, erhoffte private Begegnungen – alles von Geburtstagen, die man nicht vergessen durfte, bis zur Vorbereitung auf einen Besuch des portugiesischen Premierministers. All das wurde in den elektronischen Kalender im gesicherten Privatbüro einen Stock tiefer eingegeben. Dann entschieden die persönlichen Referenten, ob ein Zeitungsherausgeber enttäuscht werden musste, und jonglierten mit den widerstreitenden Forderungen des Parlaments und des Wahlkreisvertreters, um am Ende ein Briefing-Dokument für den Tag zu erstellen. Das und die rote Box, die jeden Abend als Letztes in die Privatwohnung des PM hinaufkam, lieferten ihm alles, was er brauchte, um durch den nächsten Tag zu kommen. Auf der Basis dieses Dokuments wurden auch die kleinen Karten geschrieben, die Gedächtnisstützen, die Nelson Fraser jetzt durchblätterte.

»Natürlich nichts im Parlament, Gott sei Dank. Dann wäre da Fernsehen am Sonntagmorgen, aber das ist schon mit einem Fragezeichen versehen, also kommen wir drum herum. Das wär's für das Wochenende. Am Montagmorgen die Audienz beim König. Und viel Wahlkampf – wir haben versprochen, dass er Anfang nächster Woche Edgbaston und Wolverhampton besucht, und irgendwo muss das Einkaufszentrum Bluewater noch rein. Darum müssen wir uns sofort kümmern. Könnte schlimmer sein, finde ich.« Fraser wollte die Kärtchen gerade in seinem Sporran verschwinden lassen, als er Amandas finsteren Blick bemerkte. Rasch legte er sie auf den Tisch.

»Keine Souvenirs, Nelson.«

»Keine Souvenirs, Amanda.«

Jason Latimer blätterte mit größter Selbstverständlichkeit durch den Ordner mit dem Briefing für den Tag des PM. Er wies darauf hin, dass man Buckingham Palace wohl kaum einfach ignorieren könne. Zumindest ein Abgesandter müsse den König aufsuchen. Er schlug als einzigen Mittler, mit dem es gehen könnte, den Fraktionsführer Ronnie Ashe vor. »Ich weiß, dass das so wirken muss, als würden wir den Kreis der Mitwisser ständig vergrößern, doch wir sind einfach noch nicht genug Eingeweihte, als dass es funktionieren könnte. Und immerhin war Ronnie der engste Freund des PM, und er kennt den König. Außerdem ist er ein weiser alter Knabe. Und nebenbei bemerkt, irgendeinen großen Schwindel in Westminster ohne den Fraktionsführer zu versuchen, das wäre ja wohl ungefähr so vergeblich, wie eine Revolution ohne Geheimpolizei zu veranstalten. Alle einverstanden?«

Es folgte leise gemurmelte Zustimmung.

»Na schön. Was ist mit diesem Radiointerview? Das Land muss ganz klar die Stimme des PM hören. Meiner Ansicht nach rufen wir den besten Imitator weit und breit an – und das ist nach wie vor Rory Bremner –, lassen ihn Geheimhaltung schwören, versprechen ihm den Verdienstorden oder was auch immer und geben ihm einen wirklich guten Spickzettel. Wir werden uns neben ihn setzen, und er kann es von hier aus machen. Apropos, meint ihr, wir könnten ihn auch dazu bringen, mit dem König zu telefonieren?« Amanda pfiff leise. Die anderen brachten Ungläubigkeit, Amüsement und Erregung zum Ausdruck.

Nun meldete Haydn sich vom Sofa aus zu Wort. Während er sprach, fiel Latimer auf, wie kurz seine Beine waren. Die Füße baumelten gute fünfzehn Zentimeter über dem Boden. »Die alte Queen pflegte zu sagen: Ich muss *gesehen* werden, damit man an mich *glaubt*. Mit diesen Vierundzwanzigstunden-Nachrichtensendern und YouTube ist das um einiges schwieriger. Aber dennoch gibt es ein paar Tricks, und ich kenne die Menschen, die sie beherrschen. Doch das braucht seine Zeit. Also ... Die TV-Sendung am Sonntagmorgen wäre bei Sky gewesen, nicht wahr? Amanda, melden Sie sich bei Dermot Murnaghan, und sagen Sie ihm Folgendes: Der PM hält diese langen, statischen Interviews für kein geeignetes Mittel mehr, um Unentschlossenen seine Botschaft zu übermitteln. Stattdessen möchte er am Montagmorgen eine Live-Radiosendung machen, bei der die Leute anrufen können. Und Dermot soll sie moderieren.

Die Bosse bei Sky werden nicht glücklich darüber sein – obwohl sie es sein sollten, da Sky Radio schließlich die kommerziellen Nachrichtensender beliefert. Aber ich denke, damit kommen wir durch, vor allem wenn wir die Idee in den Zeitungen von morgen verbreiten: direkte Demokratie, unvermittelt, der PM ist mutig genug, sich unvorbereiteten Fragen zu stellen, dieser ganze Unsinn. Wir sollten einen Fototermin direkt hier in diesem Büro stellen, mit dem Premierminister, wie er konzentriert über seinen Papieren sitzt.«

Amanda mischte sich ein: »Das könnte vielleicht ein bisschen tricky werden, mein Lieber. Schließlich müssen wir alle mit einem Ex-Premierminister arbeiten.«

Alle vier schwiegen und drehten sich zu der massigen Gestalt um, die halb auf dem Schreibtisch lag. Haydn begann davon zu reden, dass man ihn irgendwie aufrichten müsse und was mit ein wenig geschickter Beleuchtung zu erreichen sei, aber Amanda war noch nicht fertig gewesen.

»Und das bringt mich zum nächsten Punkt. Wir haben noch fünf Tage bis zum Referendum. Es ist zwar schon ein paar Jahre her, dass ich mir *Prime Suspect* angesehen habe, aber was, glaubt ihr, passiert mit einer Leiche, die so lange in einem warmen Raum bleibt? Es tut mir leid, geschmacklos zu klingen, aber was wir hier planen, das stinkt auch so schon genug.«

Alois Haydn sprang auf seine Füße. »Dem stimme ich zu. Wir brauchen einen Plan. Und zwar bis heute Abend. Inzwischen, Amanda, bewachen Sie die Tür. Nelson, Sie kümmern sich ums Telefon. Jason, Sie muss man in dringenden Angelegenheiten in dieses Büro hinein- und wieder hinausgehen sehen. Erzählen Sie den persönlichen Referenten, ein schweres Gewitter braue sich in Berlin oder wo immer Sie wollen zusammen. Und meine Wenigkeit, ich muss auf der Stelle zu PLS.« Mit diesen Worten war er auch schon zur Tür hinausgeschlüpft und hinterließ einen ganz schwachen Schwefelgeruch.

DRECKSARBEIT

Eine Stunde später trafen sich drei stämmige Polen in der schäbigen Gegend vor dem Walworth International Café. Das Gebäude war ursprünglich der Laden einer edwardianischen Bäckerei gewesen, aber es war kontinuierlich bergab gegangen, seit es aufhörte, in ganz South London für seine Éclairs und Rhabarbertörtchen berühmt zu sein. In den letzten Jahren war es in rascher Folge ein vegetarisches Curry-Haus, ein Pfandhaus und ein Laden für Schmuddelzeitschriften gewesen. Das Einzige, was man ihm zugutehalten konnte, war der trockene Humor des Zeitschriftenhändlers, der es in kleinen roten Lettern Onan's genannt hatte. Das hatte auf geschmacklose Weise für ein bisschen Heiterkeit gesorgt und oben auf den Bussen, die Büroangestellte nach Victoria und Pimlico brachten, viel Gekicher hervorgerufen.

Doch das war schon wieder Vergangenheit und das Schild längst verschwunden. Das International Café war kaum Café zu nennen. Man konnte dort zwar noch Becher mit Instantkaffee und ältliche Kekse in Cellophan kaufen, aber das richtige Geschäft wurde mit internationalen Telefonkarten, osteuropäischem Bier und Gerüchten über Gelegenheitsjobs gemacht. An einem Montag stand hier bis zum späten Vormittag eine Schlange müde dreinschauender Männer und wartete auf Vorarbeiter und sogenannte Gangmaster. Über diese Seite des Projekts Europa wurde in der Downing Street selten diskutiert.

An diesem Abend saßen wie an vielen anderen auch die drei stämmigen, unrasierten und traurig dreinschauenden Männer auf Plastikstühlen am Tisch vor dem dreckigen Fenster zur Straße. Sie kamen oft her, um Sobieskis zu rauchen und sich an zu Hause zu erinnern. Sie sahen sich alle ähnlich – rotwangig, mit großen Nasen, kleinen Ohren und rasierten Köpfen. Aleksander und seine deutlich jüngeren Brüder Borys und Dawid stammten aus Białystok, der von Wäldern umgebenen, nach Kiefern duftenden polnischen Stadt nahe der weißrussischen Grenze. Während sie in die schwarzen, braunen und gelben Gesichter schauen, die an dem Café vorbeikommen, pflegten sie über Freud und Leid als Anhänger von Jagiellonia zu sinnieren. Der Fußballverein ist zwar eigentlich gut, aber leider vom Pech verfolgt. Als drei von acht Kindern eines Chemieprofessors und der Meisterschnitzerin des Marionettentheaters von Białystok waren sie in ihrer Jugend durch die Wälder gerannt, hatten in den herrlichen Parks Räuber und Gendarm gespielt und vom Abhauen geträumt.

Dawid und Borys hatten geschickte Hände, waren stark und intelligent; nach dem Militärdienst hatten sie nützliche Berufe gelernt, die sie dann auch nach Großbritannien gebracht hatten. Kenntnisreich und fleißig hofften sie, in ein paar Jahren mit genügend Geld nach Hause zurückkehren zu können, um sich eigene Häuser bauen zu können. Sie waren typische Beispiele für die Zehntausende Osteuropäer, die in den letzten Jahren nach Großbritannien gekommen waren – weitaus ehrgeiziger und zielstrebiger als die meisten Einheimischen.

Aleksander, der um zehn Jahre ältere Bruder, war dagegen ganz anders. Er hatte etwas Finsteres an sich. Nachdem er unter den Kommunisten bei den polnischen Spezialeinheiten gedient hatte, warb man ihn für den militärischen Geheimdienst an. Borys war Infanterist und Poet gewesen, Dawid ein bescheidener Elektriker, aber aus Aleksander war ein Killer geworden. Als guter Geheimdienstoffizier – rücksichtslos und wirklich intelligent – war er Ende der 1970er Jahre nach Moskau gereist. Dort hatten seine Kollegen ihn in einem Keller der Lubjanka an Blut gewöhnt. Ohne Bedenken oder Kommentar hatte er vier gefangene westliche Spione mit sauberen Kopfschüssen beseitigt. Er hatte bei Folterungen mit Hämmern, Zangen und meterweise Elektrokabeln zugesehen, sich allerdings nicht daran beteiligt. Mit der Billigung Moskaus war er nach Warschau zurückgekehrt, und nach dem Sturz der kommunistischen Regierung 1989 war ihm ein reibungsloser Übergang gelungen.

Mit seinen Kenntnissen aus der Spezialeinheit hatte Aleksander 1990 an der Operation Simoom teilgenommen, einer polnischen Topsecret-Mission zur Befreiung von sechs US-Agenten mitten in Saddam Husseins Irak. Die Amerikaner hatten Polen dafür belohnt, indem sie dem Land die Hälfte seiner Schulden erließen. Das Kartenmaterial, das sie dabei gefunden und mitgenommen hatten, half dem US-Militär auch bei der Invasion Desert Storm. In der Folge war Aleksander ausgerechnet mit den Leuten vertraut geworden, die er seit seiner Ausbildung so gnadenlos bekämpft hatte. Das waren verrückte Zeiten. Ein Mann musste wirklich jeden Muskel anspannen, um auf den Beinen zu bleiben. In den turbulenten Jahren des frühen Postkommunismus hatte er in Polen plötzlich indirekt für Lech Walesa und dessen Ministerpräsidentin Hanna Suchocka gearbeitet und sich an Machenschaften beteiligt, um einige der neuen politischen Parteien zu sprengen und zu diskreditieren. Als dann jedoch die Unterlagen des Geheimdienstagenten Oberst Jan Lesiak auftauchten, hatte Aleksander befürchtet aufzufliegen und Polen zum letzten Mal verlassen.

Über seine Kontakte bei der Agencja Wywiadu hatte er leicht Jobs gefunden. Die meisten waren langweilig gewesen: niedere Tätigkeiten für private amerikanische Sicherheitsfirmen, etwa mit einer Maschinenpistole hinten in einem SUV sitzen und Geschäftsleute in den Gassen von Bagdad oder Tripolis eskortieren. Doch es hatte auch Feuergefechte in Beirut gegeben und ein, zwei Exekutionen in Flüchtlingslagern an der syrischen Grenze. Er lernte, aus einem Rucksack zu leben und seine Bezahlung in Bündeln von Scheinen von Männern entgegenzunehmen, die ihm nicht in die Augen schauten.

Aber Aleksander vermisste seine Brüder, und als Dawid vorschlug, zu dritt eine Firma für Wasser- und Elektroinstallation zu gründen und nach England zu gehen, da fühlte Aleksander sich bereit, einen Gang runterzuschalten. Ein Lieferwagen aus fünfter Hand brachte sie durch halb Europa bis Rotterdam, von da aus ging es mit der Fähre nach Harwich.

Als begabte Eingeborene von Białystok, der Heimatstadt des Schöpfers von Esperanto, sprachen die Brüder ein passables Englisch. Nur mit den Menschen hatten sie so ihre Schwierigkeiten. Wie konnte es sein, dass die Arbeiter im reichen und erfolgreichen Westen so wenig arbeiteten und sich alle dauernd beklagten? In Białystok waren sie mit den Geschichten von Shakespeare und Dickens aufgewachsen, aber der moderne Engländer schien überhaupt nicht zu lesen und sich für kein anderes Land der Welt zu interessieren. Das deprimierte sie.

Nach sechs Monaten Schufterei und schlechter Bezahlung durch die missmutigen Einheimischen der Kleinstädte um Essex war Aleksander kurz davor, in den Nahen

Osten zurückzukehren, wo es immer Arbeit gab. Doch dann hielt eines Tages kurz vor Weihnachten ein Range Rover an der Tankstelle, die ihnen als informelles Arbeitsvermittlungsbüro diente. Ein gepflegter Mann in einem Kamelhaarmantel stieg aus, und für die Brüder wendete sich das Blatt. Zunächst bot er ihnen Bauarbeiten an seiner großen – und wie Borys beharrte – vulgären neuen Villa an. Wie sich herausstellte, kannte Mr Haydn Białystok gut und hatte sogar während des Kommunismus das berühmte Marionettentheater besucht. Er verhörte sie gründlich und schien sich besonders für Aleksander zu interessieren. Dann begann er, Pläne für sie zu schmieden.

Als er sie zur Jagd auf Wildenten – und gelegentlich auch eine Überwachungsdrohne von News International – in die Sümpfe der Gegend um sein neues Haus mitnahm, stellte Haydn entzückt fest, dass Aleksander ein ausgezeichneter Schütze war. Er schenkte ihm ein englisches Jagdgewehr, kaufte ihm und seinen Brüdern Lederjacken sowie einen gebrauchten Land Rover, korrigierte ihr Englisch und ließ sie Erledigungen für ihn übernehmen. Schließlich holte er sie nach London, damit sie für ihn leichter verfügbar waren, und quartierte sie in einer bescheidenen, aber sauberen Wohnung südlich der Themse ein.

Geld war für die Brüder fortan kein Problem mehr, aber der Mann, den Borys verächtlich »den englischen Oligarchen« nannte, war ihnen nicht geheuer. In der Tat schien Haydn sich eher wie ein Russe und nicht wie ein Engländer zu benehmen. Seit kurzer Zeit beauftragte er sie damit, Leuten zu folgen, gegen Türen zu hämmern und mit Gewalt zu drohen.

An diesem Abend besprachen sie im International Café das jüngste Ansinnen ihres Wohltäters. Mr Haydn wollte, dass sie morgen Nacht eine Leiche verschwinden ließen. Geht zum Teich im St James's Park und besorgt euch ein Boot, lautete seine erste Instruktion. Dann wird euch jemand eine Leiche bringen, die ihr beseitigt. Das war eindeutig illegal und potenziell gefährlich. Wegen so einer Sache konnten sie mindestens ausgewiesen werden, gab Dawid zu bedenken. Nur Aleksander stand der Aufgabe entspannt gegenüber. Er könne das im Schlaf erledigen, sagte er. Außerdem konnten sich daraus andere, besser bezahlte Jobs ergeben. Denn genau so ein Typ war Mr Haydn. Aleksanders rote, fleischige Hände lagen lässig auf dem Blechtisch und spielten mit einer leeren Zigarettenschachtel. Er fühlte sich wirklich ganz gelassen. Drecksarbeit war etwas, worauf er sich verstand.

DIE ENTHAUPTUNGSSTRATEGIE

Es war ein kühler Abend, aber die Atmosphäre im Büro des Premierministers war heiß und angespannt. Amanda schloss die cremefarbene Holztür ab. Eine Stunde zuvor war sie über die Straße zum House of Commons geeilt und hatte das Büro des Fraktionsführers aufgesucht. Ronnie Ashe hatte die Nachricht schlimm aufgenommen. Anders als alle, die in Number 10 eingeweiht waren, war er zusammengebrochen und hatte hilflos geschluchzt. Dann hatte er ihnen beiden jeweils einen großen Brandy eingeschenkt und gleich noch einen zweiten. Danach hatte Amanda streng gesagt: »Keinen mehr«, und ihm klargemacht, wenn er das Vermächtnis des alten Mannes bewahren wolle, müsse er jetzt in die Gänge kommen.

Inzwischen war Ashe wieder mit ihr und Jason Latimer im Büro des PM. Nelson Fraser war schon längst weg und verfasste irgendwo unter Hochdruck neue Reden für die Kampagne. Seine früheren waren schon alle verbreitet worden. Doch der Kreis der Mitwisser wuchs von Minute zu Minute: Gerade war ein Mann von schwerer Statur in einem Anzug von Marks & Spencer dazugekommen – Sergeant Don Hammond, der persönlich für den PM zuständige Beamte. Er wusste alles, was es über die Vorgänge in Number 10 zu wissen gab, und Amanda hatte darauf bestanden, ihn einzuweihen. Schließlich würden sie an einem gewissen Punkt auch schiere Muskelkraft benötigen.

Latimer hatte über seinen ehemaligen Chef gesagt: »Also hier kann er nicht bleiben. Hier müssen *wir* sein. Wir können einigermaßen kontrollieren, wer reinkommt. Wir werden nicht überwacht und, wie ich annehme, auch nicht belauscht, nicht einmal von unseren eigenen Leuten. Aber er« – der Außenminister deutete mit dem Daumen lässig in Richtung des Mannes, in dessen Gegenwart er früher stets die Stimme gesenkt hatte – »er muss weg.«

»Das dürfte tricky werden«, sagte Amanda. »All die neugierigen Sekretärinnen und die tumben Polizisten mit ihren Verbindungen in die Redaktionen der Boulevardpresse …«

Sie wussten alle, dass es schwer sein würde, den Deckel auf der Belegschaft in Number 10 zu halten, und das war einer der Gründe, warum Amanda auf Don Hammond als Mitwisser bestanden hatte, denn die einfachen Mitarbeiter vertrauten ihm blind. Der gut einen Meter achtzig große, knapp achtzig Kilo schwere und bewaffnete Sicherheitsbeamte hatte während der letzten fünf Jahre auf den Premierminister aufgepasst. Als Bodyguard, Diener, Ratgeber, spätabendlicher Beichtvater und gelegentlich als Fahrer. Amanda wusste, das Ableben seines Chefs würde ihn schwer treffen, aber würde er sich auf die Inszenierung einlassen? Das Problem war, dass sie auf ihn ebenso wenig verzichten konnten wie auf den Fraktionschef. Latimer war das beste Argument eingefallen, um Hammond auf ihre Seite zu ziehen: »Wenn wir ihn davon überzeugen können, dass wir das quasi als Letzten Willen des PM veranstalten, um eine nationale Katastrophe abzuwenden, sollte seine persönliche Loyalität ihn dazu bringen.«

Letztlich war Hammond überraschend gut klargekommen: Der Herausforderung, dem Abenteuer und den technischen Schwierigkeiten, die es zu überwinden galt, konnte er einfach nicht widerstehen. Er bekam einen der Schreibtische der persönlichen Referenten direkt vor der Tür zugewiesen. Und vorläufig bestand seine wichtigste Aufgabe darin, zu kontrollieren, wer ins Büro kam und wer draußen bleiben sollte. Don Hammond wurde in Number 10 derart respektiert, dass sich ihm nur wenige widersetzt hätten. Der persönliche politische Referent des PM fühlte sich zwar gekränkt, als man ihm den Zugang zu seinem Chef verweigerte, aber die Tatsache, dass der Fraktionschef, der Außenminister und Amanda Andrews sich alle in seinem Büro eingefunden hatten, verlieh der Geschichte, wonach sich gerade eine hochgeheime Krise mit den Deutschen zusammenbraute, Glaubwürdigkeit.

Amanda knöpfte ihre Strickjacke auf, hängte sie über eine Stuhllehne und zog die Schuhe aus. Sie alle würden definitiv noch einige Zeit hier verbringen.

»Also, Jungs«, sagte sie, »wo stehen wir? Immerhin vertreten wir so oder so nach wie vor die Regierung Seiner Majestät. Wir verfügen über eine gewisse, wenn auch rasch schwindende Autorität – nach alldem hier würde ich nicht mehr von Macht reden –, aber wenigstens haben wir ein Zeitfenster, in dem wir die Ereignisse kontrollieren können. Vor allem aber, meine Lieben, haben wir als Regierung Geld. Eine fast unbegrenzte Menge davon, sofern wir uns keine Gedanken über das nächste Budget und die Gefühle des Finanzministers machen, wovon ich jetzt mal nicht ausgehe.«

Justament als sie fertiggesprochen hatte, vibrierte ihr Handy. Das war Alois Haydn, der ihr per SMS mitteilte, jemanden gefunden zu haben, der bei der Beseitigung einer kopflosen Leiche behilflich wäre. Allerdings müsse diese zuvor aus dem Gebäude geschmuggelt werden.

»Warum kopflos?«, fragte Amanda Ronnie Ashe.

»Ich hätte gedacht, das verstehe sich von selbst, meine Liebe«, erwiderte der Fraktionschef. »Wir können die Leiche loswerden – müssen sie loswerden –, aber wir können nicht riskieren, dass jemand merkt, um wen es sich handelt oder was da passiert ist. Er darf nicht identifiziert werden, verstehen Sie? Sie können doch nicht einfach tote Premierminister herumliegen lassen. Also muss der Kopf ab, und ich fürchte, auch beide Hände. Nicht schön, aber so ist es nun mal. Der PM hätte dafür vollstes Verständnis.«

Der Premierminister saß einstweilen mit Handtüchern abgestützt wieder aufrecht in seinem Sessel. Der Kopf war von der Kamera ab- und zum Fenster gewandt. So hatte man ihn mehr schlecht als recht fotografiert. Er sah nicht besonders lebendig aus, aber wenigstens auch nicht tot, und immerhin war er eindeutig er selbst. Nun versuchten sie mit Hilfe von Sergeant Hammond, der ohne merkliche Überraschung einen beachtlichen Scheck entgegengenommen hatte, ihn in einen der Teppiche, die auf dem Fußboden lagen, einzuwickeln. Doch der PM war zu groß. Erst hatte der eine, dann der andere Fuß herausgestanden, während am anderen Ende der unansehnlichen Wurst eine Haarsträhne hervorschaute. So bekämen sie ihn nie aus Number 10 raus. Hammond wurde in die Privatwohnung hinaufgeschickt und kehrte mit einer Bettdecke und Gaffertape zurück. Eine Filmcrew hatte das Klebeband praktischerweise zurückgelassen. Nach viel Schwitzen, Stöhnen und Fluchen war der tote Mann endlich verpackt.

Eigentlich war es schade, dass sich der Premierminister selbst nicht an der Diskussion über seinen eigenen Kopf beteiligen konnte, die folgte. Seine ausgeprägten historischen Kenntnisse, die wahrscheinlich zu diesem Zeitpunkt in seinen nicht mehr mit Sauerstoff versorgten Frontallappen zerfielen, hätten sicher einiges zur symbolischen Bedeutung der Köpfe von Anführern beigetragen. Da gab es natürlich Charles I., aber vielleicht noch bedeutender seinen großen Widersacher Oliver Cromwell, dessen Leichnam in der Lady Chapel von Westminster Abbey begraben worden war. Im Zuge der Stuart-Restauration erwies es sich dann als ziemlich schwierig, ihn dort wieder herauszuholen. Trotzdem wurde die Leiche des ehemaligen Lordprotektors zusammen mit denen seiner Königsmörderkumpel Henry Ireton, Robert Blake und John Bradshaw zum Red Lion Inn gebracht – nicht das, das noch am Fuß von Whitehall steht, sondern ein älteres in Holborn. Von dort zerrte man ihn auf einem Schlitten zum Hinrichtungsplatz in Tyburn, wo er fast einen Tag lang hing. Erst danach trennte man den Kopf ab. Das fiel nicht leicht: acht Hiebe mit einem beachtlichen Beil waren nötig. Dann spießte man den Kopf auf eine Stange gegenüber von Westminster Hall, wo er 24 Jahre lang vor sich hin klapperte und grinste, bis ein großer Sturm ihn 1685 wegblies. Ein Wächter soll ihn eingesammelt haben. Von da an wechselte er fast dreihundert Jahre lang zwischen privaten Sammlern und Museen und galt als amüsantes Relikt des Strebens nach Macht. 1960 schließlich begrub man ihn am Sidney Sussex College in Cambridge, wo Cromwell einst studiert hatte und heute eine Gedenktafel an ihn erinnert. Die genaue Stelle, an der sein Kopf sich befindet, wurde jedoch absichtlich verschwiegen.

All das hätte der Premierminister erklären können, während er sich genüsslich und ausführlich über den primitiven Fetisch ausgelassen hätte, den die Köpfe der Mächtigen der Menschheit bedeuten. Vielleicht hätte er auch noch einen Exkurs zum einbalsamierten Lenin und über die jüngsten Untersuchungen am Gehirn Einsteins zum Besten gegeben. Möglicherweise hätte es ihn aber auch deprimiert, über das grässliche Werk zu sinnieren, das als Nächstes an seinem eigenen Körper verrichtet werden sollte.

Die Verschwörer blieben im Büro des PM, bis auch die letzten persönlichen Referenten sowie die Putzleute gegangen waren. Es war ein langes Warten, das sie sich mit den Resten des privaten Malt-Whisky-Bestands ihres ehemaligen Chefs verkürzten. Amanda erhob ihr Glas auf »unseren Anführer«, und sie tranken feierlich zu seinem Gedenken. Dann machten sie sich an die Arbeit. Es gab eine Menge zu tun.

Jason Latimer hatte den Großteil seines bisherigen Erwachsenenlebens im Dienst der Regierung verbracht. Schon längst hatte er sich daran gewöhnt, Autos, Referenten und ehrgeizige Puffer zwischen sich und den harten Realitäten des Alltags zu haben, aber er war weder ängstlich noch zimperlich. »Ich fange an«, sagte er. Sein Schwager war ein mäßig erfolgreicher Biometzger in Leicester.

Hammond packte die Brust und Latimer die Beine, und so wurde der Premierminister durch die hintere Tür seines Büros ins leere Kabinettszimmer getragen. Dort war die erste schwierige Entscheidung fällig. Hätten sie das Kabinettszimmer zur Vorderseite des Gebäudes hin wieder verlassen und wären dann gleich nach links in die

Number 11 gebogen, hätten sie den Privataufzug in die prächtige Wohnung des PM nehmen können. Das war der kürzeste und schnellste Weg, aber die Gefahr, dabei jemandem vom Personal zu begegnen, der sich verspätet hatte, war groß.

Also nahmen Hammond und Latimer den langen Weg. Sie verließen das Kabinettszimmer über die Terrasse und nahmen die Steinstufen hinunter in den Garten. Dabei hielten sie sich nah an der Mauer, um nicht von einem der oberen Fenster aus gesehen zu werden. Eine kleine Gartentür führte zu einer Wendeltreppe. Nachdem sie sich die hochgekämpft hatten, standen sie direkt im Flur der Wohnung. Von hier waren es nur noch ein paar Schritte bis in die Küche, die wie der Großteil des Apartments unter David und Samantha Cameron erheblich umgebaut worden war.

Hammond wickelte den PM aus und zerrte ihn auf die Arbeitsplatte aus gebürstetem Stahl neben dem Britannia-Ofen. Die Platte war gerade lang genug, nur der Kopf baumelte in die Spüle. Ausdruckslos sah Latimer das Sortiment scharfer Küchenmesser im hölzernen Messerblock durch, aber seiner Ansicht nach war keines davon groß genug. Also durchwühlte er die Schubladen, bis er auf ein elektrisches Tranchiermesser stieß, das noch in der Ära Johnson angeschafft worden war. Er schaltete es ein und wandte sich entschlossen dem premierministerlichen Hals zu.

Entschlossenheit hin oder her, jedenfalls wirkte er erschöpft und bleich, als er eine halbe Stunde später wieder zum Rest der Verschwörerbande ins Büro unten zurückkam. Hellrosa Flecken zierten sein weißes Hemd, dessen Ärmel er bis über die Ellbogen hochgerollt hatte. Seit sie ihn zuletzt gesehen hatten, schien er um zehn Jahre gealtert.

»Es ist fast geschafft«, sagte er. »Abscheulicher Job, aber

ich schätze, Ärzte machen so was in der Art andauernd. Die Hände gingen leicht. Sie liegen jetzt im Tiefkühler hinter einer Familienpackung Pommes frites von McCain – der alte Mann war ein großer Pommes-Nascher –, also nicht erschrecken, falls jemand später noch einen Mitternachtssnack möchte. Der Kopf ist schwieriger. Wegen des Rückgrats. Er war ja immer dafür bekannt, und jetzt kriege ich es verdammt noch mal nicht durch. Das Messer rutscht einfach ab. Irgendwelche Ideen?«

Der Premierminister, wäre er denn zugegen gewesen, hätte an dieser Stelle vielleicht noch einmal auf die acht Axthiebe verwiesen, die man für seinen berühmten Vorgänger Oliver Cromwell benötigt hatte. Man muss Amanda zugutehalten, dass sie sogleich aufsprang und begann, die Räumlichkeiten nach einem geeigneten Werkzeug abzusuchen. Doch die Downing Street Number 10 ist kein Museum, und daher waren Henkersäxte rar. Neben einem Feuerlöscher und einem Eimer mit Sand fand sich ein kleines Hackebeil, und Amanda wollte schon aufgeben, als ihr Blick auf den edlen vergoldeten arabischen Säbel fiel, der über dem Kaminsims im Kabinettszimmer hing.

Amandas Vater hatte in Malaysia eine Kautschukplantage besessen, und sie war eine einfallsreiche Frau. Mit resolutem Schritt, die Waffe mit dem goldenen Griff unter dem Arm, begab sie sich nach oben. Ein paar Minuten später war sie wieder unten, ein wenig blass, aber ganz ruhig. Und sie trug eine offenbar schwere Einkaufstasche von Waitrose in einer Hand.

»Alles erledigt, Jungs. Er war ein gerissener alter Fuchs, aber ich glaube, er hätte dem hier was Komisches abgewinnen können.«

Der Fraktionschef erhob sich, streckte die Arme und gähnte heftig. »Alles, was wir jetzt noch zu tun haben, ist, unseren Anführer auf die einzige Art und Weise zu ehren, die ihm etwas bedeutet hätte – indem wir dieses Scheißreferendum gewinnen und dieses Scheißland zumindest halbwegs vor der Bedeutungslosigkeit bewahren.«

»Richtig. Und wer möchte jetzt das hier haben?«, fragte Amanda.

EIN SCHRECKLICH GROSSES ABENTEUER

Haydn erzählte der PLS-Führung alles – oder zumindest fast. Das waren Männer und Frauen, die ihr ganzes Berufsleben hindurch schändliche und gefährliche Staatsgeheimnisse gehütet hatten, und sie waren schwer zu schockieren. Trotzdem hob sich die eine oder andere weiße Augenbraue, als er nicht nur den Tod des Premierministers erklärte, sondern auch das sich beschleunigende Täuschungsmanöver und Theater, das in Number 10 vonstattenging, während er hier davon sprach. Die Enthauptung und Entsorgung der Leiche erwähnte er nicht; das war nichts, was man wissen musste. PLS waren ihrerseits nicht geneigt, einem Mann wie Alois Haydn zu trauen, daher machten sich Admiral Jock Dalgety und Colonel Mike Patten sogleich auf den Weg, um den Außenminister und den Fraktionschef persönlich zu treffen und aus ihren Mündern eine aufbereitete Version der Ereignisse der letzten paar Stunden zu hören.

Nachdem der Vorstand der PLS entschieden hatte, dass es kein Landesverrat wäre, an diesem Spiel teilzunehmen, sondern dass sie dadurch im Gegenteil versuchen würden, den Wünschen des besten Premierministers, den Großbritannien seit Jahrzehnten hatte, nachzukommen, waren sie alle Feuer und Flamme und begannen mit der Planung. Es gab vieles, was sie tun konnten. Fünf ehemalige Geheimdienstmitarbeiter, angeführt von Dame Cecily Morgan, drei ehemalige Staatssekretäre, zwei Botschafter a. D., ein früherer Chef sowie drei Führungskräfte der Londoner Polizei Met und ein Haufen ranghohe (inzwischen pensionierte) Leute aus der Armee nahmen Kurs auf die Downing Street. Sie brachten keine Sekretärinnen mit, dafür aber ein paar technische Spezialisten.

Der Finanzminister war wegen der letzten hektischen Tage vor dem Referendum mit dem Großteil seiner Mannschaft in sicherer Entfernung in Wales. Genau hinter seinem Büro und seinen Privaträumen im Nachbarhaus gab es einen kurzen Flur, der zu einem prächtigen, aber selten genutzten Speisezimmer führte. Es besaß eine kunstvoll ausgekehlte Decke, und an den Wänden hingen moderne abstrakte Gemälde. Die großen Fenster gingen auf die Terrasse von Downing Street und den Garten dahinter hinaus. Gordon Brown hatte hier ein paar erstaunlich gesellige Abendessen veranstaltet, aber während der Amtszeit von David Cameron war es mehr oder weniger in Vergessenheit geraten.

Hier schlugen PLS ihr Lager auf. Flatscreens, die teilweise mit den Überwachungskameras in Downing Street und Whitehall verbunden waren, wurden an den Wänden aufgehängt. Fette, hässliche Computer wurden auf verzierten antiken Sesseln und dem prächtigen Esstisch aufgestellt. Die Fenster wurden mit Sichtschutz präpariert. Jacketts wurden ausgezogen und auf den Boden geworfen. Schachteln mit Take-away-Essen wurden geleert und achtlos beiseitegeschoben. Überall lagen leere Wasserflaschen herum. Auf derselben Etage wie das Büro des Premierministers, nur auf der anderen Seite des Kabinettszimmers, würde dies die Desinformationszentrale sein.

Jock Dalgety hatte schnell das Kommando übernommen. »Der wichtigste Job für jeden ist Schadensbegrenzung. Wir befinden uns alle auf einem leckenden Schiff, und das Stopfen der Löcher muss jetzt beginnen. Ich möchte eine komplette Liste aller, die Zugang zu diesem Gebäude haben, und zwar bis heute Abend. Besorgt mir den vollständigen Dienstplan des Personals von Downing Street und allen, die zum Kabinettszimmer gehören. Ich möchte den elektronischen Terminkalender des Premierministers ständig auf einem Bildschirm sehen. Außer uns haben folgende Personen Zugang zu diesem Raum: Amanda Andrews, Nelson Fraser, Jason Latimer, dieser Haydn, Sergeant Hammond und Ronnie Ashe. Ansonsten absolut niemand. Ist das klar? Miss Andrews organisiert Sicherheitsausweise für Sie alle. Nehmen Sie sie mit, bevor Sie morgen früh gehen.«

Der ledrige Admiral ließ seinen Blick über die zerzausten, faltigen, weißhaarigen Männer und Frauen schweifen, die ihn unverwandt mit leuchtenden Augen und geröteten Wangen ansahen. Anscheinend erwarteten sie, sich in Kürze herrlich zu amüsieren.

»Es wird hier drin verdammt stickig werden. Und keiner von uns ist mehr der oder die Jüngste. Aber ich erwarte, dass Sie so viele Stunden, wie es Ihnen menschenmöglich ist, in diesem Gebäude bleiben, bis der Job erledigt ist. Der Finanzminister ist Gott sei Dank für ein paar Tage unterwegs. Bleiben Sie von seiner Wohnung weg, aber nebenan gibt es Sofas, und Toiletten befinden sich den Flur runter.« Er schlug eine dicke Mappe aus Leder auf und blätterte darin, bevor er weitersprach.

»Hier ist unsere Coverstory, direkt von Mr Haydn persönlich. Ein Konsortium aus den großen britischen Banken und Finanzierungsgesellschaften hat der Regierung ein Ultimatum gestellt, sollte das Land sich für das Verlassen der EU entscheiden. Wenn ihnen in diesem Fall nicht großzügige Steuererleichterungen gewährt werden, werden sie alle ihren Sitz nach Paris, Frankfurt oder Amsterdam verlegen. Zusammen erbringen sie etwa fünfzehn Prozent der Körperschaftssteuer, sodass das Land ohne sie pleite wäre.

Dies ist möglicherweise eine nationale Krise größeren Ausmaßes, sie kann jedoch nicht öffentlich diskutiert werden, weil das als unfaire Einflussnahme auf das Referendum gewertet würde. Es mag donquichottisch wirken, aber so lautet der persönliche Wunsch des Premierministers. Wir wurden als Verhandlungsteam engagiert. Einige von Ihnen waren früher im Finanzministerium, andere ohne diesen Hintergrund müssen sich als ehemalige Leute aus der City of London ausgeben. Weil Frankreich und Deutschland involviert wären, falls diese Institute ihre Firmensitze auf den Kontinent verlegen, werden diejenigen aus dem diplomatischen Dienst sich um die Verbindungen ins Ausland kümmern. Die anderen sammeln Informationen von unseren ausländischen Partnern, wie sie das während ihres gesamten Berufslebens getan haben. Einige von Ihnen sind hier, um die Amerikaner bei Laune zu halten.

All das ist langweilig und ernst genug, um die meisten Leute in diesem Gebäude davon zu überzeugen, dass die üblichen Alltagsgeschäfte ruhen müssen. Und merken Sie sich, keiner, der nicht Mitglied unserer Organisation ist, hat das Recht, irgendjemanden von Ihnen nach unseren Aktivitäten zu fragen. Wir alle sind für unseren verstorbenen Premierminister hier und für niemanden sonst. Irgendwelche Fragen? Nein? Dann, Ladies und Gentlemen, jeder an seine Gefechtsstation.«

Überall im Raum beugten sich Köpfe über Telefone und Computertastaturen, während Ex-Spione und ehemalige Polizeioffiziere das geheime Adressbuch der Downing Street durchzugehen begannen. Die meisten aus dem politischen Team des Premierministers erhielten die diskrete Anweisung, zu Hause zu bleiben, bis die akute Krise überwunden sei. Den persönlichen Referenten für spezielle Regierungsabteilungen wurden dringende Rechercheaufträge erteilt, deren Ergebnisse sie dem Außenminister persönlich vorlegen sollten.

Das waren die einfacheren Dinge. Gegen Mitternacht hatte man begonnen, Telefone und PCs anzuzapfen, um nach Gerüchten oder den allerersten Bröckchen von Informationen zu suchen, die sich rasch zu Gerüchten auswachsen konnten. Diese Defensivmaßnahmen waren von essenzieller Bedeutung, durften jedoch nicht zu viel Zeit beanspruchen, bevor der Prozess der aktiven Täuschung begann. Und hier kam Dame Cecily voll zur Geltung. Die Medien brauchten eine starke Alternativgeschichte. Sie und ein kluger junger Mann aus Shoreditch hatten bereits eine Reihe fingierter Witter-Accounts eröffnet, um darüber die Illusion eines schlagzeilenträchtigen häuslichen Streits zwischen dem Premierminister und seiner entfremdeten Ehefrau zu erzeugen. Das würde schlechte Publicity erzeugen, allerdings von der nützlichen Sorte. Oder wie Dame Cecily stets zu sagen pflegte: »Wenn du in London eine falsche Fährte legen willst, sorge dafür, dass sie zum Himmel stinkt.«

Bald wimmelte es in Witter von atemlosen Berichten, wonach die Frau des PM ihn ein fettes, egozentrisches, triebgesteuertes Schwein genannt haben sollte. Jemand anderer erwiderte vermeintlich in seinem Namen, er sei viel zu viele Jahre mit einer abgehalfterten alten Kuh verheiratet gewesen, die sich durch West London bumse. Das sollte bis zum Morgen die Radiosender erreichen, und die Zeitungen würden entsprechend nachziehen. Möglich, dass irgendein Journalist mit der Gattin des PM persönlich Kontakt aufnahm und sich eine ordentliche Abfuhr holte. Aber es war heutzutage durchaus denkbar, dass sich keiner die Mühe machte. Aber wie auch immer würden zumindest alle in die falsche Richtung schauen.

Inzwischen hatte der junge Mann aus Shoreditch, dem Ground Zero der britischen High-Tech-Community, Kontakt zu einigen Wissenschaftlern in den USA aufgenommen, die an 3-D-Gesichtskartierung und -animation arbeiteten. Er trug eine nicht gerade ansprechende rote Jeans und hatte sich bis auf ein langes Büschel ganz oben den Kopf rasiert, sodass er aussah wie Tim auf Clubtour (ohne Struppi), aber er hatte eben auch fünf Jahre im GCHQ verbracht und war ein familiärer Freund von Dame Cecily. Seine Spezialität waren Computergrafiken, die ursprünglich dazu gedacht waren, die Gesichtserkennung von Überwachungskameras zu verbessern, und gegenwärtig in der Londoner U-Bahn getestet wurden.

Da der Kopf des Premierministers ja zur Verfügung stand, erklärte der struppilose Tim, dass die Erfassung seiner Gesichtszüge per Laser leicht sein müsse. »Jeder Pickel, jede Falte, ich versprech's Ihnen. Das ist ein mühsames Verfahren, aber wir haben die Ausrüstung am University College. Meine Jungs in Berkeley und am MIT sagen, daraus ein glaubwürdiges animiertes Gesicht zu machen, wäre deutlich schwerer, aber machbar. Ich habe ihnen erzählt, das sei für einen Tom-Cruise-Film. Aber ich habe auch näher an zu Hause gesucht. Wo findet man momentan das weltweit Neueste im Bereich der Computeranimation? Besseres als in Hollywood? Besseres als in Japan?

Nein, nicht in Shoreditch – sondern nur die Straße runter in Soho.«

Dame Cecily nahm ihre Brille von der Nase und drohte ihm damit. »Harry, Sie wollen doch nicht ernsthaft behaupten, wir könnten eine Animation des Premierministers kriegen, die gut genug ist, um die Öffentlichkeit zu täuschen? Ich weiß ja, dass ich heutzutage nur noch eine alte Ziege bin, aber das glaube ich einfach nicht.«

»Nun, Baroness, wir haben Zugang zu den besten Laser-Kartierungsmethoden der Welt. Wir haben die Kameras, die beste derzeit verfügbare Software, und die besten Amerikaner arbeiten seit einigen Jahren mit uns zusammen. Und nicht zuletzt haben wir hier die absoluten Spitzenkräfte der Computeranimation auf dem privaten Sektor. Einige der besten Internetspiele sind in Soho kreiert worden; selbst die großen amerikanischen Filmstudios kommen inzwischen hierher. Alles, was ich damit sagen will, ist, wenn wir das beides zusammentun, könnte etwas sehr Interessantes dabei rauskommen.«

»Na schön, Harry. Ich vermute, Sie sind nur ein wenig zu enthusiastisch, und ich bezweifle sowieso, dass wir genügend Zeit haben werden, aber – nun gut, alle Hände an die Pumpen. Sehen Sie zu, was Sie ausrichten können. Geld spielt keine Rolle. Unser Budget ist offenbar ›was immer es eben kostet‹.«

Obwohl viele der eigenen Mitglieder Experten in den dunklen Künsten waren, versuchten Professional Logistical Services doch soweit möglich nicht gegen das Gesetz zu verstoßen. Aber einige Dinge, denen das Team sich nun widmen musste, waren einfach illegal. Den erst kürzlich ernannten Vorsitzenden des außenpolitischen Ausschusses des Parlaments, der um ein dringendes Treffen mit dem PM angesucht hatte, musste man schlichtweg anlügen. Der berüchtigt aufgeblasene und spitzfindige Kerl konnte in nächster Zeit durchaus noch mehr Schwierigkeiten machen. Einer der Polizisten, die in Number 10 ihren Dienst versahen, hatte bereits vermutet, dass irgendeine große Sache vor sich ginge; ihn musste man vielleicht erpressen, damit er dichthielt.

In diesem Moment glitt Alois Haydn ins Speisezimmer. Sein fledermausfeines Gehör nahm Gesprächsfetzen von allen Seiten wahr.

»Nun, dann holen Sie ihn eben aus dem Bett. Es herrscht eine Krise. ... Ich weiß, aber dafür wird er schließlich bezahlt ...«

»Sollten Sie auch nur daran denken, diesen Unsinn zu drucken – nein, auch nur daran denken, daran zu denken –, dann sind Sie für immer arbeitslos. Zufällig habe ich erst letztens mit dem Direktor über Sie gesprochen ...«

»Wir haben mit dem Direktor seines Colleges gesprochen, und, ganz unter uns, scheint dem armen Briskett das Problem etwas entglitten zu sein. Er wurde in den unziemlichsten Umständen erwischt ... Wir möchten einfach nur nicht, dass er sich in seinem Alter bis auf die Knochen blamiert, sollten Sie also irgendwas hören, wäre dies die Nummer ...«

»Nein, Sie dürfen mich definitiv nicht fragen, worum es geht ...«

»Evan, mein Schatz, es ist ja schon viel zu lange her. Aber nun muss ich diesen Gefallen einfordern. Nur etwas für das Finanzbulletin gleich morgen früh ...«

»Eine Margherita. Eine Peperoni. Und eine mit Spinat ...«

Alois gestattete sich fast ein dünnes Lächeln. In der Hand hielt er ein zusammengerolltes dickes Schriftstück. Er zog sich einen Stuhl heran und sprang leichtfüßig hinauf. Nachdem er anschließend alle um ihre Aufmerksamkeit gebeten hatte, entrollte er ein handgeschriebenes Blatt, das er vollmundig als »Ihre So-kommen-Sie-unbehelligt-aus-dem-Gefängnis-Karte, Ladies und Gentlemen« bezeichnete – das »königliche Prärogativ«. Dies habe, wie er vorlas, der Guru für Verfassungsfragen, Alber Venn Dicey, bekanntermaßen definiert als »den verbleibenden Rest der ursprünglichen Autorität der Krone … den Überrest des verbleibenden Handlungsspielraums in den Händen der Krone. Egal ob diese Macht tatsächlich vom König selbst oder von seinen Ministern ausgeübt wird«. Haydn erklärte den Anwesenden weiter, dass es im Falle der bedrohten nationalen Sicherheit – und was könnte diese stärker bedrohen als ein EU-Austritt? – das königliche Prärogativ erlaube, dass ein Premierminister diverse gesetzliche Beschränkungen hinsichtlich Wahlen, Privatsphäre usw. außer Acht lasse.

Baroness Tessie Fremantle, die fast ein Jahrzehnt lang Finanzministerin gewesen und den Großteil ihres Erwachsenenlebens in Number 10 verbracht hatte, hatte schon mehr über die Verfassung vergessen, als alle anderen zusammen je gewusst hatten. In den meisten Diskussionen über die Machtverhältnisse in Großbritannien brachte allein schon die Erwähnung des Namens Dicey alle zum Schweigen, nicht jedoch Lady Fremantle.

»Ein kleines Problem, Mr Haydn. Für die praktische Umsetzung in jeglicher Form kann sich auf das königliche Prärogativ ausschließlich die Autorität des Premierministers berufen. Mein Punkt – und der Grund, warum wir alle uns schließlich hier befinden – ist, dass wir keinen Premierminister haben. Kein Premierminister, keine Legalität. Oder habe ich da irgendwas übersehen?«

Haydn erlaubte sich eine kleine triumphierende Grimasse, griff ins seidene Futter seines schmal geschnittenen Jacketts und zog einen Umschlag heraus.

»Aber wir haben die Vollmacht des Premierministers – des verstorbenen Premierministers. Ich habe hier einen von ihm in seinen letzten Stunden unterzeichneten Brief, der komplett alles umfasst, was wir möglicherweise zu tun haben.«

Lady Fremantle überflog den Brief. »Also, das sieht aus wie seine Unterschrift, obwohl ich mir nicht vorstellen kann, dass er das tatsächlich geschrieben hat. Er besaß ein viel besseres Verständnis von Geschichte, als dass er dies hier für korrekt angesehen hätte. Ich vermute, das *ist* seine Unterschrift, Mr Haydn?«

»Wie Sie sehen können.«

»Ist es *seine*?«

»Zweifellos«, sagte Haydn, der sie selbst erst eine Stunde zuvor gefälscht hatte.

Unvermeidlich würde es in der Folge eine größere Auseinandersetzung im Parlament geben. Aber das erfüllte an diesem langen Abend im Speisezimmer des Finanzministers niemanden mit Sorge. Parlamentarische Auseinandersetzungen passierten meistens zu spät. Ihre Funktion in der britischen Politik bestand darin, den Brunnen abzudecken, nachdem das sprichwörtliche Kind bereits hineingefallen war.

DIE GROSSE FLUCHT

Die Reste des Premierministers lagen immer noch oben, eingewickelt in eine Bettdecke, verklebt mit Gaffertape, und tropften. Wie schafft man eine Leiche aus Downing Street Number 10 hinaus, ohne dass es jemand bemerkt?

Sofort nach Jock Dalgetys einführender Ansprache verließ Sir Richard Greene KCB, ehemaliger Chef des Joint Intelligence Committee, das Speisezimmer, um sich mit Jason Latimer vor dem schmalen gemauerten Tudor-Flur zu treffen, der Number 10 mit dem Kabinettsbüro verband.

»Hier lang, Herr Außenminister«, sagte Dickie, der eine schmuddelige Kopie des Grundrisses bei sich trug.

An der Vorderseite des Gebäudes befand sich ein Sicherheitsraum, wo die Spezialschutztruppe herumlungerte und die Aufzeichnungen der Überwachungskameras auf Bildschirmen beobachtete. Außerdem wurde von hier aus das höchst raffinierte zentrale Alarmsystem kontrolliert.

Dank der Intervention von Sergeant Hammond war der Raum heute allerdings leer. Ein abgeschlossener Gewehrständer war an die Wand geschraubt, neben einem Poster, das den richtigen Umgang mit Gasmasken erklärte. Jeder, der in Number 10 arbeitete, war für den Fall einer Evakuierung in eine von zwei Gruppen eingeteilt – grün oder blau. Zu den Grünen gehörten die Leute, die der Premierminister für eine funktionierende Regierung brauchte; sie würden sehr rasch hinausgebracht, und zwar durch einen unterirdischen Gang unter Whitehall, der ins Verteidigungsministerium mündete. Die blaue Gruppe würde langsamer evakuiert.

Ebenfalls im Sicherheitsraum befanden sich zwei in hässlichem Grün gestrichene Metallspinde, in denen sich Serge-Uniformen, Sportklamotten und einige stinkende alte Schuhe befanden. Zwischen den beiden gab es eine schmale Holztür. »Da ist es«, sagte Dickie Greene. »Dahinter sollte noch eine aus Metall sein.« Latimer holte einen großen Schlüsselbund hervor und machte sich an die Arbeit.

Die Karte, die Greene benutzte, war von dem alten Arbeitsministerium angefertigt worden, als man in den frühen 1960er Jahren Downing Street praktisch von Grund auf erneuert hatte. Beton- und Stahlstützen und verstärkte Verbindungen zum Netz der unterirdischen Tunnel im Kalten Krieg machten damals den Großteil der Arbeiten aus, auch wenn sich die Aufmerksamkeit der Medien auf die Renovierung der Repräsentationsräume konzentrierte. Die hatte man sorgsam auseinandergebaut und danach wieder zusammengesetzt, um das ursprüngliche Aussehen zu rekonstruieren. Dabei war man sehr detailgetreu vorgegangen, auch wenn die Qualität der Arbeit teilweise zu wünschen übrig ließ.

Hier war eben Tradition alles, selbst wenn das ganze Haus nichts anderes als eine politische Illusion darstellte. Als die Bauarbeiten an den berühmten schwarzen Ziegeln an der Front von Number 10 begannen, stellte man entsetzt fest, dass es sich tatsächlich um die billigen gelben Londoner Ziegel handelte, die man damals für schnelle spekulative Bauten benutzt hatte. Das Schwarz war einfach nur der Dreck, der sich im Laufe der Jahre darauf abgelagert hatte. Anstatt die ursprüngliche Farbe wiederherzustellen, strich man die Ziegel hinterher schwarz.

In den 1970ern ähnelte Number 10 dann schon einem Eisberg – nur ein Bruchteil davon war an der Oberfläche sichtbar. Die Geheimnisse lagen darunter versteckt. Während des Kriegs waren die verdeckten Operationen der Sondereinsatztruppe Special Operations Executive vom obersten Stock des nahen Hotels St Ermin aus gesteuert worden. Der Lift fährt bis heute nicht nach ganz oben. Ein Tunnel unter dem Hotel erlaubte Spionen, ungesehen in die Downing Street zu gelangen. Den Tunnel gibt es, wie viele andere auch, immer noch.

Greene und Latimer zwängten sich durch die schmale Türöffnung aus Metall und stiegen eine Stahlleiter hinunter. Der Schacht war von unten beleuchtet und eindeutig kein neueres Bauwerk: die Stahlreifen und der rauhe Putz stammten vermutlich noch aus dem Zweiten Weltkrieg. Aber sobald sie wohlbehalten unten angekommen waren, fanden sie sich in einem überraschend geräumigen und gut ausgestatteten Tunnel wieder. Mit hübschem blauem Fußboden, Luftschächten aus Zink und sogar ein paar künstlichen Pflanzen in weißen Töpfen. Man konnte auch über einen Lift im Kabinettsbüro hierhergelangen, aber nach knapp zwanzig Metern endete der Tunnel vor einer schweren, explosionssicheren Metalltür mit einem roten radförmigen Schloss. Daneben stand ein großer Schrank aus hellem Holz mit Hunderten Fächern, in denen jeweils ein laminierter Pass mit dem verblassten Foto eines Beamten lag. Das war der handfeste Beweis der Unterscheidung von Whitehall zwischen denen, die eine »Maulwurfskarte« besaßen, und denen ohne. Wenn man so einen Pass bekam, war das ein Zeichen besonderer Wertschätzung, wie eine kleine Medaille aus dem Palast oder ein stummer Dank des für einen zuständigen Staatssekretärs.

»Das ist nicht unser Weg«, sagte Greene. »Der führt zu Pindar, dem gewaltigen Notfallbunker, der auch eine Verbindung nach Northwood und zu den Spitzenmännern bei der Armee hat. Da unten möchten Sie lieber keine Zeit verbringen, Herr Außenminister. Das ist nur für den Fall gedacht, wenn der Ballon hochgeht. Vom Verteidigungsministerium gelangt man unterirdisch bis zu den Houses of Parliament, ohne dass einen das schlauer machen würde. Aber man braucht die richtige Akkreditierung. Nun, wie auch immer, wir können den Premierminister wohl kaum ins Verteidigungsministerium schleppen, oder?«

»Nein … und Pindar?«, fragte Latimer, der eine teure klassische Ausbildung genossen hatte.

»Ja, das ist dieser griechische Gedichteschreiber. Ziemlich unlesbar, fand ich immer. Die Sache ist die, dass sein Haus das einzige gewesen sein soll, dass nach der Belagerung Thebens noch stand. Letzter erhaltener Raum, verstehen Sie? Da befinden wir uns schon deutlich im 21. Jahrhundert und werden immer noch von Typen regiert, die in Oxford die Klassiker studiert haben. Verdammt eigenartiges Land. Manchmal in meinen schwachen Momenten bevorzuge ich fast die Franzosen ... aber egal, ich fürchte jedenfalls, wir müssen hier entlang.«

»Hier entlang« bedeutete einen viel kleineren Tunnel aus Ziegeln und Zement, der in die entgegengesetzte Richtung führte. Nachdem Dickie den Lichtschalter gefunden hatte, wurde er von ein paar schwachen Glühbirnen beleuchtet. Runde Stahlstützen mit der Prägung »Gen Post Office« und ordentlich angelegte Röhren mit völlig verstaubten Kabeln wiesen darauf hin, wofür der Tunnel ursprünglich gedacht gewesen war, als Teil eines unterirdischen Kommunikationsnetzes, gebaut in den frühen Jahren des Kalten Krieges.

Die erste Stahltür, die sie erreichten, führte zu »Q-Whitehall«, demnach war der Tunnel wohl dafür gedacht, dem führenden Personal von Downing Street, dem grünen Team mit den Maulwurfspässen, die Flucht aus den Ruinen Thebens zu ermöglichen. Aber Dickie führte Latimer auch an diesem Eingang vorbei. Der Zementboden wurde glitschiger, die Luft stickiger und das Licht schwächer.

»Wenn man hier nur lange genug weiterläuft, heißt es, käme man unter Buck House heraus. Aber das hier entspricht ja wohl kaum dem königlichen Niveau für eine Zusammenkunft, was, Herr Außenminister?«

Latimer war sehr wohl bewusst, dass der ehemalige Spion diskret blieb. Mit Sicherheit führte der Tunnel zum

Buckingham Palace und hatte auch noch eine Abzweigung zu Clarence House. Die wichtigsten königlichen Residenzen verfügten über ein geheimes Kommunikationssystem und exzellente Bunker, auch wenn die Atmosphäre darin seltsamerweise nichtssagend war, wie in exklusiven Flughafen-Lounges. Die alte Königinmutter war dort unten gewesen, um sich umzusehen, und Latimer hatte sich schon immer gefragt, ob irgendwelche anderen Mitglieder der königlichen Familie jemals die Tunnels benutzten, um unerwartet an bestimmten Stellen in der Hauptstadt aufzutauchen. Dem gegenwärtigen König würde er es zutrauen, so verrückt wie der nach historischer Architektur und Familiengeheimnissen war.

Inzwischen waren beide Männer, die nun schon etwa vierhundert Meter in gebückter Haltung zurückgelegt hatten, etwas außer Atem. Unvermittelt blieb Dickie Greene stehen. »Es wird eine Höllenarbeit sein, ihn bis hierher zu schleppen … Aber da wären wir. Hier wollten wir hin.« Ächzend begann er, an einem eisernen Rad auf einer runden Falltür zu drehen, die sich über ihren Köpfen befand. Als sie endlich aufging, rieselte Dreck und Staub auf sie herunter, dann war das Rumpeln einer gut geölten Eisenleiter zu hören, die zu ihnen herabrutschte. »Der Teil wird Ihnen gefallen«, sagte Greene.

Nach einer kurzen, aber steilen Kletterpartie in der Dunkelheit und nachdem Greene eine zweite Metalltür erfolgreich mit der Schulter aufgestemmt hatte, krabbelten die beiden Männer keuchend in die frische Nachtluft. Greene grinste über Latimers Staunen, als ihm klarwurde, wo sie sich befanden. Sie standen nämlich mitten auf Duck Island im Teich des St James's Park, der zu Zeiten von Charles II. angelegt worden war, um den König mit frischen Enten zu versorgen. Es war unwahrscheinlich, dass zu dieser nächtlichen Stunde jemand im Park unterwegs war, aber wenn, dann hätten die zwei sich nur hinter einer wütenden Gans und dem verzierten Dach des Vogelhüterhauses verstecken können. Trotz des Ernstes der Lage fühlten sie sich zwangsläufig ein bisschen wie kleine Jungs in einem geheimen Baumhaus, von dem die Erwachsenen nichts wissen. Während sie die Umgebung betrachteten, bekamen sie den Eindruck, dass es vielleicht doch funktionieren könne. Wenn sie es schafften, die Leiche hierherzubringen, dann konnte man sie loswerden.

Nelson Fraser hatte noch eine einfachere Lösung vorgeschlagen. Es gab unter Downing Street auch unterirdische Gewölbe, die durch eine kleine Tür im Garten zugänglich waren. Im Moment wurden dort nur Gartengeräte aufbewahrt, also waren sie der erstbeste Ort, um eine Leiche zu deponieren. Aber Amanda hatte die Schwachstelle sofort erkannt. »Das ist in der Tat ein gutes Versteck, Nelson. Aber haben Sie vergessen, was sich genau darüber befindet? Die verdammte Terrasse. Darunter können wir nichts gebrauchen, das stinkt.«

Wenn sie den Tunnel benutzten, mussten sie nicht durch die Tore auf der Downing Street, die von bewaffneten Polizisten bewacht wurden. Und der abgeschlossene Hinterausgang des Gartens führte direkt auf die Horse Guards Parade, wo die große Gefahr bestand, zu jeglicher Tages- und Nachtzeit irgendwelchen Spaziergängern zu begegnen. Abgesehen von dem, der zu Pindar führte, waren die Tunnel so unbekannt, dass nur wenige Mitarbeiter von Number 10 überhaupt von ihrer Existenz wussten. Die verstümmelte Leiche des Premierministers konnte sicher bis zum nächsten Abend dort liegen. Bis dahin wäre alles Weitere arrangiert.

5

Samstag, 16. September
Fünf Tage vor dem Referendum

DIE SAMSTAGSLIEFERUNG

Als die ersten Spuren von grau-rosa Licht die Spitzen der Platanen an der Whitehall berührten, war ein harter Kern von PLS-Mitgliedern immer noch bei der Arbeit. Amanda Andrews, der Fraktionschef und der Außenminister hatten sich in der Wohnung des PM hingelegt. Sein Büro und die Räume des Finanzministers waren fest abgeschlossen.

Alois Haydn brauchte wenig Schlaf. Die Schatten unter den Bäumen im St James's Park waren immer noch tief, und die Sonnenstrahlen glitzerten erst auf der höchsten Spitze des Elizabeth Tower, als er Downing Street mit einem Stoffbeutel von Waitrose verließ. Darin befand sich eine Plastiktasche für Tiefkühlprodukte und darin wiederum der Kopf des verstorbenen Premierministers. Bis jetzt war Haydn mit der Arbeit von Professional Logistical Services zufrieden, auch wenn er sehr genau wusste, wie ausgeprägt die Abneigung dieser Leute gegen ihn war.

Zum ersten Mal hatte er mit PLS zu tun gehabt, als einer seiner wichtigeren Klienten Interesse am Kauf einer staatlichen polnischen Betonfabrik zeigte. Nachdem die Angebote seines Klienten in Warschau zurückgewiesen worden waren, hatte Alois PLS um Hilfe gebeten. Dort hatte man lange gebraucht, um schließlich ein Dossier zu erstellen, aus dem hervorging, dass das polnische Unternehmen geheime und unter dem Verteidigungs- und Sicherheitsaspekt höchst sensible Tochterfirmen besaß. Haydn hatte großzügig dafür bezahlt und seinem Klienten geraten, die Finger von dem Projekt zu lassen.

Diese Niederlage wurde höchst zivilisiert akzeptiert, und es gab einige Besuche in Polen zu Dinners und Besprechungen, die PLS organisierte. Als alles vorbei war, hatte Haydn einen neuen Freund gewonnen. Oberst Jerzy Babiński vom polnischen Sicherheitsdienst war ein gepflegter, pausbäckiger und fröhlicher Mann in gut geschnittenem Geschäftsanzug, der in den Gepflogenheiten der modernen Welt fast ebenso bewandert war wie Alois selbst. In den darauffolgenden Jahren hatten sie sich in diversen kleineren Projekten zum beiderseitigen Nutzen engagiert. Und Babiński hatte ihm einen alten Kollegen aus Białystok namens Aleksander für besondere Jobs aller Art, die sein britischer Freund zu erledigen hätte, wärmstens empfohlen. Haydns »zufällige Begegnung« mit den drei polnischen Brüdern an der Tankstelle war also alles andere als das gewesen.

Als Dame Cecily darum gebeten hatte, den Leichnam des Premierministers zu sehen, damit sein Kopf digital kartiert werden könne, hatte Alois ihr die unerfreuliche Operation gestehen müssen, die früher am selben Abend stattgefunden hatte. Sie hatte diese Nachricht mit beispielhafter Gelassenheit aufgenommen. »Ja, natürlich. Unbedingt notwendig und richtig. Lassen Sie uns ihn sobald als möglich rüber nach Soho zu dem Team meines Freundes aus Shoreditch bringen. Und Mr Haydn, es wäre vielleicht besser, wenn Sie das sonst niemandem gegenüber erwähnen. Die Leute sind eigenartig. Und man darf die Pferde ja nicht scheu machen.« Also hatte Haydn ihn genommen und war nun damit unterwegs.

Er war noch nicht weit gekommen, als er die lauten Schritte eines schweren Mannes in anständigen Lederschuhen dicht hinter sich hörte.

»Gehen Sie in meine Richtung?«

Haydn zuckte zusammen. Sir Solomon Dundas war der Letzte, den er hier erwartet hätte. Der legendäre Bankier war zwar, wie der Zufall es wollte, ein Mitglied im Vorstand von PLS, aber er war nicht in die Geschichte eingeweiht. Das Gebiet, auf dem er sich auskannte, war die mysteriöse Welt von Swap-Optionen, Derivaten und Leverage, nicht die Machtspekulation von Whitehall und politische Deals. Haydn hatte überlegt, um seine Beteiligung zu bitten, damit er in der vermeintlichen Bankenkrise mitspielte, aber dieser Mann hatte den Ruf, ein Wichtigtuer und etwas unzuverlässig zu sein, also hatte man ihn rausgehalten. Was tat er hier? Haydn hütete sich, ihn das direkt zu fragen.

»Sir Solomon. Was für eine Freude. Wohin sind Sie so früh am Morgen unterwegs?«

»Nun, ich habe ein paar ziemlich große Kunden im Oberhaus, Mr Haydn. Im Moment teile ich meine Zeit zwischen den Lords und Lord's Cricket Ground auf. Aufgedrehte Typen, undezent herausgeputzt, protzige junge Burschen in Weiß … Obwohl ich zugeben muss, dass die alte Eier-und-Speck-Krawatte mir deutlich besser gefällt als diese modischen Kinkerlitzchen mit dem gekrönten Fallgatter-Muster. Aber ich streife eben hin und her. Um Ihre Frage zu beantworten, im Moment bin ich unterwegs zu einer kleinen Privatbank in Mayfair. Früher Vogel und der Wurm, Sie wissen schon.«

»Dann können wir ja zusammen gehen«, erwiderte Haydn.

Sir Solomon war gute zwei Meter groß und von kräftiger Statur. Bei dem Versuch, mit ihm Schritt zu halten, geriet Haydn fast außer Atem, und der erstaunlich schwere Inhalt der Plastiktasche, die er bei sich trug, schlug ihm lästig gegen den Oberschenkel. Aber es war einfach nicht seine Art, sich jemals eine Chance entgehen zu lassen. Sir Solomon war bekanntermaßen EU-Gegner – er war ein alter Freund des ehemaligen Finanzministers Nigel Lawson und hatte in deren glorreicher Zeit bei der Gründung der UK Independence Party geholfen.

»Solly, da ich Ihre Ansichten ja kenne, muss ich Sie etwas fragen«, keuchte Haydn. »Glauben Sie, dass, wenn Olivia Kite das durchzieht und wir die EU verlassen, die Märkte dann wirklich zusammenbrechen?«

»Mit Sicherheit«, knurrte Sir Solomon. »Es wäre eine fabelhafte Nachricht für unsere Demokratie und langfristig gut für uns alle – aber kurzfristig werden die Investoren es wegen der Unsicherheit mit der Angst zu tun kriegen, wenn nicht noch Schlimmeres.«

Er zog an einer kleinen Zigarre und stieß im Gehen duftende Wolken aus.

»Also passen Sie auf Ihr Portfolio auf, Mr Haydn. Staatsanleihen werden was abkriegen, aber die erste Welle der Verkäufe wird unsere Blue Chips treffen – Rolls-Royce, GEC, Pharmafirmen und so weiter. British Airways ist ein naheliegendes Opfer. Ich rechne damit, dass die FTSE um zwanzig Prozent einbrechen – und das ist übrigens das Doppelte der technischen Definition eines Crashs. Wenn die Jungs in Number 10 sich noch keine Gedanken darüber gemacht haben, wie sie damit umgehen wollen, dann verdienen sie's nicht, im Amt zu sein.«

Haydn errötete. »Es ist eine große Organisation. Selbst ich weiß nicht von allem, was da vorgeht …« Doch dann verstummte er. Er überlegte, angestrengt. Die Frage des

Zauder-Fonds hüpfte vor seinem Verstand auf und ab. Der Großteil seines Geldes war sicher im Nahen Osten angelegt, und der Rest war ebenfalls sicher, aber rasch verfügbar. Für den Fall, dass er irgendwann in den nächsten Wochen weg und komplett verschwinden musste. Aber was für ein Triumph wäre es, den Großteil des Zauder-Fonds zu nehmen und etwas wirklich Spektakuläres damit zu machen. Alois Haydn, der immer schnell im Denken war, dachte jetzt gerade wirklich sehr schnell.

Nach einer kurzen Weile blieb Sir Solomon stehen. Zwischen einem Laden für fernöstliche Antiquitäten und einem Pariser Schuhdesigner stand ein kleines gelb gestrichenes Haus. Über der Eingangstür schaukelte ein Wappenschild im Wind. Sir Solomon verkündete, sein Ziel erreicht zu haben.

Bevor sie sich trennten, sagte Haydn: »Es war gut, endlich einmal mit Ihnen zu sprechen, Solomon. Ich hoffe, wir treffen uns bald wieder.« Immer noch hüpfend, setzte er seinen Weg nach Soho fort, wo er den Kopf des Premierministers diesem Tim-Doppelgänger und seinen Freunden aushändigen würde. Dieser Bande von dickbäuchigen Jugendlichen, deren Heavy-Metal-T-Shirts nur selten mit Seifenlauge in Berührung kamen.

Alois Haydn war kein Mensch, dem die Stimme seines Gewissens groß zu schaffen machte. Seine letzten Worte zu Amanda Andrews und Ronnie Ashe, die inzwischen beide sichtlich müde und nervös wirkten, war das Versprechen gewesen, dass ihre Rollen in dieser Geschichte niemals rauskämen, dass das Geheimnis gewahrt bliebe und Großbritanniens imposanter offizieller Geheimhaltungsmechanismus die ganze Episode tilgen würde, sobald das Referendum vorbei war. Und doch beschäftigte es ihn unvermeidlich, dass, wenn er alles an Olivia Kite und die

»Nein«-Kampagne verriet – im Gegenzug für das Versprechen persönlicher Straffreiheit –, er damit ein Vermögen machen könnte. Gab es eine größere den Markt verändernde Information als die, dass das große Europa-Referendum so ausgehen würde, wie es nur wenige Leute erwarteten?

Man konnte auf ein riesiges Privatunternehmen spekulieren. Warum nicht auch auf ein ganzes Land? Die Unterhaltung mit Sir Solomon hatte Haydn angefixt. Als er in die Old Compton Street einbog, schien der Tascheninhalt, den er gerade im Begriff war zu liefern, fast schon bedeutungslos.

EIN BISSCHEN POLITIK

Draußen in der echten Welt sollte dieser Samstag für jeden Abgeordneten des Landes ein langer Tag werden. Peter Collingwood war sehr ungehalten. Er hatte bereits am Vorabend drei oder vier Nachrichten für den Fraktionschef Ronnie Ashe hinterlassen. Er brauchte eine Antwort, bevor seine Sprechstunde losging, und das würde gleich sein.

Früh an diesem Morgen war er in der Dusche des gemieteten Hauses in seinem Wahlkreis ausgerutscht, während er über diese Angelegenheit gewettert hatte, und hatte sich – seiner Ansicht nach – einen Zeh gebrochen. Der Schmerz war quälend. Doch er hatte nicht aufgegeben. Das war er seinem Wahlkreis schuldig. Mit beträchtlicher Mühe hatte er sich Socken und Schuhe angezogen. Gerade als er den Wasserkessel aufsetzte, hatte seine Tochter fuchsteufelswild aus London angerufen. Sie war erst um drei Uhr morgens nach Hause gekommen, betrunken und nach Zigaretten stinkend, und ihre Mutter hatte ihr befohlen, ihn anzurufen. »Mum sagt, es wäre deine Pflicht, wenigstens einmal wie ein Vater aufzutreten. Die blöde Kuh.« Die Unterhaltung war nicht gut verlaufen. Peter fand irgendwie nicht den richtigen Ton. Im Haus of Commons war er für seine entschiedenen Äußerungen bekannt. Die Presse wusste um seine unerschütterlichen und traditionellen moralischen Ansichten. Er besaß ein markantes Kinn und dunkle Augen. Aber nichts davon half, das Eis zwischen ihm und seiner Tochter zu brechen.

Es war für so einen Anruf noch zu früh am Morgen. Sie benahm sich offen gestanden unverschämt, als sie ihm vorwarf, er käme ihr immer mit demselben alten Scheiß. Er würde sie wieder zum Weinen bringen, sagte sie – das könne sie schon spüren. Ihre Stimme wurde zittrig. Warum waren Töchter nur so absolut unmöglich? Das Gespräch dauerte gerade so lange – »Warum baust du dir nicht ein eigenes Leben auf, du armer, trauriger alter Mann?« –, dass Peter, der neunundvierzig Jahre alt war, nicht mehr zum Frühstücken kam. Als er zu seinem Auto humpelte, um zu dem Nebengebäude der Schule zu fahren, wo er die Bürgersprechstunde in seinem Wahlkreis abhielt, hatte er richtig schlechte Laune.

Er wusste, ihn würden zwei oder drei hoffnungslose Jammerer erwarten, die nach feuchter Wolle rochen. Die Art Männer und Frauen, die auch Tag für Tag die Wartezimmer der Ärzte füllten. Sie würden sich Unmögliches von ihm wünschen – einen neuen Belag für ihre Straße, das Stutzen eines Baums auf dem Nachbargrundstück, dem unverschämten Filialleiter in ihrem Supermarkt die Meinung sagen. Dann gäbe es noch denselben schweren Fall, der jede Woche vorbeikam, ein ausgebrannter ehemaliger Soldat, den seine Frau rausgeworfen hatte. Und um das Maß vollzumachen, würde noch mindestens ein total durchgeknallter Typ aus seinem Wahlkreis auftauchen, möglicherweise gewalttätig.

Aber nichts davon – nicht der Schmerz, nicht der Hunger, nicht seine Tochter und auch nicht die Aussicht auf die vorhersehbaren und entmutigenden Stunden, die vor ihm lagen – war die Ursache seines Unmuts. Nein. Echte Sorgen machten ihm die ein oder zwei Dutzend intelligenten und freundlichen Wähler, die ebenfalls auf ihn warten und fragen würden, was er von dem Referendum hielt und wie er selbst wählen würde. Unter ihnen wären auch seine hiesigen Parteigenossen, die darauf aus waren, seine Meinung zu verbreiten.

»Collingwood sagt …« Aber Collingwood wusste nicht, was er sagen sollte. Sein ganzes Leben lang war er stolz darauf gewesen, eindeutige Ansichten zu haben, selbst wenn er sie nur schwach vertreten konnte. Aber nun, in der wichtigsten nationalen Frage seiner Lebenszeit, wusste er nicht, welche Richtung er einschlagen sollte; und er befürchtete, wenn die Parteimitglieder in seinem Wahlkreis dahinterkämen, würde seine politische Karriere vorbei sein. »Die Schlechtesten sind voller Leidenschaft, während es den Besten an Überzeugung mangelt«, tröstete er sich selbst. Aber in der Politik war das eine bedeutungslose Binse.

Sophie, seine Wahlkreissekretärin, begrüßte ihn mit der entmutigenden Nachricht, dass achtzehn Leute, die meisten davon ihm nur zu gut bekannt, schon in einem der Klassenzimmer auf ihn warteten. Die formidable junge Frau stand Wache an der Glastür, die ins Schulbüro führte, während er hastig eine Kleinigkeit aß. Seit ein Abgeordneter von Labour von einem Wähler mit einem Küchenmesser angegriffen worden war, nahm man es mit den Sicherheitsvorschriften selbst bei diesen bescheidenen Bürgersprechstunden sehr ernst. Sophie hatte die übliche Auswahl billiger Kekse bereitgestellt, und die Teemaschine fauchte. Peter kaute an seinem dritten Keks und hatte schon einen ganz trockenen Mund, als sein Handy zu vibrieren begann. Auf dem Display las er »Fraktionschef Büro«.

»Peter«, meldete sich Ronnie Ashe. »Du warst doch immer ein vernünftiger Kerl, loyal, aber nicht auf den Kopf gefallen. Ich kann nicht glauben, dass du auch nur überlegst, beim Referendum nicht für uns zu stimmen. Was hast du da bloß vor?«

Peter spülte die Keksbrösel rasch mit einem Schluck Tee runter.

»Ronnie, meine Wähler hassen Europa. Sie trauen keinem von uns. Sie können nicht verstehen, warum ich für mehr Regulierung, mehr Bürokratie und mehr Einwanderer stimmen sollte. So sieht es hier unten aus, Ronnie. In zwei Minuten geht die Tür zu diesem Zimmer auf, und ich werde immer wieder das gleiche Gespräch führen.«

Ronnie, der gerade einen Telefonrundruf vom Fraktionsbüro im House of Commons aus absolvierte, begann die bekannten Errungenschaften des Premierministers aufzuzählen. Angefangen beim dramatischen Treffen mit dem deutschen Kanzler David McAllister und dem »Hanover Pact«, der eine abgeschwächte Regulierung und einen konservativeren Zusammenschluss nordeuropäischer Länder in Aussicht stellte, womit Großbritannien sich eher anfreunden konnte.

Niemand wusste genau, ob sich daraus wirklich etwas Konkretes ergeben würde – die Franzosen waren daran nicht interessiert, und die Kommission in Brüssel behauptete, so ein Pakt verstieße gegen europäisches Recht. Die britischen Zeitungen teilten sich in zwei Gruppen: Die einen sprachen unter Verweis auf das abgekämpfte Gesicht des Premierministers vom »Hangover Pact«; die anderen nannten das Ganze den »Handover Pact« – ein zynisches Manöver, das anstelle von Brüssel Berlin mehr Macht einräume. Die Tatsache, dass McAllister einen britischen Vater hatte, seiner Frau am Ufer von Loch Ness seinen Heiratsantrag gemacht hatte und perfekt Englisch sprach, brachte nicht viel. War er nicht genau genommen ein Schotte?

Unumstritten war jedoch, dass nur dieser Premierminister die Deutschen und damit Nordeuropa dazu bringen konnte, eine radikale Änderung der existierenden Verträge zu unterstützen. Mit Sicherheit stand eine Auseinandersetzung darüber in Brüssel bevor, aber seit Margaret Thatcher war es keinem gelungen, Großbritanniens Verhältnis zu Europa so dramatisch zu ändern: »Vertrau dem Premierminister und stimme mit ›Ja‹«, lautete also das mit Abstand stärkste Argument der Fraktionsführung.

In Peter Collingwoods Wahlkreis hatte man jedoch nicht den Eindruck, dass das reichte. Natürlich begegnete Peter einer überproportional großen Zahl von Wählern, die sich leidenschaftlich engagierten, aber dennoch schien der Pakt hier ausgesprochen unbeliebt zu sein. Die Umfragen auch überall sonst im Land ergaben, dass der Premierminister die Auseinandersetzung nur knapp gewinnen würde: Die Last-Minute-Zugeständnisse aus Berlin galten als dramatischer und unerwarteter Triumph. Im Gegenzug hatte der PM McAllister versprochen, dass die Briten für den Verbleib in der EU stimmen würden.

»Am Ende läuft es doch darauf hinaus, Peter«, sagte Ashe, »ob du dem PM vertraust oder nicht. Du weißt ja selbst, dass der das Beste ist, was dieser Partei in den letzten Jahren passieren konnte. Ohne ihn wärst du gar kein

Abgeordneter. Also erweise ihm verdammt noch mal ein bisschen Loyalität.«

Peter seufzte und machte sein Handy aus. Wie für die meisten Abgeordneten zählte auch für ihn letztlich nur, dass er wiedergewählt würde. Was auch immer die im Süden oder in Schottland denken mochten, hier konnte er es einfach nicht riskieren, auf der falschen Seite zu stehen. Er fing den Blick aus den Augen der Mitarbeiter in seinem Wahlkreisbüro auf. Wenn er zauderte, würden sie ihn umbringen. Vielleicht im wahrsten Sinne des Wortes.

In diesem Moment klopfte es an der Tür, und die erste Bürgerin von seiner Liste an diesem Morgen kam auf ihn zu. Sie hatte ein hübsches, gerötetes Gesicht und dichtes weißblondes Haar. Den Schmerz in seinem Fuß ignorierend, brachte Peter ein breites Begrüßungslächeln zustande und wiederholte in seinem Kopf noch einmal die Argumente pro Europa. Sie setzte sich, beugte sich über den Tisch und nahm ihm seinen letzten Keks weg.

»Also, es ist so«, fing sie an. »Irgendein geschickter Bastard hat mich geschwängert, und ich halte nix von Abtreibung. Was ich jetzt gerne wissen würde, was gedenken Sie in dieser Sache zu tun?«

6

Sonntag, 17. September
Vier Tage vor dem Referendum

ROSENFINGRIGE MORGENRÖTE

Hätten die Deutschen gewusst, dass in den frühen Morgenstunden dieses Sonntags die kopflose Leiche des britischen Premierministers in eine alte Bettdecke gewickelt durch einen unterirdischen Tunnel von der Downing Street auf eine mit Gänsekot vollgekackte Insel in der Mitte eines öffentlichen Parks geschleppt wurde, wären ihnen vielleicht doch Zweifel am Hanover Pact gekommen. Der Fraktionsführer, der als Hilfe beim Wegtragen der Leiche verpflichtet worden war, sprach ein kurzes Gebet. Amanda Andrews legte ein paar Rosen auf das unhandliche Bündel, aber es blieb nicht viel Zeit zum Abschiednehmen. Knarzende Ruder und der schwache Schein einer Taschenlampe zeigten ihnen an, wo Aleksander, Borys und Dawid in einem Ruderboot warteten, das sie sich vom Bootshaus des Parks geholt hatten. Alois Haydns Anweisung war eindeutig: Beseitigt die Leiche so gründlich wie nur möglich.

Ein paar Stunden später, die nächtliche Kälte noch in den Knochen, ließ der obdachlose Alkoholiker »Chicken George« MacDonald die Zigarette, die er sich gerade anzünden wollte, fallen. Der Friedhof Mortlake Cemetery bot Schutz vor Streifenpolizisten und einen äußerst praktischen, weil niemals geschlossenen Unterschlupf. Allerdings konnte er um diese Tageszeit, wenn die Dämmerung den frühmorgendlichen Nebel färbte, der vom Fluss aufstieg und um die Gräber waberte, ein unheimlicher Ort sein. Chicken George starrte auf einen großen grauen Wurm mit sechs Beinen, der über einen der Kieswege zwischen den Grabsteinen auf ihn zukam. Dann blieb der Wurm stehen. Vorderteil und Schwanz sackten ab. Er wirkte besiegt, doch dann begann er vorne und hinten zu sprechen. Chicken George kam zu dem Schluss, dass er entweder halluzinierte oder dies eine Art Studentenstreich war. Er beschloss, sich nicht zu fürchten. Immerhin dazu fühlte er sich noch in der Lage.

Aleksander, Borys und Dawid fürchteten sich zwar auch nicht, waren aber zumindest sehr besorgt. Es war ihnen gelungen, die Leiche des PM von der Insel ins Boot und schließlich hinten in ihren VW-Bus zu schaffen, ohne erwischt zu werden, aber eine schwere, in eine fleckige Bettdecke gewickelte Leiche mitten in London loszuwerden, erwies sich als alptraumhaft schwierig. Die städtischen Müllplätze und Recyclinghöfe waren nachts alle abgeriegelt. Und es schien keine Zufahrten oder Seitenstraßen zu geben, in denen keine Überwachungskameras installiert waren oder müßige Engländer herumlungerten. Die Brüder fühlten sich in Gefahr. Was würde passieren, wenn man sie mit einem Toten erwischte – noch dazu mit einem verstümmelten? Was auch immer dann geschah, es würde nichts Gutes sein.

Schließlich hatte Borys vorgeschlagen, es auf einem Friedhof zu versuchen. »Wenn du einen Fisch verstecken musst, bring ihn ins Fischgeschäft. Toter Körper, Friedhof. Finde ein Loch, Job erledigt.« Mortlake erwies sich jedoch als wenig einladend. Selbst um diese Uhrzeit an einem Sonntagmorgen waren hier erstaunlich viele städtische Angestellte mit gelben Westen auf kleinen Baggern unterwegs.

Als Dawid endlich ein kleines eisernes Tor entdeckte, das auf den nassen Schotterweg am Fluss führte, hatten die Brüder vom Schleppen und Schwitzen mehr als genug. Nachdem sie einen Drahthaarterrier erfolgreich abgewehrt hatten, zerrten sie ihre Last neben ein paar verstreuten Bootshäusern ans Themseufer. Die Last der Brüder hatte nicht die geringste Ähnlichkeit mit einem Boot, aber angeführt von Aleksander trugen sie sie trotzdem die nächste Ablaufbahn hinunter und stießen sie in die Strömung.

»In welche Richtung wird er treiben?«, fragte Dawid, als sie sich zum Gehen wandten.

»Rauf nach Richmond, denke ich«, sagte Aleksander. »Die Flut kommt gerade rein und wird alles flussaufwärts bringen.«

Doch die Leiche des Premierministers trieb wegen der Luft in der Decke oben, wirbelte in der Strömung und trieb mit beachtlicher Geschwindigkeit Richtung Stadtzentrum. Sie stieß kurz gegen die Putney Bridge und trieb nach wie vor an der Oberfläche, als sie die runden Glasbauten des Finanzzentrums und die Tower Bridge passierte. Vielleicht wäre sie irgendwo in den salzigen Sümpfen auf dem Weg Richtung Holland gelandet, doch da wechselte die Gezeitenströmung. Ein nackter Arm mit einer blassblauen Tätowierung, aber ohne Hand hatte sich aus der Umhüllung befreit und schien eine herausfordernde Geste zu beschreiben, während der Premierminister ein letztes Mal feierlich an Westminster vorüberglitt. Kurz danach riss die Strömung die Decke ganz fort. Er erreichte das mit grobkörnigem Schlamm bedeckte Ufer am Fuß der prachtvollen viktorianischen Mauer, die den Fluss bei Battersea säumt. Dort blieb das, was noch von ihm übrig war, schließlich liegen.

7

Montag, 18. September
Drei Tage vor dem Referendum

DIE STIMME DER NATION

Als er am nächsten Morgen nach Downing Street zurückkehrte, hatte Rory Bremner das Gefühl, nicht mehr so viel Spaß gehabt zu haben, seit John Prescott die politische Bühne verlassen hatte. Die britischen Stimmenimitatoren hatten eine düstere Phase in den Jahren erlebt, als eine Abfolge langweiliger, aalglatter, professioneller Politiker, die alle mehr oder weniger gleich aussahen und gleich klangen, sich abgewechselt hatten und anscheinend das Ziel verfolgten, ihr Land zu Tode zu langweilen. Selbst wenn man die Cleggs von den Camerons und den Milibands zu unterscheiden vermochte – was nicht leicht war –, hatte man nicht viel Spaß. Immerhin war der gegenwärtige Premierminister ein altmodischer Charakter, in dem man sich verbeißen konnte. Leider hatte sich allerdings, als er ins Amt kam, der Geschmack des Publikums schon so weit von Politik entfernt, dass man größte Mühe hatte, sich zwischen Game Shows und endlosen Quizsendungen zu behaupten.

Bremner hatte den Großteil der letzten vierundzwanzig Stunden über einem Schreibtisch verbracht, den man ihm oben in der Privatwohnung des PM in Downing Street zugewiesen hatte. Dort hatte er Fernseh- und Radio-Downloads abgespielt, um diese Stimme exakt hinzukriegen: den

Lancashire-Unterton und die leicht vernuschelten Silben, das bewusste Zögern, angedeutetes Glucksen nach einer treffenden Bemerkung. Aber diesmal ging es nicht um Unterhaltung: Bremner würde nicht nur für ein öffentliches Publikum sprechen, sondern auch im Privaten mit Menschen, die den Premierminister gut kannten. Kein leichter Auftritt.

Früher an diesem Morgen hatte der Fraktionsführer ihm einen dicken Ordner ausgehändigt. Mit vorgefertigten Antworten, privaten Insider-Scherzen und Vorschlägen, um gefährliche Fragen abzuwehren. All das war für Bremners erste Einsätze vorbereitet worden – ein Telefongespräch mit dem König und kurz danach Dermot Murnaghans Radiosendung mit Live-Anrufern.

Schon bald blieb keine Zeit mehr für weitere Vorbereitung. Der Außenminister Jason Latimer und Amanda Andrews saßen mit gezückten Stiften links und rechts von ihm. Das Telefon war auf Lautsprecher geschaltet, und alle drei schnappten hörbar nach Luft, als die Stimme des Königs aus dem Plastikgitter drang.

»Premierminister.«

»Eure Majestät. Ich muss mich wirklich für meine Unhöflichkeit heute Morgen entschuldigen.«

»Ja, das müssen Sie in der Tat. Ich mag ein armer, wettergegerbter, verspotteter alter Knabe sein, aber ich bin immer noch Ihr König. Ich wage zu behaupten, es stünde Ihnen wohl an, sich dessen zu erinnern.«

»Ich bitte Sie, Eure Majestät. Wir sind doch nicht nur ein demütiger Untertan und sein Monarch, sondern zwei alte Freunde …«

»Ich wollte nie König sein, wie Sie wissen. Wer möchte schon geknebelt sein? Sie kennen doch die Worte von Wordsworth, Premierminister. *The very prison walls* und so weiter – *suit of shabby grey, cricket cap … And his step seemed light and gay; But I never saw a man who looked so wistful at the day.* Ich fühle mich durchaus auch ein wenig wehmütig. Da hilft es mir nicht, wenn ich auch noch ignoriert werde.«

»Oscar Wilde, Sir, denke ich, hat das geschrieben. Aber es trifft Sie sehr gut. Die Wahrheit ist, dass ich Euch in meinen Gedanken ständig konsultiere. Niemand hat wie Ihr den Brutalitäten der modernen Welt die Stirn geboten. Und Eure Worte klingen nach. Niemand weiß so gut wie Ihr, Sir, wie unschätzbar Euer Rat in diesen vielen Jahren für mich war. Die vertraute Handschrift auf Euren Briefen hat mich schon immer froh gestimmt …« Bremner fragte sich, ob er vielleicht ein wenig zu dick auftrug. Jahrelang waren die Briefe des Königs – »schwarze Spinne« genannt – in ganz Westminster berüchtigt gewesen. Praktisch jeder Minister hatte sie schon das eine oder andere Mal verflucht. Aber der Monarch schluckte den Köder.

»Nun, Premierminister, Sie sind sehr freundlich. Einige Ihrer – ähm – eher – äh – Emporkömmlinge unter Ihren Kollegen waren das nicht. Ich mache mir in der Tat sehr große Sorgen, ob dieses nationale Dingsda nicht mehr ist, was es einmal …«

»Ihr meint Bildung? Schulen?«

»Ganz genau. Ich habe das Gefühl, wir müssten das eher ganzheitlich … zurück zur Neugier und Verwunderung und so weiter. Wendell Berry. Lake Poets. Wunder. Das ist es. Lesen Sie den Koran?«

Ohne auch nur eine Sekunde zu zögern, erwiderte Bremner: »Jeden Morgen, Eure Majestät.«

»Nun, Premierminister, das erfüllt mich mit großer Erleichterung. Aber wenn wir gemeinsam weben, dann müssen wir natürlich auch harmonisierende Farben auswählen und unser Tuch schneiden, als sollte es die Form unserer uralten Felder bekommen. Stimmen Sie mir da nicht zu?«

»Wundervoll formuliert, Sir.«

»Dies ist also mein armseliges, altes, überholtes und sicherlich höchst unmodernes Problem mit diesem Europa-Business. Ich habe mir dazu einige Notizen gemacht. Ein paar Seiten mit Aufzeichnungen. Ich hatte gehofft, Zeit zu finden, sie mit Ihnen persönlich durchzugehen. In Anbetracht dessen, äh, dass Sie schließlich mein erster Minister undsoweiterundsofort.«

Bremner entschied, dass er jetzt genug davon hatte. »Warum schickt Ihr sie nicht in der Kiste, Sir? Darf ich offen sprechen? Wenn wir die EU jetzt verlassen, wird Eure Regierung durch die Flucht von Kapital und Finanzinstituten ins Ausland de facto bankrott sein. Dann werde ich die Steuern erhöhen müssen. Und sie vielleicht auch auf bislang undenkbare Teile der Nation ausdehnen.«

»Undenkbare Teile?«

»Ja, bislang undenkbare. Uralte und historische Abkommen zwischen der Staatskasse und, beispielsweise ...«

»Premierminister, Sie wollen damit doch nicht etwa andeuten ...«

»Solange wir drinbleiben, kann alles mehr oder weniger weitergehen wie bisher. Aber begeht keinen Fehler, Sir, die Europäische Union zu verlassen, das hätte unabsehbare Folgen für – und lassen Sie mich das behutsam formulieren – die etablierten Gepflogenheiten. Als Euer treuester und ergebenster Untertan hätte ich mich in meiner Haut nicht mehr wohl gefühlt, bis ich offen mit Euch gesprochen habe.«

Es herrschte kurzes Schweigen, bevor der König wieder zu hören war. »Nun, Premierminister, Sie waren schon immer ein guter Freund meiner Familie, das kann ich nicht leugnen. Und Sie haben in der Tat sehr offen gesprochen. Ich werde Ihre Worte im Kopf behalten. Könnten wir uns nun der Frage der Phosphate widmen?«

An diesem Punkt intervenierte, wie vorher abgesprochen, die Telefonzentrale Switch, um mitzuteilen, Seine Heiligkeit der Papst sei in der Leitung, damit Bremner das Gespräch beenden konnte.

Alle Anwesenden waren der Meinung, die Unterhaltung sei glatter verlaufen, als auch nur einer von ihnen zu hoffen gewagt hätte. Ein erfreuter und erleichterter Latimer sagte zu Andrews: »Also, Amanda, Sie hatten absolut recht. Dieser Bursche ist ein Genie.«

»Nur ein Profi, meine Lieben«, murmelte Bremner, obwohl auch er insgeheim ziemlich stolz darauf war, wie gut alles gegangen war. Er begann auch die verführerische Macht zu erkennen, die sich ihm, wie kurz auch immer, geboten hatte.

Ein wenig schief ging es dann allerdings mit dem Radiointerview.

»Es ist gut, Sie zu Beginn einer für die Zukunft Großbritanniens so wichtigen Woche hier bei uns zu haben – und, wenn ich so sagen darf, für uns zu haben, Herr Premierminister«, sagte Dermot Murnaghan. »Unsere erste Frage kommt von Caroline aus Twickenham, und es geht, wenig überraschend, um Europa.«

»Guten Morgen, Herr Premierminister. Hier spricht Caroline. Sie haben unermüdlich darum geworben, Großbritannien in der EU zu halten. Was werden Sie tun, wenn das Referendum gegen Sie ausgeht? Sie könnten dann nicht weitermachen, oder? Wie sehen also Ihre persönlichen Pläne für diesen Fall aus?«

Latimer schrieb nur ein einziges Wort – »Ablenken« –

auf einen Zettel, den er Bremner hinschob. Doch der antwortete bereits.

»Guten Morgen, Dermot, und einen schönen guten Morgen für all die Zuhörer. Nun, Caroline, in einem Punkt haben Sie absolut recht. Sollten die Wahlberechtigten entscheiden, die Europäische Union zu verlassen – was ich nicht hoffe und nicht glaube, aber falls nun doch –, dann würde ich sofort als Regierungschef zurücktreten. Was danach passieren würde, bestimmt die Arithmetik im Parlament.«

»Ja, das ist ja ziemlich klar«, sagte Caroline aus Twickenham. »Aber meine Frage betraf eigentlich Sie. Würden Sie es David Miliband gleichtun und der Politik komplett den Rücken kehren? Oder würden Sie Abgeordneter im House of Commons bleiben?«

»Caroline, ich kann Ihnen ohne Zögern versichern, dass, sollte dieses Referendum gegen mich ausgehen, ich meinen Sitz im Parlament umgehend aufgebe und der Politik den Rücken kehre. Ich könnte es schlichtweg nicht ertragen, von einem der hinteren Plätze dem Niedergang dieses großartigen Landes zuzusehen. Aber ich würde die Gelegenheit gerne nutzen, um Ihnen und allen Zuhörern zu versichern, dass ich noch recht fit bin und mich schon immer lieber der Musik und … dem Tanz zugewendet hätte.«

Inzwischen tanzte Latimer bereits, wedelte mit den Armen, schüttelte den Kopf und machte eine Geste, als würde er einen Reißverschluss vor seinem Mund zuziehen. Doch Bremner schien es gar nicht zu bemerken.

Vor Aufregung schnaufend schaltete sich jetzt Dermot Murnaghan ein: »Tanz, Herr Premierminister? Was für eine Art von Tanz? Eistanz vielleicht? Ist das Ihr Ernst?«

»Sachte, sachte, Dermot, jetzt sind Sie aber gemein. Ich denke natürlich an Gesellschaftstanz. Ich stamme aus der

Generation von Foxtrott und Quickstep, und ich bin immer noch ziemlich leichtfüßig. Ich könnte mir vorstellen, dass es viele patriotische britische Ladies gibt, die für ein Tänzchen mit einem ehemaligen Premierminister gern etwas springenlassen würden, meinen Sie nicht? Schließlich habe ich den Großteil der letzten zehn Jahre tanzend verbracht – auf dünnem Eis. Vielleicht könnte ich meine Talente auf einem Kreuzfahrtschiff oder etwas Ähnlichem unter Beweis stellen. Oder bestimmt gibt es eine Fernsehshow dazu bei der BBC, nicht wahr?«

Latimer und Amanda starrten ihn fassungslos an, aber Bremner war so darauf konzentriert, die Stimme des PM richtig hinzukriegen, dass er kaum darauf achtete, was er da sagte.

Der nächste Anrufer war Jane aus Ealing, die ihn mit einer Haushaltsfrage überraschte und unerwartet eine kleine Änderung in der Regierungspolitik bewirkte. Latimer schob ihm einen Zettel zu, auf dem stand: »Sie haben gerade die Position der Regierung geändert!« Bremner schenkte ihm ein flüchtiges Lächeln.

Das Telefon blinkte erneut, ein weiterer Anrufer in der Leitung.

»Polly aus Chalk Farm, Herr Premierminister. Ich weiß nicht, ob Sie die aktuellen Zahlen der Universitätszulassungen von Schülern staatlicher Schulen gesehen haben, aber ich bin außer mir. Ich denke, die Zeit ist reif, um sich die Studiengebühren noch mal anzusehen. Ich weiß, das würde teuer, aber …«

Bremner unterbrach sie. »Aber das ist eine Investition in die Zukunft, nicht wahr, Polly? Ich muss sagen, dass der Rückgang bei den Zulassungen mich entsetzt. Also ja, Sie haben ganz recht. Wir werden uns das noch einmal ansehen und wenigstens die geltenden Gebühren reduzieren.

Die Universitäten werden einfach damit klarkommen müssen.«

Ein weiterer Zettel von Latimer: »Haben Sie eine Ahnung, wie viel Geld Sie in den letzten zehn Sekunden verpulvert haben?« Bremner zuckte lächelnd mit den Achseln. Er versuchte, zu überschlagen, wie weit er gehen konnte. Er konnte ja kaum die nukleare Verteidigungsstrategie ändern oder den Regierungssitz nach Stoke-on-Trent verlegen, aber vielleicht, so meinte er, war er in der Lage, einen bescheidenen gutartigen Einfluss zu nehmen. Als Reg Dwight aus Pinner für eine Erhöhung der Kunstförderung plädierte, war der Premierminister dafür überraschend empfänglich; und als Sarah Harris aus Oxford ein Verbot von Plastiktüten forderte, erhielt sie das klare Versprechen, dass es bis Ende des Jahres verhängt werden würde.

Überall im Land starrten Staatssekretäre und Ministerialbeamte ungläubig auf ihre Radios. Doch da beschloss Bremner die Fragestunde mit einem langen premierministerlichen Vortrag über die Bedeutung des Verbleibs in der Europäischen Union, der so mit literarischen Zitaten und obskuren historischen Anspielungen gespickt war, dass er jegliche Zweifel vertrieb. Trotzdem war es die teuerste Telefon-Fragestunde in der politischen Geschichte Großbritanniens gewesen, und Bremner hatte sich köstlich amüsiert.

Er wurde von einem blechernen Rappeln aus seinen Gedanken gerissen, als ein kleines grünes Lämpchen am Telefon zu blinken begann. Amanda nahm ab und wandte sich dann aschfahl an Bremner.

»Ihre Frau will Sie sprechen.«

»*Meine* Frau oder *seine*?«

»Seine.«

»Oh, verdammt.«

Das Ganze stellte sich als heikle Sache heraus. Bremner neckte die entfremdete Premierministersgattin erst wegen ihres Schuhgeschmacks und lud sie dann ein, bei seiner letzten Rede der Referendumskampagne dabei zu sein. Sie erwiderte, dass sie da verreist sei. Darauf folgte ein unangenehmes langes Schweigen, das sie mit der Äußerung beendete, er klinge nicht wie er selbst. Ob es ihm gut ginge?

»Ob es mir gut geht? Mir ginge es viel besser, wenn du in der größten Krise meines Lebens an meiner Seite wärst, anstatt von der Straße aus mit Flaschen zu werfen.«

»Sweetie, du warst derjenige, der mich auf die Straße gesetzt hat. Schon vergessen?«

»Jetzt lass uns bloß nicht diese ganze verdammte alte Geschichte wieder durchkauen …«

»Denkst du etwa, ich hätte auch nur die geringste Lust, mich selbst zu erniedrigen, indem ich in dieses Haus zurückschleiche und dort dieser sauertöpfischen Zicke mit dem Rock, der nicht mal die Unterhose bedeckt, begegne?«

»Von allen dämlichen, paranoiden Anschuldigungen, die du im Laufe der Jahre gemacht hast, mein Schatz, ist das so ungefähr die unterirdischste.«

»Oh, verdammt noch mal, jeder weiß das. Die Tatsache, dass sie wie ein Junge aussieht, führt nur dazu, dass die Leute jetzt auch noch über deine wahren Bedürfnisse spekulieren. Mein Gott, du widerst mich an.«

»Nicht halb so sehr wie du mich, Liebling. Ich hoffe, dich nie wiederzusehen. Geh mir bloß aus der Spur. Geh und hol dir ein Melanom an irgendeinem Schotterstrand, wo sich die Promis drängeln. Wenn das hier alles vorbei ist, werde ich meine eigenen Vorkehrungen treffen. Wiederhören.«

»Blabla, du pathetischer Sack.«

Obwohl das ein privates Telefonat war, hörte Professional Logistical Services von ihrem Hauptquartier gleich nebenan in Number 11 mit. Man hatte beschlossen, dass es zu weit gehen würde, einen Mitschnitt der Unterhaltung der Presse zuzuspielen, aber Anrufe bei ein paar für ihre Vertrauensunwürdigkeit berüchtigten Bloggern bedeuteten, dass innerhalb einer Stunde noch mehr Storys darüber in Umlauf wären, dass der Premierminister von einem höllischen Streit mit seiner Ehefrau abgelenkt war.

Das war jedoch nur eine Spur von Opportunismus. Dank PLS würde nun niemand dem Premierminister vorwerfen können, nicht aktiv genug zu sein. Der Bildungsminister, der sich schon lange wegen der Studiengebühren sorgte, wurde von seinem ehemaligen Staatssekretär kontaktiert – der jetzt für PLS arbeitete. Er sagte ihm, dass es von entscheidender Bedeutung wäre, ein zorniges Finanzministerium abzuwehren, und zwar indem er den Medien sofort selbst mitteilte, dass sich die politische Haltung zu diesem Thema nach einem einvernehmlichen Treffen mit dem Premierminister am Vortag geändert habe. Nein, streng genommen sei das zwar nicht passiert, aber das sei nur ein Formfehler, infolge des vollen premierministerlichen Terminkalenders. In strategischer Hinsicht habe das Treffen stattgefunden, und der Minister sei gut beraten, das deutlich zu machen. Er habe die volle Rückendeckung von Number 10, und der Finanzminister würde die Änderung nicht mehr zurücknehmen können. PLS brachte dann den Fraktionschef ins Spiel, der den wütenden Finanzminister in Wales anrief und ihn überredete, zu sagen, dass er von der Änderung Kenntnis hatte und in herzlicher Übereinstimmung an jenem Morgen mit dem Premierminister gesprochen habe, um nicht zurückgesetzt oder übergangen dazustehen.

In enger Zusammenarbeit mit Nelson Fraser gab PLS eine Reihe bemerkenswert eloquenter kurzer Statements nach draußen. Standardwahlkampfreden, die der Premierminister während mehrerer kurzer, spontaner »Ausflüge in die Provinz« an Orten gehalten haben wollte, die gerade ein klein wenig zu abgelegen waren, als dass die Fernsehteams rechtzeitig vor Ort hätten sein können. Die Abgeordneten wurden vorgewarnt: Der PM kommt in Ihre Gegend, und es wäre gute PR, wenn er vor Ort reden könnte. Doch leider verbiete das sein übervoller Terminkalender. Würde es Ihnen etwas ausmachen, wenn wir deshalb einfach als Pressemitteilung rausgeben, er habe Folgendes in Marbury Magna oder Dimbleby Parva gesagt? Die lokalen Parteileute freuten sich, in die Konversation beim Mittagessen einstreuen zu können, dass Number 10 mal wieder angerufen habe, und waren durch die Bank einverstanden. So wurde von den Einlassungen des Premierministers – geistreich, bissig gegenüber Olivia Kite und vor Selbstgefälligkeit warnend – getreulich im Radio und in den Lokalzeitungen berichtet. So reglos und zerstückelt er in Wirklichkeit auch sein mochte, der Mann wirkte wie ein Wirbelwind.

Dabei pflegte er nur eine schon lange etablierte, wenn auch selten zugegebene Tradition in der britischen Politik. Jeden Freitag, wenn das House eine Sitzung abhält, ist der lange, polierte Holztisch, wo sich die Journaille in der Lower Press Gallery von Westminster trifft, von Reden übersät. Journalisten, die Wochenenddienst haben, stöbern darin wie Kauflustige an einem Marktstand mit zweifelhaftem Obst, bevor sie aus dem ausliegenden Dutzend die eine oder andere aussuchen, mitnehmen und sie kommentieren.

Auf der Titelseite jeder dieser Reden ist oben wichtigtuerisch angegeben, dass sie vom Oppositionsführer, dem Staatsminister für Verteidigungsbeschaffung oder einem ehrgeizigen Hinterbänkler »auf einer Veranstaltung in seinem Wahlkreis« in einer obskuren Schulaula oder in einer Fabrikhalle vorgetragen werden wird. Auf jeder findet sich auch folgende Gesundheitswarnung: »Es gilt das gesprochene Wort.« Doch darum schert sich niemand. Keine Zeitung hat noch genügend Personal, um wirklich jemanden loszuschicken, der sich diese Reden vor Ort anhört. Ohne Zutun der Zuhörer können sie dennoch viele Kommentare, Kritik, Beifall und Leitartikel in den folgenden Tagen auslösen.

Das Team in der Downing Street wusste das ganz genau und nutzte die Faulheit der britischen Journaille rücksichtslos aus. So hielt der Premierminister dank des Fleißes von Nelson Fraser in den vierundzwanzig Stunden nach seinem Tod tatsächlich mehr Reden als durchschnittlich in zwei Wochen zu seinen Lebzeiten. Seine Angriffe auf die von ihm so bezeichnete hurrapatriotische Panikmache Olivia Kites wurden immer schärfer, persönlicher und grenzten schon an Beleidigungen. Seine Warnungen vor den schrecklichen Auswirkungen auf die City of London und die britischen Exporte, für den Fall, dass das Land für den EU-Austritt votierte, waren zwar bekannt, erhielten jedoch eine größere Eindringlichkeit.

8

Dienstag, 19. September
Zwei Tage vor dem Referendum

DIE KAMPAGNE

Was für ein Mann. Was für ein Staatslenker. Über das Wochenende hatte der Premierminister, wie Whitehall-Insider zu berichten wussten, in Number 10 durchgearbeitet und mit Bankern in ganz Europa über mögliche Folgen eines »Neins« gesprochen. Trotzdem fand er, erschöpft, wie er sein musste, noch Zeit für eine Reihe von Radioübertragungen und Blitzbesuche in entlegenen Gegenden.

Und weiter ging es mit dem Verbreiten von Scherzen. Am Dienstagmorgen wies der PM den zänkischen walisischen Moderator der Sendung *Today* zurecht und war dabei vielleicht ein wenig witziger als üblich, aber er beherrschte auch die Argumente für den Endspurt bis zum Referendum perfekt. Einigen Hörern, die sich ganz besonders konzentrierten, mochte aufgefallen sein, dass sich bei seiner Wortwahl Ausdrücke wie »weise«, »pharisäerhaft« und »vor dem Sündenfall« häuften, doch kaum jemand – weder an einem Küchentisch noch bei Witter – fand das erwähnenswert.

In Downing Street selbst kämpfte man derweil mit dem Riesenproblem der Sichtbarkeit. Es stellte sich heraus, dass man digital erstaunlich viel tun konnte. Ein paar Computergenies – von denen manche noch zu jung zum Rasieren wirkten – hatten in einem fensterlosen Untergeschoss in der Old Compton Street den Kopf des PM umfassend gescannt. Die daraus resultierenden Computeraufnahmen befanden sich auf einem Stick und wurden nun von einem betagten Goth in dem inzwischen schon ziemlich ranzigen und stickigen Speisezimmer des Finanzministers digital bearbeitet.

Dame Cecily umkreiste ungeduldig dieses Genie der Computeranimation und schien dabei dessen zahlreiche Tattoos und Piercings gar nicht zu bemerken. Sie machte ihn zwar nervös, aber er arbeitete trotzdem weiter daran, eine immer realistischere Simulation des PM-Gesichts zu erzeugen. Mit 3-D-Digital-Mapping wurde der Kopf des PM in Bildmaterial aus alten Pressekonferenzen und Wahlkampfauftritten eingefügt. Die daraus resultierenden Bilder vermittelten den überzeugenden Eindruck, dass er auf einer Reihe von Veranstaltungen im Raum Birmingham gewesen war. Man sah ihn aber immer nur irgendwo aufblitzen, nie in Nahaufnahme, und niemand, der das Material betrachtete, hätte an der Anwesenheit des PM gezweifelt.

Das Team um Dame Cecily benutzte alte Videoclips aus den Archiven des Privatbüros, wo der Premierminister nur aus der Ferne oder von hinten zu erkennen war, und legte Rory Bremners Stimme darüber. Der PM schien, wie zufällig nicht im Bild, eine Ansprache an eine Menge zu halten und ging dabei auf die Schlagzeilen des Vormittags ein (»PM durch Ehekrach abgelenkt«). Sie hatten echtes Glück, als ein heftiger Regenschauer über der Downing Street niederging, sodass Bremner mit Perücke und in Nadelstreifenanzug, eines der Markenzeichen des Premierministers, einen großen Regenschirm benutzen konnte, um sich vor der einzigen Fernsehkamera zu verstecken, die dort postiert war, bevor er in den

Fond seines Dienstwagens stieg und in hohem Tempo davongefahren wurde.

Um die Sicherheit zu erhöhen, war am Sonntagnachmittag ein Teil der PLS-Mitarbeiter in den Notfallraum COBRA – das Zimmer des Sicherheitskomitees für größere Regierungskrisen – verlegt worden. Von dort aus war es ein Leichtes, einen kleinen Konvoi aus Limousinen mit Motorradeskorte anzufordern. Sir Dickie Greene, der sich seine langen haarigen Ohren rieb und vor Ungeduld schnaubte, drängte den Bevollmächtigten der Londoner Polizei aus Gründen, die er nicht nennen könne, Extra-Security bereitzustellen. »Viele von den Jungs auf Bikes, Chief, wenn es Ihnen nichts ausmacht.« Der Beamte, der sich noch von angespannten COBRA-Besprechungen in den alten Zeiten an Sir Dickie erinnerte, kam nicht einmal auf den Gedanken, das abzulehnen. Also wurde Bremner, wohin auch immer er sich begab, von mehr Sirenen und fetten BMW-Maschinen begleitet, als der eitelste Dritte-Welt-Diktator es sich je erträumt hätte. »Das ist die lauteste verdammte Undercover-Operation der Geschichte«, sagte Sir Dickie und klatschte in die Hände.

Den Verschwörern wurde schnell klar, wie dürftig diese konfektionierten Besuche mit Fotogelegenheiten eigentlich waren. Wenn der Politiker eintrifft, sieht ihn fast niemand leibhaftig. Die Leute verlassen sich für ihren Eindruck von so einem Event auf die Momentaufnahmen der Fernsehkameras, die zusammen das kollektive Gedächtnis täuschen. Nachrichtenbulletins und Pressefotos versichern der Öffentlichkeit, dass die Ereignisse, die sie im Fernsehen sehen oder von denen sie lesen, wirklich stattgefunden haben. Der Wille zur Aufhebung von Zweifel verbreitet sich wie Nebel. Mit oder ohne lebendigen Premierminister, die seltsamere, schärfere, etwas weniger erklärbare dreidimensionale Welt der Realität wird tagtäglich zu jeder Stunde abgebimst und neu geformt.

Premierminister dienen teilweise als Versicherung im Hintergrund, dass die Welt nicht gänzlich aus den Fugen ist, dass irgendjemand irgendwo Verantwortung übernimmt. Bequemlichkeit und Gewohnheit sowie die überdrüssige Annahme der Öffentlichkeit, die Nachrichten schon zu kennen, bevor man sie sieht oder hört, machten es leichter, den Tod des Premierministers zu vertuschen, als die Verschwörer es je für möglich gehalten hätten.

Zumindest was die Vertuschung vor der breiten Öffentlichkeit anging. Lord Briskett schnüffelte weiter herum, und falls er irgendwie über die Wahrheit stolperte, konnte er zum größten Problem von allen werden. Als Amanda ihn angerufen und unter vielfachen Entschuldigungen mitgeteilt hatte, dass der PM leider nicht in der Lage wäre, den verschobenen Termin wahrzunehmen, hatte er gänzlich unüberrascht gewirkt – sogar ein bisschen erfreut, als sei er stolz darauf, dass sein berühmter Instinkt ihn nicht getrogen hatte. Der Trick mit der Europhobie des Königs hatte den Verschwörern ein bisschen Luft verschafft, aber Briskett war schlau, entschlossen und geschwätzig. PLS war es gelungen, ihn nur ein bisschen in Verruf zu bringen, mit ein paar in Journalistenohren geraunten Andeutungen über seine Schwäche für Alkohol, für Eitelkeit und für die Überschätzung seiner Beziehungen. Doch Briskett war auch zu anerkannt und einfach zu verdammt gut, als dass diese Schmutzkampagne ihn vollständig neutralisiert hätte. PLS hörte sein Telefon ab und beschattete ihn auch, während er durch London summte wie eine Biene ohne Stock, zwischen diversen Buchhandlungen, seinem Club und seiner Wohnung.

Alois Haydn stellte Dame Cecily zur Rede. »Ich habe Sie und Ihre Leute hier ins Spiel gebracht, weil Sie alles können – zumindest habe ich das Number 10 versichert. Und jetzt haben wir es mit einem zottelig gekleideten, geziert irischen, nasal schwätzenden potenziellen Scheißkerl zu tun, und Sie haben keinen Plan?«

»Was schlagen Sie vor, kleiner Mann? Bestechung? Erpressung?«

»Nun, irgendeine Art ... Anreiz wäre vielleicht überlegenswert, Dame Cecily.«

»Falls Sie glauben, dass man Trevor Briskett, einen Mann, den ich seit mehr als zwanzig Jahren kenne und nicht besonders mag, kaufen kann, dann sind Sie nicht der Menschenkenner, für den man Sie gemeinhin hält.«

»Sie meinen, er ist bereits reich und berühmt genug?«

»Nein, ich fürchte, es ist schlimmer. Er mag ja etwas Lächerliches an sich haben, aber im Grunde seines Herzens ist er ehrenwert.«

Haydn merkte, wie er langsam zu schmollen begann. »Leute fallen tagtäglich tot um. Warum können das nicht auch mal die richtigen Leute zum richtigen Zeitpunkt sein?«

An diesem Nachmittag gelang den Verschwörern unter Aufbietung all ihrer Zaubertricks ihr größter Coup. Der Premierminister besuchte, wie schon angekündigt, das Einkaufszentrum Bluewater in Kent. Man hatte den zunächst heftig protestierenden Bremner überredet, noch einmal die Perücke aufzusetzen und den Anzug des Premierministers anzuziehen. Dank einiger kurzer Blicke auf seinen Rücken und eines »Sicherheitsalarms«, der es ermöglichte, den Medien ein verwackeltes Bild einer Überwachungskamera zusammen mit einem noch nicht in den Nachrichten ausgestrahlten Videoclip zukommen zu lassen, kam ein durch und durch voller und plausibler premierministerieller Tag zustande.

Ursprünglich war der Besuch geplant gewesen, um dort eine Gruppe von Angestellten aus den Läden zu treffen, die sich Sorgen machten, welche Auswirkungen der EU-Austritt auf ihre Jobs hätte. Das Ganze hatte Gewicht, Bewegung, Farbe. Jeder wusste einfach, dass der PM höchstpersönlich da gewesen war – obwohl auf Nachfrage wohl niemand hätte sagen können, woher er oder sie das wusste. Stets war er gerade um die Ecke, schon im Aufbruch oder nur ein kleines bisschen verspätet. In Downing Street brach echtes Triumphgeheul aus, als zwei jugendliche Verkäuferinnen von Gap Sir Nick Robinson in die laufende Kamera erzählten, was der Premierminister eben zu ihnen gesagt hatte. Einen weiteren unerwarteten Bonus gab es, als eine ältere Kundin auftauchte und erklärte, sie habe »dem alten Gauner« eine Lektion in englischem Hausverstand erteilt. Mit beträchtlicher Genugtuung berichtete sie, er habe ausgesehen, »als hätte ich ihm einen nassen Fisch ins Gesicht geklatscht«. Daraufhin brandete zum zweiten Mal Jubel in Downing Street auf.

Wie so oft beteiligte sich die britische Öffentlichkeit aktiv, ja, sogar begeistert an ihrer eigenen Täuschung.

EINE KAFFEEPAUSE

Nachdem am Vortag das Interview mit dem Premierminister abgesagt worden war, blieb Ned Parminter in London. Die ganze Nacht hindurch hatte er sich in einem zugleich überheizten und feuchten Hotelzimmer in Paddington herumgewälzt und über Jennifer Lewis nachgedacht. In seinem Kopf hatte er ein fixes Bild von einer idealen Jen, ein geschmeidig tänzelnder Faun mit Jadeaugen, der durch seine Träume streifte.

Genau zur vereinbarten Zeit war er in der Filiale des Caffè Nero in der Nähe von Piccadilly Circus gewesen, wo sie sich mit ihm treffen wollte, nachdem sie sich erneut verabredet hatten. Während er sich noch umsah, spürte er schon den Stich der Enttäuschung, weil er sie nirgends entdecken konnte.

Er stellte sich in die Schlange an der Theke. Vor ihm stand ein üppiges italienisches Mädchen mit honigfarbener Haut und einem Wasserfall glänzend schwarzer Haare, doch Ned beachtete es kaum. Er überlegte, dass Jen vermutlich einen Skinny Medium Cappuccino mit extra Shot und kein Gebäck wollte. Während die Müdigkeit ihn krampfartig überfiel, obwohl es doch erst mitten am Vormittag war, bestellte er für sie beide. Für sich einen Latte und einen Muffin, wobei er sich gleich ermahnte, nur die Hälfte davon zu essen. Wann, so fragte er sich, haben wir eigentlich begonnen, einen Brocken Kuchen und einen Styroporbecher mit heißer Milch als mustergültiges Frühstück zu betrachten?

Er hatte bezahlt und wartete auf die Kaffees, als er Jen erblickte. Mehr Straßenkind als Faun, klopfte sie an die Scheibe und deutete auf einen Tisch im Freien, direkt unter der Pferdestatue. Sie rauchte nicht, wusste aber, dass er es tat, und er nickte ihr dankbar zu. Er hatte ganz vergessen, dass sie immer alles klarmachte. Draußen war es gerade sonnig genug, um sich hinzusetzen.

Nach ein wenig Small Talk bestätigte Jen, dass Olivia Kite immer noch bereit war, Lord Brisketts Buch zu unterstützen; gerne würde sie die Seite der »Nein«-Kampagne zur Geschichte der letzten Tage vor dem Referendum beisteuern. Sie erwähnte, dass die jüngsten Umfrageergebnisse sie optimistisch stimmten, aber trotzdem meinte Parminter zu bemerken, dass sie nicht so guter Dinge war wie sonst. Ihre langen blassen Hände zitterten ein bisschen, und sie strich sich ständig die Haare aus den müden grünen Augen. Nachdem sie ihren Kaffee ausgetrunken hatte, griff sie in ihre Tasche und holte einen dicken Plastikordner heraus.

»Das ist das Zeug, das ich erwähnt habe. Ich maile es dir auch wie immer, aber so kann man es leichter lesen. Darin findest du die genauen Schlüsse, die wir aus den letzten Umfragen gezogen haben. Ich habe auch noch die Protokolle der gestrigen Leitungskomiteebesprechung dazugetan; von denen bekommst du jetzt täglich eins. Außerdem Ausdrucke der E-Mails vom Oppositionsführer, von UKIP und den Schottischen Nationalisten an Olivia und ihre Antworten darauf. Sie ist Feuer und Flamme.« Jen klang dagegen seltsam lustlos.

»Das ist ja fantastisch.« Parminter schwieg einen Moment lang und fragte sich, ob er sie darauf ansprechen sollte. Das hier fühlte sich kein bisschen so an wie seine frühmorgendlichen Träume. Ob er wohl eine Hand auf ihren Arm legen konnte? Oder ihr mit den Fingern über die blasse Wange streichen? Er hätte sie so schrecklich gern geküsst, ihr gesagt, dass er sie für immer beschützen würde. Aber Ned Parminter bewahrte sich seine Würde. Er zitterte, unternahm jedoch nichts und behielt den flotten Ton der Unterhaltung bei.

»Du bist ein absoluter Star und ein großartiger Mensch. Und wie lautet das Urteil? Womit rechnet Olivia Kite am Ende?«

»Nun, es ist verdammt knapp, Ned. Knapper als der PM oder einer von denen zugeben würde. Wir liegen insgesamt noch zurück, aber in den Midlands, im West

Country und South-East haben wir die Nase vorn. Sie haben London im Sack, Schottland und den Norden. Wir sind vorn bei Handwerkern, Facharbeitern und Verwaltungsbeamten, älteren Männern und Frauen und – stell dir das vor – bei den Studenten. Die anderen stehen bei den jüngeren Frauen wie schon immer gut da. Aber wir denken, dass sie insgesamt nur noch mit weniger als einem Prozent führen.«

Parminter brach sein sich selbst gegebenes Versprechen und aß den Rest des Muffins auf. Er merkte, wie er vor Erregung zitterte, und holte eine Zigarette heraus.

»Und das liegt am PM selbst, nicht wahr? Wenn er nicht wäre …«

»Genau. Wenn die Öffentlichkeit ihn nicht immer noch so lieben würde, lägen wir klar auf Siegerkurs.«

Trotz ihrer offensichtlichen Müdigkeit brachte Jennifers Aufregung sie dazu, etwas für sie eigentlich Untypisches zu tun. Sie beugte sich vor, nahm Ned vorsichtig die Zigarette aus dem Mund, nahm einen tiefen Zug und steckte sie ihm wieder zwischen die Lippen.

»Ich glaube, mir gefällt der Bart, aber das nur nebenbei«, sagte sie. »Wie auch immer, selbst wenn die Leute den PM für das hassen, was er in Nahost tut. Sie lachen vielleicht über seine Mähne und die plumpen Scherze im Stil eines Varietés in Lancashire. Aber ich fürchte, der alte Zauber funktioniert immer noch gut genug. Auf irgendeine seltsame Art mögen sie den alten Sack nach wie vor. Die Leute bewundern Olivia. Sie sind still und hören zu, wenn sie im Fernsehen kommt. Aber sie lieben sie nicht.«

»Und Olivia fürchtet, dass er ein weiteres Mal eine scheinbar aussichtslose Lage in einen Sieg verwandelt?«

»Sie ist eine clevere Frau. Selbst wenn ich sie nicht unbedingt ins Herz geschlossen habe, bewundere ich wirklich ihre Klugheit. Sie macht sich selbst nichts vor, Ned. Olivia Kite kann furchterregend und hart sein, aber das weiß sie auch, und sie kennt ihre Grenzen. Sie kämpft unermüdlich gegen einen großartigen, liebenswerten, inkonsequenten, charismatischen, widersprüchlichen, sexy … *Blob*. Und das macht sie verrückt.«

»Trotzdem«, sagte Ned, »das Einzige, was der PM jetzt tun muss, ist, sich in diesen letzten paar Tagen richtig ins Zeug zu legen – wirklich raus und unter die Wähler gehen, um sie daran zu erinnern, warum sie ihm bisher auch dann gefolgt sind, wenn sie ihn verspottet haben.«

»Ja, ja … aber er lässt es so langsam angehen. Es sind doch nur noch zwei Tage. Ich kann mir nicht vorstellen, warum er sich so viel Zeit lässt.«

Ned Parminter knöpfte seine Jacke zu und schob den Ordner sorgsam in seine Tasche.

»Schlaue Taktik, schätze ich. Je später er loslegt, desto größer ist die Wirkung. Er war ja schon immer ein brillanter Taktiker. Aber das ist genau so eine Frage, wie wir sie ihm stellen müssen. Etwas, das Briskett aus ihm rausholen muss.«

Er stand auf. Jen wirkte plötzlich wie eine Siebenjährige in ihrem kurzen grünen Rock und mit den leuchtend roten Haaren. Sie blieb sitzen.

»Bist du okay, Jen?«

»Mhm. Klar …«

»Ich meine, ich weiß, dass wir reden müssen … über die andere Sache. Und über diesen verrückten Kerl, Lucien McBryde. Du kannst keine halben Sachen machen, Mädel.«

»Ja«, sagte Jen, schüttelte sich und brachte ein halbes Lächeln zustande, während sie sich von ihrem Stuhl erhob. »Aber das ist jetzt nicht der richtige Zeitpunkt. Es ist nur … Lucien und ich hatten so eine üble Auseinandersetzung, dass ich mir echt Sorgen um ihn gemacht habe. Und jetzt hat er mir zwar ein paar SMS geschickt, aber er geht nicht an sein Handy. Er ist echt verzweifelt, Ned. Richtig verzweifelt. Das war er schon seit Monaten. Ich mache mir Sorgen um ihn.«

Sie standen einen Moment lang nur da und starrten sich an. Dann beugte Ned sich zu ihr, nahm ihr Gesicht in seine Hände, küsste sie und zog sie an sich. Sie musste spüren, wie er hart wurde. Dass sie daraufhin nicht zurückwich, bescherte ihm den ganzen restlichen Tag über ein warmes Gefühl.

WORTE UND WAHRHEIT

»Ich rufe dich heute Nachmittag an. Versprochen«, sagte Ned. Damit machte er sich auf den Weg, schlängelte sich zwischen den Taxis am Piccadilly hindurch und lief mit langen Schritten die St James's Street Richtung Park hinunter.

Jen sammelte die leeren Kaffeebecher und den Pappteller ein, warf alles ordentlich in den dafür vorgesehenen Mülleimer und machte sich dann, nachdem sie noch einmal die letzte SMS von McBryde überflogen hatte, auf den Weg zur London Library. Dort lief sie schnurstracks in die Abteilung für britische Geschichte, nahm ein Buch von Dominic Sandbrook aus dem Regal, holte einen weißen Umschlag heraus und schob ihn tief in ihre Tasche. Als sie wieder draußen auf dem St James's Square stand, winkte sie einem Taxi, stieg ein und befühlte ihre Tasche, um sicherzugehen, dass ihr Handy darin war – in den letzten zehn Minuten hatte es nicht mehr vibriert. Dann nannte sie dem Fahrer die Falkland Road in Kentish Town als Adresse. Während sich das Taxi einen Weg zwischen Touristen und Radfahrern bahnte, checkte sie ihre E-Mails. (Wie hatten Taxifahrten eigentlich ausgesehen, fragte sie sich währenddessen, bevor man dabei ständig ungefragt auf Männerärsche schauen musste, die in Lycra-Hosen steckten?)

Als ihr ein wenig übel wurde, versuchte Jen die Gedanken an Lucien McBryde und Ned Parminter zu unterdrücken. Der kluge, erfahrene, erwachsene Ned Parminter, der sie auf der Toilette des Cafés gevögelt hätte, wenn sie ihn auch nur im Geringsten ermutigt hätte. Ned Parminter, der keine Angst vor Verbindlichkeit hatte, sondern sogar wortlos darauf zu drängen schien.

Wenn sie doch nur aufhören könnte nachzudenken ... Wenn ihr Verstand mal zur Ruhe käme.

Aber Lucien McBryde erlaubte das nicht. Er drängelte sich einfach in ihren Kopf, vorbei an den E-Mails vom Kampagnenhauptquartier, von PoliticsHome, Editorial Intelligence, Coffeehouse und all den anderen. Da war er, dieser bittende, verstrubbelte, chaotische, unzuverlässige, manische, koksverschmierte Journalist mit seinem unwiderstehlichen schiefen Lächeln.

Genau in diesem Moment traf eine mit dem Fähnchen »dringend« versehene Nachricht aus Essex ein. Ob sie die neuen Umfrageergebnisse von YouGov gesehen hätte? Und gleich noch eine: Könnte sie mit dem US-Botschafter reden, der um ein persönliches Briefing mit Olivia gebeten hatte, und ihn auf morgen vertrösten? Ja und ja. Weitere Nachrichten in Versalien in ihrem Posteingang: Ihre Mutter machte sich schon Gedanken über den nächsten Sommer und fragte, ob sie das Cottage buchen solle.

Aber nach wie vor kein Wort von dem einzigen Menschen, von dem Jen eigentlich hören wollte. Sie schrieb McBryde noch eine weitere SMS. Aber ihre Daumen schienen heute lahm und lustlos zu sein. Dabei ging es nicht so sehr darum, was zu sagen war, sondern um den Ton. Freundlich, besorgt, bedauernd – nein, nicht bedauernd, ein bisschen tough. Blöde Gefühlsduselei …

Als sie die Nachricht geschrieben und versendet hatte, war das Taxi schon in der trostlos eintönigen Kentish Town High Street. Jen wühlte nach ihren Schlüsseln. Fünfzehn Pfund und fünfundzwanzig Minuten ärmer öffnete sie die türkisfarben gestrichene Tür in der Falkland Road und bückte sich, um ihre Post aufzuheben, bevor sie das Objekt aus ihrer Tasche holte, das sie schon quälte, seit sie es aus dem Buch in der London Library genommen hatte. Da lag er, ein weißer Umschlag, darauf ihr Name in einer rundlichen, einst so vertrauten Schrift. Handgeschrieben? Von ihm? Das hatte es seit Monaten nicht mehr gegeben. »Jen« mit einer riesigen, langen Schleife am J. Ihr Herz machte sofort einen Satz.

Sie legte den Umschlag neben das Waschbecken und schaltete den Wasserkocher ein. Vier Fünftel der Kunst des Alleinlebens bestanden aus Selbstdisziplin. Ordnung halten, selbst wenn einem nicht danach war. Also zuerst die Jacke ausziehen. Dann den Anrufbeantworter abhören. Die Milch aus dem Kühlschrank holen. Erst dann. Hinsetzen. Sie riss den Umschlag auf wie eine Wahnsinnige.

Liebe Jen.
Erstens sollst Du wissen, dass es mir leidtut. Wirklich leid. Es tut mir leid, dass ich so ein Arschloch war. Mir tut leid, was ich an diesem Abend gesagt habe.
Es ist seltsam. Ich habe Dir schon lange nicht mehr so

geschrieben – richtig geschrieben, auf Papier. Deshalb werde ich Dir den Brief auch auf die alte Weise zukommen lassen.

Es tut mir wirklich leid, dass ich an diesem Abend so ein Mistkerl war und was ich gesagt habe. Du kannst Dich treffen, mit wem du willst. Ich weiß, dass ich nicht das geringste Recht habe, Dir vorzuschreiben, wen Du sehen darfst. Ich habe Riesenmist gebaut, und ich kann niemandem außer mir selbst die Schuld daran geben.

Aber ich muss sagen, dass Lucien McB ohne Jen Lewis absolut verdammt nichts ist. Ich bin verzweifelt, Jen. Ich verliere noch meinen verdammten Verstand.

Aber das ist nicht der Grund, warum ich Dir das hier schreibe.

Ungefähr seit gestern habe ich das komische Gefühl, dass in Number 10 irgendwas im Busch ist. Dann bekam ich gestern Abend einen Anruf von diesem seltsamen gruseligen PR-Typen, der sich immer im Schatten hält: Alois Haydn. Ich bin mir sicher, dass Du ihm schon mal begegnet bist. Er sagte, er wolle mich treffen und es sei dringend.

Beigefügt schicke ich Dir, was er mir erzählt hat. Wenn es stimmt, dann ist das die größte politische Story, die man sich vorstellen kann. Aber es bringt mich einfach um. Es muss falsch sein.

Er hat gesagt, ich solle damit machen, was ich für richtig halte, aber dass ich es nicht einfach so in die Zeitung bringen könne, weil es zu monströs ist. Jen, er hat gesagt, ich solle mit Dir reden und dass Du schon wüsstest, wem Du es geben musst. (Ihr, schätze ich.)

Also, Jen, ich glaube nicht, dass wir im Moment miteinander reden, oder? Und weil ich ein bisschen paranoid und alles Mögliche bin – aber, das schwöre ich Dir, kein

kleines bisschen high –, dachte ich mir, ich schreibe es auf und schiebe es zwischen die Seiten.
Und noch eine letzte Sache, Jen. Nein – ist egal –
X LM

Dem handgeschriebenen Brief lag eine einzige ausgedruckte Seite bei. Jen las sie.

Dann las sie sie noch mal, Satz für Satz, und zwang sich zur Konzentration. Als sie fertig war, schnappte sie nach Luft. Das war unmöglich. Es würde alles auf den Kopf stellen.

DOPPELSPIEL

Alois Haydn war ganz und gar der gleichen Meinung. Es würde alles auf den Kopf stellen.

Professional Logistical Services hatte einige beachtliche Erfolge erzielt. Der Premierminister (in Gestalt von Rory Bremner) sendete nach wie vor, und seine Reden wurden allgemein gelobt. Erstaunlicherweise war niemand aus Number 10 mit irgendeinem Verdacht an die Öffentlichkeit gegangen. Aber ein Haufen der persönlichen Referenten machte echte Probleme. Für später am Tag war eine Besprechung mit ihnen, Dame Cecily, dem Fraktionschef und dem ehemaligen Chef des Joint Intelligence Committee im COBRA angesetzt. Die Strategie der Verschwörer für dieses Meeting – entweder die Wahrheit sagen und versuchen, sie auf die eigene Seite zu ziehen, oder die große Lüge erzählen und das Beste hoffen – war noch nicht entschieden.

Nur ein einziger Mann wankte nicht. Alois Haydn hatte den Arm um Amanda Andrews gelegt und ihr – genau wie

Ronnie Ashe, der neben ihr stand – versprochen, dass das alles nie und nimmer herauskäme. Alle brauchten nur noch zwei weitere Tage lang die Nerven bewahren. Haydn besaß die Fähigkeit, Leute quasi hypnotisch in Ruhe und Ergebenheit zu versetzen.

Gleich danach traf er sich mit Sir Solomon Dundas und Charmian Locke, um bombensicher dafür zu sorgen, dass er zu einem wirklich sehr reichen Mann würde, wenn die ganze Geschichte erst unmittelbar vor dem Referendum aufflog.

Sie trafen sich in Mayfair. Drei Schatten in der letzten Reihe des Curzon-Kinos. Der Ort war Sir Solomons Idee gewesen.

Der cricketverrückte Vater von acht Kindern und ehemalige Privatbankier passte nicht so ganz ins soziale Gefüge der PLS. Mit seinen sechsundsechzig Jahren war er ein bisschen jung und bei weitem zu extravagant und auffällig. 2014 nannte ihn der rebellische UKIP-Chef Nigel Farage »das beste unter allen guten Eiern«. Jetzt hingen die langen Arme an seinem plumpen Rumpf herab, der in rot-grünem Tweed steckte. Doch Sir Solomon bot PLS umfassende Kenntnisse der Londoner Finanzwelt, die fast vier Jahrzehnte zurückreichten, was die ehemaligen Beamten der Organisation sehr zu schätzen wussten.

Als sein zahnreicher Untergebener Charmian Locke ihm zum ersten Mal von dem exotischen Alois Haydn erzählte, den Solomon nur seinem Ruf nach kannte, hatte er fasziniert, aber vorsichtig reagiert. Am Samstagmorgen war er nur deshalb so früh auf der Whitehall unterwegs, um Haydn zu folgen und ihn in ein Gespräch zu verwickeln: Die »Privatbank«, in die er angeblich abgebogen war, erwies sich zu seiner beträchtlichen Verlegenheit als ein »Gentlemen's Club« oder Nobelbordell.

Wo sollten sie sich also für ein heikles Gespräch treffen, von dem keiner der Männer wollte, dass es irgendjemand anderem von PLS zu Ohren kam? Wie in den meisten Fällen hatte Solomon Charmian Locke zu Rate gezogen. Es war ein erstaunlich schwieriges Dilemma. Wo in London konnte ein Kerl ein Treffen arrangieren, bei dem null Gefahr bestand, beobachtet oder belauscht zu werden? Auf dem Lord's Cricket Ground? Keine gute Idee. Man würde sich doch nicht das Cricket an einem schönen Morgen verderben ... In jedem anständigen Restaurant konnte man auf Bekannte stoßen; jedes gewöhnliche Lokal wäre, nun ja, undenkbar. In den Parks wimmelte es von gewöhnlichen Leuten mit Telefonen und Kameras. Und fast jede Straße, Unterführung und U-Bahn war kameraüberwacht.

»Kultur! Das ist die Eintrittskarte. Irgendein ödes Zeug«, sagte Sir Solomon. Seine Sekretärin, die getreulich jeden Morgen um vier Uhr in seinem Privatbüro erschien, damit Sir Solomons Schreibtisch um sieben für den Arbeitsbeginn bereit war, suchte die Vormittagsvorstellung einer Shakespeare-Verfilmung eines nicht mehr angesagten russischen Regisseurs heraus.

Das Curzon war definitiv ruhig, aber es erwies sich als Nachteil, dass die drei Männer unbeholfen nebeneinandersaßen und sich zueinander umdrehen mussten. Als die Platzanweiserin mit ihrer Taschenlampe einmal durch den Saal leuchtete, ließ Charmian seine Zähne aufblitzen wie die Klippen von Dover in einer mondhellen Nacht.

Alois Haydn ergriff das Wort.

»Sie müssen mir glauben, Gentlemen, dass ich über eine den Markt verändernde Information verfüge, die ich Ihnen allerdings noch nicht preisgeben kann. Dieses Referendum wird nicht so ausgehen, wie jedermann es erwartet.«

Sir Solomon rutschte auf seinem Sitz herum und knurrte: »Ich hoffe inständig, dass Sie recht haben. Ich hoffe, dass wir rauskommen. Aber Sie, Sir, mögen das *denken* – Sie können es nicht *wissen.*«

»Vertrauen Sie mir, das kann ich.«

»Die Meinungsforschungsinstitute berichten …«

»Ich *weiß* es.«

»Und Ihr Freund, der Premierminister, gibt gerade die Vorstellung seines Lebens, Mr Haydn.«

»Ich *weiß* es.«

»Die Frage ischt, Scholomon«, meldete Charmian sich zu Wort, »wie unscher Freund hier unter dieschen Umständen ein bischchen Geld machen könnte.«

Nachdem das eigentliche Thema ihres heimlichen Treffens ihm nun offen und direkt genannt worden war, kam Leben in Sir Solomon.

»Zweifellos könnte man dann richtig Geld machen. Falls Sie tatsächlich über eine sensible, den Markt beeinflussende Information verfügen, die wichtig genug ist und die sonst keiner kennt, haben Sie einen goldenen Schlüssel. Sie können mit Aktien, Staatsanleihen und Devisen spielen. Alle werden davon betroffen sein. In der City wird das einen beträchtlichen Schock auslösen.« Sir Solomon hielt inne und stellte im Kopf ein paar blitzschnelle Rechnungen an. »Auf einen Schlag würde das Pfund Sterling seinen Status als Währungsreserve verlieren, und wie ich schon bei unserer letzten, zufälligen Begegnung bemerkt habe, erwarte ich, dass die Kurse an der FTSE um zwanzig Prozent fallen. Also dann. Aktien. So einfach wie klar. Sie kaufen Put-Optionen, um sie leerzuverkaufen, dann stürzen sie ab, und drei oder vier Wochen später, wenn der Markt am Boden ist, räumen Sie auf. Ihre Ziele sind offensichtlich. Die großen Exporteure und Transportunternehmen, die Finanzfirmen, die in der EU sein müssen, um in Euros zu handeln. Sie alle werden einen schweren Schlag abkriegen.«

Charmian konnte sehen, wie begierig Alois die Information aufsaugte, aber wie schleierhaft ihm die Details waren.

»Alscho, Schie müschen Optionen kaufen um BA bei, schagen wir, 4 Pfund 50 in einem Monat schu verkaufen, Jetscht stehen schie bei fünf. Wenn schie auf 4 Pfund fallen, haben Schie pro Aktie 50 Pence gemacht. Steigen Schie grosch genug ein – und vergeschen Schie nicht, dasch ischt allesch stark fremdfinanschiert –, dann können Schie schich die Taschen vollmachen. Stimmt'sch, Schir Scholomon?«

»Nein, fürchte ich«, sagte Solomon. »Aber es ist ein starker Ansatz. Letztlich wollen Sie keinen Leerverkauf von nur ein paar Unternehmen, sondern von ganz UK. Aktien sind aber tabu. Nicht in diesem Maßstab und in dem Tempo, das Ihnen vorschwebt. Dann würden ja Warnleuchten die ganze City erhellen. Sie müssten das Land verlassen, und zwar schnell. Und selbst wenn Sie Ihren Profit ins Ausland überwiesen bekämen, würde man Ihnen Insider-Handel vorwerfen und Sie ausliefern lassen. Mr Haydn, im Knast würde man Sie besinnungslos bumsen. Nicht gerade meine Vorstellung von einem Happy End.«

Charmian verrenkte sich auf seinem Sitz und zeigte ein riesiges Lächeln. »Esch gibt einen viel einfacheren Weg. Staatschanleihen schind schu tricky, um schicher schu schein. Aber Devischen! Leerverkauf von Pfund gegen den Dollar. Verkaufen Schie auf einen Monat im Vorausch, und Schie können scho viel handeln, wie Schie wollen, bei makschimaler Anonymität.« In der Dunkelheit des Kinosaals bewegte sich ein riesiger Schatten: Sir Solomon nickte zustimmend.

Zunehmend begeistert begannen er und Charmian mit Zahlen zu spielen. »Wenn Großbritannien die EU verlässt – also, der Dollar steht jetzt bei 1,55 zum Pfund. Sterling wird keine Reservewährung mehr sein, also fällt es auf, sagen wir, 1,35. Wahrscheinlich noch tiefer. Dann wollen Sie Sterling im Wert von einhundert Millionen Dollar zu 1,50 verkaufen, und das Sterling fällt auf 1,25. So machen Sie 25, und es kostet Sie maximal 1 oder 2 Pence pro Pfund.«

Sir Solomon schwieg wieder. Haydn versuchte verzweifelt, seinen Profit auszurechnen, und scheiterte.

Charmian legte nach. »Aber wenn Schie nur schwei Wochen im Vorausch kaufen … Dann würde Schie dasch nur einen halben Penny pro Pop koschten. Wenn Ihre Marge 20 Pence schind, dann haben Schie Ihre Inveschtition vervielfacht«, er tippte auf der Taschenrechnerfunktion seines iPhones herum, »und tschwar umsch Viertschigfache. Aber Schie müschen schehr schnell agieren. Schie haben doch ein Offshore-Konto, nicht wahr?«

Ums Vierzigfache.

Ums Vierzigfache.

Sie saßen schweigend und wie gebannt da, während russische Könige und Prinzessinnen auf der Leinwand Pirouetten drehten.

Solomon wandte sich direkt an Alois. »Und das Außergewöhnliche an der Sache ist Folgendes. Ich bin mir ziemlich sicher, dass aufgrund einer seltsamen Besonderheit des britischen Rechts der Leerverkauf von Sterling auf der Basis vertraulicher Insider-Information total legal ist.«

»Legal? Was meinen Sie mit legal?«, fragte Alois.

»Ich meine legal im Sinne von nicht illegal, Mr Haydn. Nicht gegen das Gesetz.«

Alois dachte an die Mühen, die er auf sich genommen

hatte, um seinen Reichtum im Nahen Osten zu verstecken. Er dachte an seine zunehmend aufwendigeren Pläne zu verschwinden. »Dann ist der Leerverkauf von Währung auf der Basis von privater Information, die der Rest des Marktes nicht hat, vollkommen legal? Ich kann das Vierzigfache scheffeln, und niemand kann irgendwas dagegen sagen?«

»Die können sagen, was sie wollen, und ich bin mir sicher, dass sie das tun werden. Aber niemand kann Ihnen was anhaben.«

»Das ist außergewöhnlich. Ein Schlupfloch, nicht wahr?«

»Ein Schlupfloch, Mr Haydn, genau das ist es.«

Haydn lachte. Solomon gluckste. Charmian bleckte schweigend seine riesigen Zähne.

»Nun, Gentlemen«, sagte Haydn, »dies ist etwas, das jeder versuchen kann. Ich ... schließe niemanden aus. Ich bin froh, meinen Mitmenschen zu helfen. Falls ein Sir Solomon Dundas oder ein Mr Charmian Locke den Wunsch haben solle, aus dem Topf mitzuessen, verliere ich ja nicht. Außerdem, Solomon, bekommen Sie das ersehnte politische Ergebnis. Trotzdem. Andererseits. Nichtsdestotrotz. Die ganze Sache hängt vom Timing ab. Sie erfordert Kontakte und Glaubwürdigkeit, um maximale Wirkung zu entfalten – erst der Kauf, dann die Explosion, tick, tack. Und das ist meine Begabung. In diesem Punkt müssen Sie mir vertrauen. Wenn nicht, Gentlemen, könnten Sie am Ende eine Menge Geld verlieren. Beim Leben meiner Mutter, auch wenn ich sie als Kind nicht kannte – kein Wort darüber zu irgendwem!«

Charmians Zähne wedelten, Sir Solomon wackelte.

Haydn verließ das Kino und lief fast wie ferngesteuert durch den Green Park. Er dachte angestrengt nach. Während seine kleinen, in Leder gehüllten Füße rasch über den Rasen tappten, schien er fast dahinzugleiten. Seine Augen waren wie dunkle saftige Korinthen und schienen beinah in seinem Gesicht zu verschwinden. Es war an der Zeit, den Sprung zu wagen.

Also, der Premierminister war tot. Das war die erste Sache.

Die Öffentlichkeit wusste nichts davon. Das war die zweite.

Die dritte Sache war, wenn die Menschen es erfuhren, würde sich das Ergebnis des Referendums ändern. Musste sich ändern. Denn die einzige Grundlage für die gegenwärtige knappe Mehrheit, die mit »Ja« abstimmen würde, war die persönliche Übereinkunft des Premierministers mit dem deutschen Kanzler. Wenn die Öffentlichkeit jedoch erfuhr, dass er tot war, und nicht nur das, sondern (dies war die vierte Sache) dass sein Tod von genau dem inneren Intrigantenzirkel aus Politikern vertuscht worden war, denen man sowieso schon vorwarf, einen im Lauf der Jahre in Bezug auf Europa und so vieles andere belogen zu haben … nun, die Reaktion würde spektakulär ausfallen. Mit Sicherheit würde die Abstimmung anders ausgehen.

Und dann würde man Amanda Andrews aufknüpfen, ebenso den Fraktionsführer, den Außenminister und all die anderen.

Er, Alois Haydn, war natürlich nicht der einzige Mensch, der vom Tod des Premierministers wusste. Aber (und das war die fünfte Sache) er war der Einzige, der sowohl von seinem Tod wusste als auch wusste, dass die Verschwörung zu dessen Vertuschung noch vor dem Referendum auffliegen würde. Er wusste das, weil er in Kürze nach Essex aufbrechen würde, um es Olivia Kite höchstpersönlich mitzuteilen. Er hatte beabsichtigt, dass Jennifer Lewis das für ihn übernahm, doch das war nun zu gefährlich. Warum? Weil (und das war die sechste Sache) es ihn zu einem der reichsten Männer Englands machen konnte, dies als Einziger zu wissen, jedoch nur, wenn es ihm gelang, einen Leerverkauf auf Sterling zu tätigen, bevor die Neuigkeit an die Öffentlichkeit kam. Fingerspitzengefühl beim Timing war allesentscheidend.

Weil er annahm, dass Lucien McBryde – der inzwischen zum Glück tot war – es Jennifer Lewis mitgeteilt hatte und sie vorhatte, es Olivia Kite mitzuteilen, bestand das Risiko, dass alles zu schnell ging und sich seiner Kontrolle entzog. Olivia durfte nicht erfahren, dass der Premier tot war, bevor Alois seine Währungsoptionen gekauft hatte und wohlvorbereitet war. Beim Timing durfte nichts schiefgehen. Außerdem durfte in seinem Verhältnis zu Olivia Kite nichts schiefgehen, die dann an die Macht käme, während er von dem toten alten Pferd auf die muntere neue Stute hinübersprang.

Die Wahrheit war jedoch, dass Olivia Kite ihm Angst machte. Schon als er ihr das erste Mal begegnet war, kurz bevor der PM sie in sein Kabinett geholt hatte, hatte Alois irgendetwas an ihr bemerkt, das ihm krampfartiges Unbehagen verschaffte. Kalkweiße Haut, hohe Wangenknochen und lasterhafte Lippen … Was hatte Mitterrand doch damals über Thatcher gesagt? »Die Augen von Caligula und den Mund von Marilyn Monroe.« Andere sahen in Kite einen geschlechtslosen Politikautomaten mit toten Augen. Aber Alois blickte tiefer, und sie hatte, nur ein- oder zweimal, auch tief in ihn geblickt und sein geheimes Grauen erspäht. Er hatte sich gewunden, war zerflossen, hatte jedoch nichts gesagt. Sie war berühmt geworden, mit ihrem flammend roten Haar und dem Befehlston. Dann hatte ihr Mann sie betrogen.

Als Haydn und Kite sich zum letzten Mal begegnet waren, war das ihr letzter Auftritt in Downing Street gewesen. Nach dieser von Brüchigkeit und schlechter Laune geprägten Kabinettssitzung, bevor die Minister sich in verschiedene Lager spalteten, um beim Referendum gegeneinander zu kämpfen. Haydn hatte natürlich nur draußen gestanden, als sie und der PM ihre sehr unersprießliche Auseinandersetzung führten, aber er befand sich im Flur, als alle herauskamen. Olivia war stehen geblieben, als sie ihn passierte. Sie beugte sich zu ihm und packte seine Haut, oben an der Brust, zwischen Daumen und Zeigefinger – sie trug übrigens stets Handschuhe, selbst in Innenräumen –, bis er entsetzt nach Luft schnappte.

»Elender kleiner Wendehals«, hatte sie sehr leise gesagt. »Verachtenswerter kleiner Wurm. Komm doch irgendwann mal vorbei und besuch mich. Es wäre« – kurze Pause – »mir« – längere Pause – »ein Vergnügen.«

Dann war sie ausdruckslos weitergegangen, als sei nichts gewesen. Haydn hatte sich gefühlt, als würde er gleich ohnmächtig.

Während er diesen Moment noch einmal durchlebte, begann Jennifer Lewis zu einem in der Tat sehr ernsten Problem zu werden. Sie hatte Lucien McBryde nahegestanden, der wiederum viel zu viel wusste; und Olivia Kite stützte sich sehr stark auf sie. Ja – je länger er darüber nachdachte, desto klarer wurde, dass dieses Mädchen, das vielleicht gerade jetzt mit zu viel Information herumlief, das schwache Glied in der Kette seines ansonsten perfekten Plans war.

Wenn er so über die letzten paar Tage nachdachte, wurde Haydn klar, dass er bislang noch nichts Irreversibles getan hatte. Es stimmte zwar, dass er in die Vertuschung des Todes des PM hineingezogen wurde, aber schließlich hatte er selbst nichts initiiert. Er war nur ein Zahnrad gewesen, das sich zwischen den großen Rädern drehte – den Kabinettsministern, Bankern, ehemaligen Geheimdienstchefs und Admirälen a. D.

So weit, so gut. Es war jedoch möglich, dass Lucien McBryde noch vom Grab aus die Sache mit einem Riesenknall platzen ließ. Charmian Locke hatte bei ihrem Treffen im Kino durchblicken lassen, dass er McBryde schon seit der Schulzeit kannte. Haydn hatte sein Pokerface gewahrt, aber er war erschüttert gewesen.

Nachdem er all diese Überlegungen angestellt hatte, kam Alois zu dem Schluss, dass er etwas tun musste, das sich nicht rückgängig machen ließ. Er würde Jennifer Lewis ermorden lassen müssen. Das war bedauerlich, aber absolut unumgänglich. Er spürte, wie ihn ein angenehmer Schauder überlief.

Gelassen und entschlossen richtete Alois seinen Blick sodann auf die Hortensien, Rosen und trägen Weiden, diesen Schleier aus grünem, feuchtem Blattwerk, und dachte an Professional Logistical Services. Er hatte die Firma in die Sache hineingezogen. Konnte er Solomon Dundas trauen, oder würde er diese Leute ins Bild setzen? Es war undenkbar, dass ein Mann wie Sir Solomon sich mit der Rolle eines bloßen Zaungasts zufriedengab. Aber nein, dachte Haydn. Angesichts einer solchen Gelegenheit würde er sich in das Abenteuer stürzen und sich die Taschen füllen. Er würde nichts ausplaudern.

Und den Rest von PLS würde er ohnehin gern gedemütigt sehen. Da hockten sie wie wohlgenährte und geehrte alte Spinnen. Wie der innere Zirkel um den Premierminister hatten sie einen sicheren Platz in der Welt, ein gemütliches kleines Trapez, von dem aus sie herumkrabbelten und Macher und Problemlöser wie ihn verhöhnten – das Personal. Tja, jetzt würden sie einmal merken, wie es war, wenn die unteren Chargen zurückschlugen. Was getan werden musste, musste getan werden.

Alois verließ den Park und ging die St James's Street hinauf, bevor er nach Osten zur London Library abbog. Diese verließ er kurz darauf wieder, ohne sich ein Buch mitzunehmen.

DIE BEUTE

Jen wurde immer wütender auf sich selbst. Dieser sonnige Dienstag lief überhaupt nicht nach ihrem Geschmack. Seit sie diese letzte Nachricht ihres ehemaligen Lovers verinnerlicht hatte, in der es darum ging, was in Downing Street wirklich passierte, konnte sie sich überhaupt nicht mehr konzentrieren. Offen gestanden fürchtete sie sich schrecklich. Immer noch keine Nachricht von Lucien. Sie hatte in seinem Büro angerufen, doch dort schien man ebenso besorgt und ratlos zu sein. Der Nachrichtenredakteur hatte sie zurückgerufen und höchst eigenartig geklungen. Angesichts der erstaunlichen Dinge, die Lucien wusste, begann sie sich zu fragen, ob er nicht bereits tot war. Es wollte ihr nicht gelingen, sich sein Gesicht oder seine Stimme in Erinnerung zu rufen. Und falls sich jemand die Mühe gemacht hatte, Lucien zum Schweigen zu bringen, würde dieser Jemand auch die Mühe auf sich nehmen, das mit ihr zu tun.

Was sollte sie machen? Wo sollte sie hin? Mit wem sollte

sie reden? Während sie in ihrem Schlafzimmer herumging und sich ein T-Shirt und eine Jogginghose anzog, wurde ihr klar, dass sie immerhin schon Antworten auf die letzten beiden Fragen hatte.

Der sicherste Ort wäre bei ihrer Mutter – weil niemand erwartete, dass sie da hinging. Und zweifellos musste sie mit Olivia Kite sprechen. Sie würde wissen, wie diese Information am besten zu nutzen war. Aber wer war der Schurke? Wen sollte sie fürchten? Es musste Alois Haydn sein. Dieser mysteriöse Typ, dem sie nie begegnet war, aber von dem Lucien wie besessen schien. Er musste dahinterstecken. Lucien hatte es ihr fast schon verraten. Es war unwahrscheinlich, dass Haydn davon wusste, dass Lucien ihr Nachrichten hatte zukommen lassen. Wie hätte er von der London Library wissen können oder sogar ihr System manipulieren? Trotzdem fürchtete Jen um ihr Leben. Panik erfasste sie.

Ihr war nicht nach Essen zumute, und als sie versuchte, sich einen Instantkaffee zu machen, zitterten ihre Hände dermaßen, dass sie die Milch auf der Arbeitsplatte verschüttete. Andauernd musste sie auf die Toilette. Ein halbes Dutzend Mal griff sie nach ihrem Telefon und rief Olivia an, doch immer unterbrach sie sie Leitung, sobald sie die Stimme der Mailbox hörte. Ein weiteres halbes Dutzend Mal war sie nahe daran, ihre Mutter anzurufen, aber da sie sich nicht vorstellen konnte, wie das dann stattfindende Gespräch verlaufen sollte, gab sie auch das auf.

Sie kehrte nach oben in ihr Schlafzimmer zurück, zog sich aus und stieg unter die Dusche.

Als sie tropfend wieder herauskam, sah sie eine dünne, mädchenhafte Gestalt mit kleinen Brüsten und kaum voll entwickelt, die ihr aus dem großen Spiegel entgegenblickte: das perfekte Bild eines Opfers. Genau in diesem Augenblick begann unten jemand, gegen ihre Tür zu hämmern. Ihr Herz raste.

»Nur weil du paranoid bist …«, murmelte sie. Sie ignorierte das Geklopfe und begann, rasch einen kleinen Koffer zu packen – Kleider, Laptop, Kabel und Waschbeutel. Sie zog sich wie für eine Reise an: Jeans, Stiefel, Zopfmuster-Pulli und eine dicke Wolljacke, dazu noch eine Pelzmütze. »Ein bisschen viel für September«, dachte sie bei sich, aber sie zitterte vor Kälte. Sie musste sich bewegen, hier rauskommen und normale Stimmen hören.

Sie schlich zu ihrem Schlafzimmerfenster und spähte auf die Straße hinunter. Ein stämmiger, osteuropäisch aussehender Mann mit Glatze und dunkler Sonnenbrille, den sie noch nie gesehen hatte, stand auf den Stufen vor ihrem Hauseingang. Sie sprang zurück, bevor er sie entdeckte. Leise nahm sie ihren Koffer und glitt die Treppe hinunter. Dort öffnete sie die Hintertür in der Küche, rannte durch den Garten und kletterte über den niedrigen Zaun aufs Nachbargrundstück. Von dort führte ein kleines Tor zu einem Pfad neben den Garagen und schließlich auf die nächste Straße. Mit gesenktem Kopf ging sie schnellen Schrittes zur Bushaltestelle. Sie meinte, hinter sich einen Schrei zu hören, zwang sich aber, einfach weiterzugehen und nicht loszurennen.

Gnädigerweise fuhr gerade ein Bus die Haltestelle an. Jen drängelte sich nach hinten durch, wo sie zwischen einem Russen, der telefonierte, und einer dicken Jamaikanerin mit einem zappeligen Kleinkind auf dem Schoß Platz fand. So wie es aussah, war ihr niemand gefolgt. Während der Bus sich langsam wieder in den Verkehr einfädelte, bemerkte sie, dass derselbe osteuropäisch aussehende Mann sie mit leerer Miene durch die Scheibe hindurch anstarrte.

Die nächste Stunde kam ihr vor wie etwas aus einem schlechten Kriminalroman, während sie von einer Buslinie zur nächsten wechselte, dann in die U-Bahn stieg und auch hier dreimal die Linie wechselte, bevor sie am Sloane Square ins helle Tageslicht zurückkehrte und sich auf den Weg zur Wohnung ihrer Mutter machte, die sich in einem trostlosen Mietshaus im edwardianischen Stil befand. Sie klingelte und ließ sich, als niemand reagierte, selbst hinein. Drinnen waren die Jalousien gegen die Sonne heruntergelassen. Ein kleiner Fernseher lief leise in einer Ecke, davor lag Jens Mutter kettenrauchend in einem gekippten Stuhl.

Myfanwy Davies-Jones' Abneigung gegen aufeinanderfolgende Regierungen – Blair, Brown, Cameron, Johnson und jetzt diese Bande – hatte sich zu einer Einefraukampagne gegen das »Nanny-Regime« entwickelt und äußerte sich in militantem Tabakkonsum. Die Romanautorin hatte beschlossen, die Regierung in einer Art Suffragetten-Protestaktion – oder zumindest hielt sie es dafür – zu Tode zu rauchen. Sie rauchte mit einer verbissenen, märtyrerhaften Anmutung. Dadurch wirkte sie im Allgemeinen wie eine Rosa Luxemburg oder La Pasionaria, allerdings mumifiziert und dann in einer Räucherfischfabrik eingesperrt.

Viel Platz nahmen Stapel von Ausschnitten aus den Wirtschaftsseiten der Tageszeitungen ein, die sie ordentlich auf den Teppich, den Tisch und die meisten verfügbaren Stühle verteilt hatte. Myfanwy hatte auf ihre alten Tage vieles versucht, um der Mühsal des Romaneschreibens zu entgehen. Sie hatte begonnen, Französisch, Deutsch, Spanisch und Russisch zu lernen. Sie war in einen Bridgeclub eingetreten. Doch für nichts davon hatte sie Talent.

Was ihr jedoch, wie sie festgestellt hatte, lag, waren Investments. Sie besaß ein natürliches Gespür für Zahlen, das seit ihrer Schulzeit geschlummert hatte. Jetzt bereitete es ihr Freude, die Anspielungen und Warnungen aus den komprimiertesten Briefings von Investmentfirmen oder Wirtschaftsredakteuren zu decodieren. Sie brachte den Mut zum Abenteuer auf, und vor allem den noch größeren Mut, wieder auszusteigen, während alle anderen sich noch hineinstürzten. So hatte sie einfach, indem sie rauchend in ihrem Sessel saß, eine erstaunliche Menge Geld gemacht. Auf ihre Weise war sie eher eine Dame von Welt und eine Frau ihrer Zeit als damals in den 1970ern.

Jennifer hatte erwartet, ihre Mutter würde auf ihre Furcht vor der Ermordung durch irgendwelche anonymen, von der Regierung gedungenen Schlägertypen eher skeptisch oder abschätzig reagieren, doch Myfanwy war erstaunlich aufgeschlossen.

»Mein Herzchen, du weißt, ich bin nicht jemand, der zu Gefühlsausbrüchen neigt, aber das ist definitiv das erste Mal, dass du hierherkommst, ohne mich furchtbar zu langweilen. Ich hatte schon befürchtet, das Leben würde an dir einfach so vorbeigehen. Da gab es kaum mal ein sexuelles Abenteuer, keinen einzigen wirklich peinlichen Fehltritt. Was hast du bloß die ganze Zeit gemacht?«

Kurz gesagt: Myfanwy hielt Jennifer nicht für hysterisch. Eine Regierung, die bereit war, die individuellen Freiheiten der Raucher mit Füßen zu treten und unbescholtene Investoren eines gewissen Alters zu bestehlen, der war alles zuzutrauen.

Myfanwy schloss die Augen und dachte an einen ihrer deftigen frühen Romane. »Das klingt nach schrecklich gefährlichen Kerlen. Falls sie dich kriegen, sorg dafür, dass sie dich nur ein kleines bisschen foltern, bevor sie dich umlegen. Wie aufregend.«

Dann wurde sie jedoch, taktvoll wie immer, auf einen Schlag aktiv – oder zumindest so aktiv, wie man es auf dem Rücken liegend, kettenrauchend und dabei fernsehend eben sein kann.

»Was wir brauchen, Liebchen, ist Hilfe von jemandem, der sich wirklich auskennt. Ich habe einen Freund, einen Schatz von einem Mann, der ratzfatz herkommen kann. Das tut er jedenfalls meistens ... Ich frage mich, was eigentlich ratzfatz ist? Aber wie auch immer, wenn du mir das in Leder gebundene Büchlein neben dem Telefon bringst, rufe ich ihn an.«

»Myfanwy« – Jen konnte sich nie überwinden, sie »Mutter« zu nennen, nicht einmal jetzt – »das ist eine nette Idee, aber ich möchte wirklich einfach nur hierbleiben und mich hinlegen.«

»Unfug. Du kannst dich doch nicht ewig hier bei mir verkriechen. Wir würden einander zu Tode langweilen. Wahrscheinlich würden wir uns schon in einer halben Stunde ankreischen. Abgesehen davon erwarte ich Besuch.« Eine Minute später rief die ältliche Agitatorin und Schriftstellerin Gregory Lime an, einen ehemaligen SIS-Offizier mit einer Schwäche für Literatur, der inzwischen für Professional Logistical Services tätig war. Er sagte, er sei in einer Besprechung, nahm ihren Anruf aber dennoch entgegen und hörte ihr aufmerksam zu.

»Was weiß sie? Oder besser: Was glaubt sie zu wissen?«, fragte er. Myfanwy erzählte es ihm. Er pfiff durch die Zähne.

»Ich komme gleich vorbei«, sagte er. »Ich habe hier nur noch ein paar Leute.« Damit legte er auf und wandte sich an Alois Haydn und Dame Cecily Morgan. »Sie werden nie erraten, was ich gerade gehört habe«, sagte er.

In Myfanwys Wohnung hatte die Autorin sich endlich

aus ihrer liegenden Position aufgerichtet und wühlte jetzt in einem Tornister, der neben der Wohnungstür hing. »Ich fürchte, ich kann dir nicht meine Pistole leihen, Herzchen. Sie ist quasi eine Antiquität und von sentimentalem Wert. Aber vielleicht ist dir das hier von Nutzen.« Sie drückte ihr einen schweren Schraubenschlüssel in die Hand.

»Jetzt troll dich. Und viel Glück.«

DIE JAGD IST ERÖFFNET

Trotz ihrer Angst begann Jennifer klarer zu denken. Nützlichen Rat oder sogar einen sicheren Ort in der Wohnung ihrer Mutter zu erwarten, war geradezu närrisch naiv gewesen. Wäre sie dort geblieben, stellte sie sich vor, hätte es nicht lange gedauert, bis eine Prozession älterer Herren in grellbunten Tweedjacken, mit grauen, schuppigen Haaren und Gesichtern, die sich schon lange dem Whisky und der Paranoia ergeben hatten, sich eingestellt hätte: uralte Majore a. D., ehemalige Spione, Besitzer von Fachbuchhandlungen. Wahrscheinlich hätten sie an die Tür gehämmert und gefährlich unpraktische Vorschläge dazu gemacht, was sie als Nächstes tun sollte.

Also nahm sie den Schraubenschlüssel willig in Empfang, küsste die gepuderte Wange ihrer Mutter und eilte die Treppen hinunter, zurück auf die Straße.

Hätte Jennifer gewusst, was sich früher an diesem Morgen in der Downing Street abgespielt hatte, wäre sie wahrscheinlich noch furchtsamer gewesen als ohnehin schon.

Nachdem sie sich der Leiche des Premierministers entledigt hatten, beschlossen Dawid und Borys, mit diesem ganzen Business nichts zu tun haben zu wollen. Dawid hatte mehr als genug Bauaufträge, mit denen er sich beschäftigen konnte; jetzt, wo die Iren alle Buchhalter geworden waren. Und Borys wollte sowieso nur nach Hause. Wichtiger war jedoch, dass den beiden ihr älterer Bruder nun durch und durch unheimlich war.

Aleksander war von Alois Haydn ins Büro des Premierministers geschickt worden. Dort sollte er sitzen und warten, bis er sich für Ronnie Ashe und Jason Latimer nützlich machen konnte.

»Er wird alles tun, was Sie möchten«, hatte Haydn ihnen versprochen. »Fragen Sie ihn einfach nur. Er ist absolut zuverlässig.« Der Fraktionschef und der Außenminister hatten fälschlicherweise angenommen, dass Aleksander für Professional Logistical Services arbeitete.

Als Mann, der Befehle wörtlich nahm, hatte Aleksander am Dienstagmorgen auf seinem Platz gesessen, als die Zeit für eine unvermeidliche Konfrontation mit dem schwierigsten der Privatsekretäre gekommen war. Er begleitete Latimer und Ashe in das Videokonferenzzimmer im Erdgeschoss. Dort standen um einen ovalen Tisch aus Walnussholz ein Dutzend Ledersessel. In denen nahmen die Chefs der Geheimdienste oder Militärs Platz, wann immer der PM mit dem Kontrollraum des Weißen Hauses, mit dem Élysée-Palast oder dem Kreml telefonierte. Hinter dem Sessel des Premierministers befanden sich eine britische Flagge und eine künstlerische Interpretation der Haustür von Number 10. Der riesige Flachbildschirm am anderen Ende des Tisches war der einzige Hinweis auf den Zweck dieses Raums. Vor allem war dieser Raum wie COBRA ein Faradayscher Käfig – kein elektrisches Signal welcher Art auch immer, außer der Haupttelefonverbindung, konnte darin eindringen oder es verlassen. Weder Handys noch elektronische Geräte funktionierten dort. Es gab also keine Möglichkeit, abzuhören, was darin vor sich ging.

»›Im Weltall hört dich keiner schreien‹«, zitierte Aleksander, als ihm das gesagt wurde.

Zur üblichen Zeit für Tee oder Kaffee am späten Vormittag fand sich Francis Fieldfare, der ranghöchste Privatsekretär, in besagtem Raum ein. Er platzte fast vor Misstrauen. Am Vorabend hatte er ein halbes Dutzend dringender Nachrichten, die eine Entscheidung erforderten, oben auf den Papieren in der roten Box des Premierministers hinterlassen, doch er hatte den PM weder gesehen noch von ihm gehört. Andere Premierminister waren seiner Erfahrung nach saumselig gewesen. Aber dieser hier achtete, wie David Cameron vor ihm, normalerweise peinlich genau darauf, die rote Box am Morgen als Erstes zu retournieren: jede Seite abgezeichnet, jede Entscheidung gefällt und dazu noch handschriftliche Notizen als Erklärungen, die später in Statements und Reden eingearbeitet würden. Aber dieser Fluss war plötzlich versiegt. Dabei war in Downing Street Schreibarbeit lebenswichtig. Ihr Fehlen war zutiefst beunruhigend. Fieldfare glaubte nicht ein Wort, das ihm der Fraktionsführer zuvor von einer mysteriösen Bankenkrise erzählt hatte.

Obwohl er erst Mitte dreißig war, genoss Francis Fieldfare bereits einen quasi legendären Ruf innerhalb der Beamtenschaft. Er war es, der sich darum kümmerte, was der Premierminister lesen würde, wen er traf und wo er hinging – genau genommen bestimmte er seinen Alltag. Amanda Andrews hatte schon früher vorgeschlagen, ihn in die Verschwörung einzuweihen, aber die anderen hatten das einfach zu gefährlich gefunden. Fieldfare war berüchtigt – sowohl für seine unbeherrschten Ausbrüche als auch für sein rigoroses Pflichtbewusstsein. Er hielt

Number 10 Downing Street für sein Privatrevier – selbst Don Hammond war zurückgezuckt, bevor er versucht hatte, Fieldfare davon abzuhalten, das Büro des PM zu betreten. Und er war besonders gefährlich, weil er alle Passiercodes kannte und ihn nichts daran hindern konnte, die Privatwohnung oben zu betreten und alles zu entdecken.

Als er Latimer und Ashe in dem Videokonferenzraum zur Rede stellte, hatten die beiden das Gefühl, über keine andere Option als die Wahrheit zu verfügen. Fieldfare saß unbeweglich da, wie starr vor Ekel, während Ashe verlegen seine Erklärung nuschelte.

»Die Sache ist die, Francis, hier geht es um viel mehr als das Referendum, wissen Sie. Das ganze Vermächtnis des PM steht auf dem Spiel. Und der Wohlstand des Landes. Sein Wohlstand, Francis. Die FTSE wird einen Crash erleben, wenn wir die EU verlassen. Einen Crash. Viele britische Firmen werden den Bach runtergehen. Den Bach runter. Dann kannst du dich auch von deiner Pension verabschieden. Tschüs. Das ist eine grässliche Situation. Grässlich. Und extreme Gefahr rechtfertigt extreme Mittel.«

Fieldfare legte seine Hände flach auf den Tisch, nahm die Schultern zurück und wirkte höchst aufmerksam. »Falls Sie den König über diesen schändlichen Plan nicht informiert haben – was ich bezweifle –, bin ich der festen Überzeugung, dass Sie hier gerade Verrat begehen. Ich bin kein juristischer Experte, daher kann ich Ihnen nicht aus dem Stand sagen, ob es Hochverrat oder nur ganz gewöhnlicher Verrat ist. Aber in jedem Fall ist es vollkommen inakzeptabel. Ihr solltet euch verdammt noch mal schämen.«

Er erhob sich. »Ich kann mich hier nicht hinstellen und Ihnen versprechen, dass ich meinen Mund halten werde.

Es ist schon eine Weile her, dass wir in Westminster Hall die Anklage eines Ministers wegen Amtsmissbrauch hatten, aber ehrlich gesagt wollen Sie es ja nicht anders. Sie können also auf mich zählen.«

Francis Fieldfare war ein ehrenwerter und leidenschaftlicher Mann. In seinem förmlichen Anzug und mit dem roten, verkniffenen Seglergesicht wirkte er viel älter als seine fünfunddreißig Jahre. In Downing Street genoss er die Autorität seiner persönlichen Integrität. Sogar Jason Latimer, Inhaber eines der wichtigsten Staatsämter und ein Vierteljahrhundert älter, zitterte ein wenig.

Doch da erhob sich Aleksander langsam von seinem Stuhl neben der Tür. Er dachte sich, deshalb sei er ja schließlich da.

»Möchten Sie, dass ich behilflich bin, Mr Ashe?«, fragte er.

Ronnie zuckte mit den Schultern.

Mehr brauchte es nicht. Mit schockierender Geschwindigkeit und Energie machte Aleksander einen Satz nach vorn, packte den Hals des Privatsekretärs, riss seinen Kopf nach hinten und presste seine freie Hand auf Fieldfares Mund und Nasenlöcher. Das machte er eindeutig nicht zum ersten Mal. Fieldfare trat um sich und verlor das Gleichgewicht, sodass Aleksander ihn in die Höhe hob. Würgend fuchtelte er mit den Armen und versuchte, Aleksander zu fassen zu kriegen. Sein Gesicht lief dunkelrot an. An einem Hosenbein zeichnete sich ein dunkler Streifen ab.

»Du wirst deinen Mund halten«, sagte Aleksander und brach ihm das Genick. »Außerdem hört dich hier drin sowieso keiner.«

Latimer und Ashe starrten einander wortlos an. Es gab dazu auch nichts zu sagen. Extreme Mittel. Einer fühlte sich dem anderen sehr nahe.

Aber nun war eine zweite Leiche zu beseitigen. Angeführt von Latimer, zog Aleksander Fieldfare über den Flur, vorbei an dem Zimmer, in dem diejenigen saßen, die Churchill »garden room girls« getauft hatte. Das waren diese unerlässlichen Damen, die die Briefe, E-Mails, Berichte, Anfragen und Absagen des Premierministers tippten (und manchmal auch verfassten), die ihn auf Reisen mit frischen Informationen, sauberer Kleidung, inklusive der schwarzen Krawatte für schlechte Neuigkeiten, und allem anderen Nötigen versorgten. Als Fieldfares Hacken an der geschlossenen Tür vorbeirumpelten, klapperte dahinter keine Tastatur. Die »garden room girls« hatten, auch wenn die Verschwörer davon nichts wussten, schon vermutet, dass der Premierminister tot war. Doch sie waren absolut loyal, und außerdem hätten sie niemanden gehabt, dem sie es erzählen konnten.

Es war zu gefährlich, Fieldfare am helllichten Vormittag durch den Garten zu schleppen. So schloss auf Anordnung des Fraktionschefs Don Hammond die Gewölbe auf und kehrte mit einer Schubkarre und einer Plane von dort zurück. Aleksander packte Fieldfare darin ein und rollte ihn in eines der Gewölbe, wo er ihn unter einem Bogen aus gekalkten Ziegeln deponierte.

Der Außenminister erzählte dem Personal im Privatbüro des Premierministers, dass Fieldfare zugestimmt habe, sich persönlich um die Finanzkrise zu kümmern und jetzt mit dem PM oben in dessen Wohnung arbeite. Er wusste, dass sie das nicht für lange ruhigstellen würde, aber vorläufig musste es so gehen. Und irgendwie passte es sogar, dass Fieldfare, der eine Art menschlicher Schaltkasten direkt im Herzen der modernen britischen Macht gewesen war, eine Verbindung zwischen der Monarchie und dem Parlament, und der Whitehall tatsächlich als seine geistige

Heimat empfunden hatte, nun am Ende wirklich unter Number 10 Downing Street geendet war. Seine nächste Ruhestätte sollte allerdings bei weitem größer sein.

RÜHREI IM WOLSELEY

Aleksander war von der Downing Street direkt zum Brunch mit seinem ehemaligen Geheimdienstchef Oberst Jerzy Babiński ins Wolseley gegangen – den Treffpunkt hatte der Oberst ausgesucht. Sie zogen neugierige Blicke auf sich, während sie ihr Rührei aßen: der geschniegelte und gut gelaunte Mann mittleren Alters in englischem Blazer und gestreifter Krawatte, mit von Alfie bei Trumper pomadisiertem Haar und frisch rasierten Wangen, und daneben der ungepflegte alte Schläger mit rotem Gesicht, riesiger Nase und fleischigen Pranken in einer übel verfleckten Lederjacke. Sie sprachen vertraulich miteinander, als alte Freunde.

»Aleksander, du warst schon immer ein starker Mann. Ich mochte dich. Deshalb habe ich letztes Jahr zu Weihnachten Mr Haydn von dir erzählt. Was auch immer du jetzt tust, halte dich an ihn und stell ihn zufrieden. Er ist ein sehr wichtiger Mann, sowohl bei uns zu Hause als auch hier in London. Was auch immer geschieht, er wird immer auf die Füße fallen. Sollte also irgendetwas, das er von dir verlangt, dich unglücklich machen, erinnere dich an meine Worte. Dir wird absolut nichts passieren.«

Aleksander, den Mund voll mit Toast und Ei, ließ sich mit einer Antwort etwas Zeit. Als er sich schließlich äußerte, klang er ärgerlich.

»Was machen wir hier eigentlich, wir alle? Wir pflegen sie, wenn sie krank sind, wischen ihnen den Arsch ab, wenn sie alt sind, halten ihre Häuser sauber, ihre Gärten in Ordnung und passen auf ihre Kinder auf. Sie bauen hier gar nichts mehr, und wenn doch, dann tun wir es. Wir putzen ihre Zähne, backen ihr Brot und schaffen ihren Müll weg. Wir machen alles, was sie nicht mehr selbst machen können. Das ist doch nur eine weitere polnische Dienstleistungsindustrie, was, Babiński?«

Der Oberst zuckte mit den Schultern und wischte sich die Krümel vom Mund und von der Hose. Er verlangte nach der Rechnung, als Aleksanders Telefon vibrierte. Er schaute darauf. »Das ist eine Nachricht für Sie«, sagte er überrascht zu Babiński. Die SMS stammte von Alois Haydn, der wusste, dass der polnische Chefspion zu unterscheiden verstand und gebildet war. Die Nachricht lautete einfach: »LL wie besprochen. Piers Brendon, Dark Valley.« Der Oberst wandte sich an Aleksander.

»Es hat schon begonnen. Ich denke, ich werde jetzt ihre Anweisungen bekommen. Folgen Sie mir, wir sind nur fünf Minuten von dort entfernt.«

Auf dem Weg zum St James's Square benutzten die beiden Männer unterschiedliche Straßenseiten – ein Überbleibsel der alten Arbeitsmethoden –, um zu vermeiden, dass man sie zusammen fotografierte. Babiński betrat die Bibliothek über den Hintereingang, machte sich mit dem Computersystem vertraut und fand rasch zu den Regalen mit den geschichtlichen Themen.

Wie erwartet fand sich in dem uninteressanten Band, den Haydn ausgesucht hatte, eine bedruckte Karte. Babiński nahm sie heraus. Darauf stand: »Alex. Kriegen Sie das Mädchen. Sie ist wahrscheinlich auf dem Weg zu ihrer Gebieterin. Sie dürfen sich *nicht* treffen. Schaffen Sie sie aus dem Weg. Schnell. Geld am üblichen Ort im neuen Haus. Ich werde Sie dort treffen. Machen Sie das hier gut.«

Babiński schob die Karte und ein kleines Foto einer jungen Frau, die in einen Bus stieg, in seine Tasche, ging mit flottem Schritt wieder hinaus und gab Aleksander beides. Der fragte: »Benutzt niemand in diesem lächerlichen Land E-Mails?«

»Anscheinend nicht«, sagte Babiński und umarmte und küsste ihn auf beide Wangen, bevor er davonging, um zu arbeiten.

Aleksander kehrte in seine Wohnung zurück. Er wusste, sein Jagdgewehr wäre zu groß, um in die Gepäcktasche an seinem Motorrad zu passen, also besuchte er unterwegs noch einen Baumarkt und kaufte sich eine kleine Eisensäge. Zu Hause sägte er die Flinte auf eine Länge, wie man sie aus amerikanischen Gangsterfilmen kannte. Sie würde einen Kopf in Stücke zerfetzen. Er lud sie und füllte gerade die Taschen seiner Lederjacke mit zusätzlicher Munition, als er einen Anruf von Haydn erhielt. Sie hätten Glück. Dank des Anrufs der Mutter des Mädchens bei Gregory Lime von PLS wusste Haydn ganz genau, wo es sich befand, und beorderte Aleksander zu Myfanwys Wohnung in West London. Er war nur eine halbe Stunde hinter ihr.

Jennifer hatte nur eines im Sinn – so schnell wie möglich zu Olivia Kite zu gelangen. Bei der Vorstellung, in einem langsamen, leeren Zug in der Wildnis von Essex zu sitzen, graute ihr, aber sie besaß kein Auto. Da fiel ihr ein, dass der liebestolle Ned Parminter ihr einmal von seinem ganzen Stolz erzählt hatte, einem Mercedes Oldtimer, wenn sie sich nicht irrte. Sie hatte keine Ahnung von Autos, aber sie erinnerte sich, dass der Wagen in Mayfair stand. Sie rief ihn im Gehen an. Hätte sie gewusst, wie dicht Aleksander ihr auf den Fersen war, wäre sie möglicherweise gerannt.

Aleksander hatte Haydn sofort berichtet, dass er die Wohnung der Schriftstellerin leer vorgefunden hatte, seine Beute verschwunden. Sein neuer Befehl lautete: »Dann finden Sie die alte Dame. Sie wird wissen, wo das Mädchen hin ist.«

Myfanwy hatte ihre Vereinbarung mit Gregory Lime sofort vergessen und war, bald nachdem ihre Tochter gegangen war, zu ihrer üblichen Stunde in eine nahe gelegene Turnhalle aufgebrochen. Dort bot ihr ein »Herbstclub« für ältere Menschen aus dem Viertel, die einen gefährlichen Sturz hinter sich hatten oder auch nur wankten, weil sie sich vor einem solchen fürchteten, stets zuverlässiges Amüsement. Eine Jogginghose und Turnschuhe in Orange und Silber schauten seltsam unter ihrem Liberty-Kleid mit Fransen hervor, als sie ihren Platz in einem großen Kreis alter Leute einnahm, der wirkte, als habe man für einen Country-Dance Aufstellung genommen. Viele stützten sich auf Rollatoren oder einen Stock. Dazwischen verteilt war eine kleine Armee weiß uniformierter Physiotherapeuten zur Unterstützung bei Rückenschmerzen oder wackeligen Knien.

Ein Summen von vorbereitender Konversation erfüllte den Raum: »Es tut mir so leid.« – »Ich entschuldige mich dafür.« – »Es tut mir schrecklich leid, fast wäre ich gefallen …« – »Ich bin wirklich froh, wissen Sie, ich bin so froh, ich schätze mich einfach glücklich …« Diese Relikte der Kriegsgeneration begrüßten die Unwürdigkeiten und Schmerzen des Alters mit Durchhaltefröhlichkeit und gelächelten Entschuldigungen für ihre Gebrechlichkeit. Sie warteten geduldig und lauschten alten Elvis-Songs und stampften mit ihren schwachen Füßen, wenn man es ihnen auftrug. Demütig nahmen sie die Anweisungen der athletischen jungen Rumänen oder Südafrikaner entgegen, die hier Dienst schoben. Es gab nichts, was sie stattdessen hätten tun können. Früh genug würden ihre Kinder und danach ihre Enkelkinder in dieses Niemandsland der kleinen Demütigungen und frühmorgendlichen Schmerzen geraten.

Myfanwy war wie stets unbeeindruckt. »Diese ganze Höflichkeit«, murmelte sie zu sich selbst. »All diese Entschuldigungen und diese unterwürfige galiläische Nettigkeit. Wie konnten diese erbärmlichen Leute jemals ein Empire errichten?«

Sie hatte ein bisschen lauter gesprochen, als ihr bewusst gewesen war. Und noch nicht alle um sie herum waren stocktaub.

Ein Mann in Cordhosen in der Farbe zermatschter Erdbeeren und einem adretten weißen Hemd mit silbernem Halstuch lächelte ihr zu. »Sorry, sorry, sorry. Aber, meine liebe Dame, ich denke, Ihr Geschichtsverständnis ist ein wenig fehlerhaft. Wir sind doch diejenigen, die das Empire verloren haben. Aber damit sind wir ganz zufrieden, nicht wahr? Ist doch eine verdammt nutzlose Sache, so ein Empire.«

Eine Großmutter mit Apfelbäckchen fügte hinzu, sie interessiere sich nicht für Politik, aber ihrer Ansicht nach würde in Großbritannien nicht mehr gearbeitet. Mit Ausnahme derer »aus dem Osten«.

Myfanwy brummte missbilligend, ergriff die ausgestreckte Hand des Mannes und vollführte einige halbherzige Kniebeugen. Bei der dritten hatte sie jedoch auf einmal das Gefühl, ihr linkes Bein verwandle sich in Pudding, und wäre fast auf die erdbeerfarbene Cordhose gestürzt.

»Hach … tut mir leid«, keuchte sie und klammerte sich an ihn.

»Ich halte Sie«, sagte er anzüglich.

Da ertönte ein Fetzen Vivaldi aus Myfanwys Tasche. Ihr Handy klingelte. Das war der gute alte Gregory Lime, der sich fragte, wohin um alles in der Welt sie verschwunden sei. Sie entschuldigte sich eilig und sagte es ihm.

Zehn Minuten später stand ein grob aussehender Mann in Lederjacke am Rand der Turngruppe. Er war eindeutig weder ein gebrechlicher Schützling noch ein fitter, wohlmeinender Therapeut.

»Sie sollten lieber Ihre Jacke ausziehen«, sagte der Rotbehoste. »Es ist ein bisschen warm hier drin. Möchten Sie vielleicht eine Tasse Tee?«

Aleksander ignorierte ihn.

»Sind Sie Mrs Davies-Jones?«

»Und Sie sind?«

»Gregory Lime schickt mich. Er sagt, es tut ihm leid, dass er Sie in Ihrer Wohnung nicht angetroffen hat.«

»Sie sehen nicht aus wie einer von Gregorys Freunden.«

»Lady, das bin ich auch nicht. Ich arbeite für Mr Lime und die anderen.«

»Die anderen? Reggie? Ally? Rupert? Hugo?«

»Ja, natürlich. Und auch für Mr Haydn.«

Myfanwy erstarrte. Das gehörte nicht zum Drehbuch. Konnte sich Gregory tatsächlich mit einem Scheißkerl wie Alois Haydn eingelassen haben? Sie hatte das mit Jennifer auf die leichte Schulter genommen, aber anscheinend fürchtete sich die arme kleine Maus zu Recht. Myfanwy streckte sanft den Arm aus und berührte Aleksanders schwielige Hand.

»Sie ist doch nicht wirklich in Gefahr, oder? Sie hat mir erzählt, dass sie in irgendwelchen Schwierigkeiten steckt, aber wissen Sie, sie war immer ein ziemlich langweiliges, schüchternes Mädchen. Ich vermute, Sie werden sie foltern müssen.«

Aleksander stöhnte innerlich. Die alte Frau war offensichtlich dement. Er wollte schon aufgeben, als Myfanwy das Kinn reckte und ihn böse anfunkelte.

»Sie sind hier in der falschen Liga, Sportsfreund. Meine Tochter arbeitet für Olivia Kite, die mindestens zweitmächtigste Politikerin in diesem Land. Sollten Sie sich auch nur in die Nähe ihres Anwesens wagen, um Jennifer zu fassen zu kriegen, dann werden sie mal erleben, was Schutz in diesem Land wirklich bedeutet. Und jetzt sehen Sie zu, dass Sie Land gewinnen, junger Mann.«

Aleksander, den schon seit mindestens zwanzig Jahren keiner mehr »jung« genannt hatte, grinste. Natürlich, das war's. Das Mädchen würde nach Essex fahren, um sich bei seiner Mrs Kite zu verstecken. Er würde ihr dorthin folgen. Mr Haydn war, wie er wusste, ein Freund von Mrs Kite. Er würde schon wissen, was zu tun war.

In diesem Moment kam eine große Frau in weißer Tunika, mit dem Gesicht eines Möbelpackers und der Frisur von Doris Day, herübermarschiert, um den Eindringling zur Rede zu stellen.

»Dies sind Räumlichkeiten des National Health Service!«, blaffte sie. »Woher kommen Sie und was wollen Sie?«

»Lady, ich komme aus Polen«, sagte Aleksander, »und ich habe bereits bekommen, was ich wollte.« Er richtete sich zu seiner vollen Größe auf und ging so würdevoll, wie es ihm eben gelang, zur Tür zurück, durch die er hereingekommen war.

»Ich mag all diese Ausländer«, sagte eine nette alte Dame zu seinem sich zurückziehenden Rücken. »Ich hoffe, wir haben Ihnen keine Schwierigkeiten bereitet, nicht wahr?«

Draußen auf der Straße schwang sich Aleksander auf sein Motorrad, tastete in der Packtasche hinter ihm nach dem Gewehr und rückte seine Eier zurecht, bevor er die Maschine startete und röhrend losfuhr.

ON THE ROAD

Ned Parminter war verliebt. Er vermutete, dass es das war, weil es sich wie Verdauungsbeschwerden anfühlte – um ehrlich zu sein, wie das Reizdarmsyndrom –, aber im positiven Sinne. Als Jen ihn anrief, verspürte er eine seltsame Kälte in den Füßen, in seinem Inneren verspürte er einen regelrechten Tumult, und seine Hände wurden feucht. Als sie sich dann begegneten und er sich herabbeugte, um sie zu küssen, erhoben sich bunte Vögel vom Londoner Straßenpflaster und vollführten Flugkunststücke, während aus den vorbeifahrenden Taxis Fetzen von Elgar zu hören waren.

Seit Tagen war er ihr näher gekommen, leichtfüßig und nervös, wie eine Katze, die sich an eine Taube heranpirscht. Jen, die gemerkt hatte, wie er sich krümmte und zitterte, war erleichtert, als sie am Weg einen teuren Lebensmittelladen aufsuchten, um etwas zu essen zu kaufen. Sie war am Verhungern.

Sie aßen im Gehen. Ned schlang Sandwiches in sich hinein, während Jens kleine rosa Zunge von ihrem Sushi kostete. Eine Mischung aus Soße und Saft lief ihr übers Kinn. Sie erlaubte ihm, sich zu ihr zu beugen und es wegzuwischen, und sie kommentierte es nicht, als er sich anschließend den Finger ableckte. Als Nachtisch hatte Ned sich ein portugiesisches Cremetörtchen aufgehoben. Er biss die Hälfte davon ab. Die gelbe Glibbercreme und Brösel hingen in seinem Bart. Unvermittelt schob er Jen die andere Hälfte direkt in den Mund, sodass sie fast hinfiel. Dann küsste er sie heftig und drückte dabei sein ganzes Gesicht auf ihres. Zum zweiten Mal an diesem Tag stieß sie ihn nicht zurück.

Passanten sahen ein seltsames Paar: Jennifer ging mit ihren langen roten Haaren und dem blassen, spitzen Gesicht noch als Achtzehnjährige durch; Ned dagegen mit seinem schwarzen Bart und dem Sportsakko hätte man auch für vierzig halten können. Während sie einander umklammerten, als müssten sie sich in einem heftigen Sturm Halt geben, stellte Jennifer fest, dass sie ein seltsames Beschützergefühl für diesen schlaksigen, klugen, nervösen Mann empfand. Er hatte sich fast überschlagen, als sie ihn bat, sie in seinem Mercedes aus London hinauszufahren. Die Überlegung, Olivia anzurufen, hatte sie verworfen. Von Lucien McBryde hatte sie gelernt, dass man Telefonate anzapfen und Telefone orten kann. Außerdem wäre sie im direkten Gespräch glaubwürdiger.

Ned besaß übrigens keinen Mercedes. Schon aus Prinzip nicht. Er hasste die Allgegenwart dieser Marke, ihre plumpe Hässlichkeit und die Leute, die sie fuhren. Er war stattdessen stolzer Besitzer eines Bristol. Und nicht nur irgendeines Bristol, sondern eines Zwei-Liter 402 Drophead Cabriolet. Ein so prachtvolles Stück und etwa so hübsches Symbol vergangener britischer Werte wie eine Mark II Spitfire oder Horatio Nelsons blutbefleckte Uniformjacke.

Neds Mutter war in jenem Jahr verstorben, als er mit seiner Doktorarbeit begonnen hatte. Er hatte ihre Wohnung an der Südküste verkauft und einen beträchtlichen Teil des Erlöses für den Bristol ausgegeben. Viel von dem übrigen Geld ging dafür drauf, ihn warm und sicher in einer abgeschlossenen Garage in Mayfair stehen zu haben, geschützt gegen den Regen Oxfords und vor irgendwelchen jugendlichen Vandalen. Wenn er es recht bedachte, hatte der Wagen ein wärmeres und nobleres Quartier und war auch im Unterhalt teurer, als es seine Mutter je gewesen war.

Sein vorheriges Auto, ein Jason Cowley, war poliert, blechern und laut gewesen. Doch dieses solide und grau schimmernde Gefährt hatte die Fingerabdrücke der Bristol Aeroplane Company praktisch auf all seinen würdevollen Kurven. Und es brummte. Manchmal knurrte es auch. Innen roch es nach Holz, Leder und Motoröl. Hier drin, so hatte er es sich ausgemalt, würde er Jen auf dem Rücksitz zum Liegen bringen, ihre schlanken weißen Schenkel öffnen und wie der britische Afrikaforscher Mungo Park eine Welt voller duftender Geheimnisse erkunden. Er hatte sich auch überlegt, sie in der Garage zu entkleiden und dann auf einem Haufen von Lumpen zu nehmen; oder nach einem ausgelassenen Picknick auf dem Land, während der schimmernde Bristol am Rand einer sonnigen Wiese wartete.

Ned verwendete das Auto nur selten und genoss jede einzelne Gelegenheit. Er fuhr nicht, sondern er reiste. Jede Ausfahrt plante er sorgsam mit Hilfe eines RAC-Atlas von 1939, um malerische, wenig befahrene Strecken zwischen unbekannten Landstädtchen zu finden. Oft verfuhr er sich in Grafschaften, die inzwischen von Autobahnen durchschnitten wurden. Doch das war in seinen Augen eben der Preis für den Unterschied zwischen Reisen und dem bloßen Fahren von A nach B.

Offen gestanden bestand bereits die Gefahr, dass Neds Automobilnostalgie zur Manie wurde. Sie manifestierte sich in einem geflochtenen Picknickkorb mit schwerem Edelstahlbesteck, Porzellantellern, selbstgemachten Sandwiches und einer Thermoskanne mit Schottenkaro, in die er heißen, starken, gesüßten Tee füllte. Er wollte nicht nur keinen Mercedes, sondern er wollte auch mit Sicherheit nicht, dass Großbritannien in der Europäischen Union blieb. Er und Jen teilten also gewisse Werte. Und er hoffte, dass sie bald noch mehr teilen würden.

Die Vorstellung, sie aus namenloser Gefahr sicher aus London hinaus und zu Olivia Kites Landsitz zu bringen, fühlte sich für ihn ganz nach Bulldog Drummond, dem militärgestählten Gentleman-Detektiv, an: Die lange Schnauze des Bristol auf belaubten kleinen Straßen, neben sich das schweigende Mädchen mit dem um den Kopf geschlungenen Tuch, während namenlose deutsche Flieger sie zwischen dahinjagenden Wolken verfolgten. Er konnte das alles vor sich sehen. Er war ein zweiter Kenneth More.

Und dazu noch das Ziel ihrer Reise – Danskin! Als Historiker kannte Ned Danskin House schon lange. Er hatte im Grundstudium einmal eine Arbeit über Sir Stuart »Blackie« Mountstewart, seinen ursprünglichen Erbauer, geschrieben, der sein Vermögen auf den gebleichten Knochen afrikanischer Sklaven auf seinen jamaikanischen Zuckerrohrplantagen machte; er stillte die englische Gier nach Süßigkeiten, bevor er sich einen Sitz im House of Lords und beträchtlichen Einfluss im Navy Office erkaufte, das er ausbluten ließ. Auf diese Weise hatte er nicht geringen Anteil an einigen Jahren unerwarteter französischer Erfolge auf hoher See. Weil ihm ein Amtsenthebungsverfahren drohte und er allgemein verdächtigt wurde, den Sohn des damaligen Premierministers vergewaltigt zu haben, war Blackie aus London ins ferne Danskin geflohen und dort mit tadellosem Timing religiös geworden.

Ned hatte eine Menge Lyrikanthologien gelesen. Wilmot Mercers »Ode to Danskin House« feierte ein Anwesen, das so nobel wie sündhaft war.

Und nicht zuletzt hatte Ned es genossen, sich Lord Brisketts Geschichten von seinen Besuchen in Danskin House in jüngerer Zeit anzuhören, als es noch im Besitz von Sir Rufus Panzer gewesen war, von dem wiederum Olivia Kites Vater es gekauft hatte. Während der Thatcher-Jahre hatte Panzer dort rechtsgerichtete streitbare Politiker, Journalisten und Wissenschaftler zu langen Abendessen geladen.

Briskett hatte sich erinnert, dass eine von Panzers Lieblingsfinten darin bestand, Gäste, die zum ersten Mal in Danskin House waren, nach oben auf den Hauptturm einzuladen. Dort stach eine der architektonischen Besonderheiten hervor. Eine frei stehende Ziegelmauer verlief etwa achtzehn Meter vom Hauptgebäude. Vermutlich war sie ursprünglich für eine geplante Erweiterung des Turms gebaut worden, die man sich dann doch nicht hatte leisten können. Nun ragte sie unheimlich auf, und fiel zu beiden Seiten steil ab. Oben führte ein schmaler Pfad auf den Ziegeln entlang, die jedoch mit Moos und Gras glitschig bewachsen waren. Wer einen guten Gleichgewichtssinn und Nerven wie Drahtseile besaß, konnte ihn beschreiten.

Panzer pflegte, mit einer Flasche Saint-Émilion intus, die Hände in die Taschen zu stecken und bis ganz ans Ende der Mauer zu spazieren. Lässig schaute er von oben auf die Gänse im Teich, bevor er auf dem Absatz kehrtmachte und langsam zurückbalancierte. Dann wandte er sich mit echsenhaftem Grinsen an seinen Gast.

»Lustige Sache. Windige Gesellen mögen diese Übung meist nicht. Dabei ist die Aussicht so hübsch. Margaret war einmal hier. Sie hat es nach ein paar Whiskys und mit hohen Absätzen gemacht. Lust auf einen Spaziergang, alter Knabe?«

Der Staatssekretär, Kommentator des *Daily Telegraph* oder Historiker aus Oxford fühlte sich dann gezwungen, tief Luft zu holen und loszumarschieren, wobei er ernsthaft einen Genickbruch riskierte. Wenn sein Gast dann taumelte und schwitzte, wartete Rufus, bis er den am weitesten entfernten Punkt erreicht hatte, wo die Ziegel besonders rutschig, bröckelig und halsbrecherisch waren, bevor er die Geschichte eines früheren Besuchers erzählte: irgendein Hinterbänkler, »den wir verloren haben, armer Kerl. Ist in Panik geraten. Ein Schisser. Auf der falschen Seite runtergegangen«. Denn an einer Seite der Mauer wuchsen Rhododendronbüsche, die einen gebremst, ernsthafte Verletzungen aber wohl auch nicht verhindert hätten. Auf der anderen Seite jedoch gab es nur die nackte Erde und eine Reihe Gitter mit Eisenspitzen parallel zur Mauer, nur ein paar Schritte von ihrem Fuß entfernt. Sie sollten Jungs aus der Umgebung davon abhalten, auf die Mauer zu klettern, von oben wirkten sie jedoch, als seien sie zum Verstümmeln und Pfählen gedacht.

Diejenigen, die diese Tortur tapfer durchstanden, wurden für den Rest ihres Aufenthalts üppigst bewirtet und bestens unterhalten, denn Sir Rufus verstand sich darauf, ein geradezu genialer Gastgeber zu sein. Allerdings graute ihm vor »Langweilern«, und in diese Kategorie fielen für ihn auch Angsthasen. Die Geschichte von der Mauer, die auf den Fluren von Westminster rasch die Runde machte, sorgte dafür, dass diejenigen, die seine Einladung annahmen, meist Frauen und Männer von seinem Schlag waren.

Nachdem er diese Geschichte von dem sorglosen Mauerspaziergänger Briskett gehört hatte, fragte Ned sich, ob er selbst in der Lage wäre, diese Mutprobe abzulegen. Er hoffte, es nie herauszufinden – zumal Sir Rufus sich inzwischen unter der Erde befand, und zwar, wenn sein Ruf nur halbwegs der Realität entsprach, an einem deutlich dunkleren und heißeren Ort.

Aber dennoch konnte Ned sich alles in allem keinen Ort vorstellen, den er lieber besucht hätte als Danskin House, das inzwischen zur Rebellenhochburg der patriotischen Auflehnung avanciert war. Wo, wenn nicht hier, sollte er die Hand von Jennifer Lewis, der ergebenen Dienerin der Anführerin dieser Bewegung, gewinnen?

Während sie von Piccadilly aus nach Norden liefen, wo sein Wagen eingestellt war (dieses Auto parkte nicht einfach irgendwo), kleidete Ned Jen in seiner Vorstellung neu ein: in einen hellbraunen Mantel, lederne Autofahrerhandschuhe und ein bunt bedrucktes Seidentuch. Er nahm eine Sonnenbrille aus seiner Jackentasche und setzte sie auf. Das hatte den gewünschten Effekt, die ganze Welt in Sepiatöne zu tauchen, auch wenn zusammen mit dem Bart nun nur noch sehr wenig von seinem Gesicht zu sehen war.

Eine Stunde später steckten sie im fast stehenden Verkehr, der die Hauptstadt in östlicher Richtung verließ. Es lagen noch einige Meilen auf den verstopften Straßen von East London vor ihnen, doch das störte Ned nicht. Er hatte sich Jens atemlose Erklärung dessen, was wahrscheinlich in Downing Street vor sich ging, angehört und war gespannt.

Briskett würde ihm natürlich nie verzeihen, dass er die Geschichte als Erster gehört hatte. Das konnte problematisch werden, denn Ned brauchte seine Fürsprache, wenn er sich selbst um eine richtige Dozentenstelle bewarb. Aber was für eine Story! Ned erkannte sofort, dass sie leicht dafür sorgen konnte, das Ergebnis des Referendums zu ändern und damit das Schicksal des Landes – vielleicht sogar das ganz Europas. Jen hatte ganz recht damit, sofort Olivia aufzusuchen. Sie würde wissen, wie man sie nutzen musste, damit sie die tödlichste Wirkung entfaltete. Daher war diese Ausfahrt in ihrer eigenen kleinen Dimension historisch. Eines Tages würde ein Fernseh- oder Filmproduzent herumtelefonieren, um einen Bristol wie seinen aufzutreiben, mit dem man genau diese Fahrt nachstellen konnte.

Ned Parminter war ein Mann der Ehre mit Skrupeln. Als sie eine Tankstelle ansteuerten, um zu tanken, befahl ihm daher sein Gewissen, Lord Briskett anzurufen und ihn ins Bild zu setzen. Sein Timing hätte nicht besser und es hätte nicht schlechter sein können.

»Chef?«

»Ned! *Enfin*! Ich habe mir schon Sorgen um Sie gemacht. Es gibt einige Dinge, die ich mit Ihnen besprechen muss. Verdachtsmomente …«

»Die können Sie vergessen. Ich bin mit Jen unterwegs. Erinnern Sie sich daran, dass sie mal mit diesem Journalisten Lucien McBryde zusammen gewesen ist?«

»Hmm. Vielleicht. Ziemlich lebenslustiger Bursche …?«

»Ja, aber vor allem gut vernetzt mit allen möglichen Leuten. Und jemand hat's ihm erzählt – jetzt ist Jen sich ziemlich sicher, dass man ihn umgebracht hat, aber kurz vor seinem Verschwinden hat er's Jen erzählt –, und jetzt hat sie's mir erzählt. Verstehen Sie …«

»Was denn erzählt? Sie klingen ja ziemlich außer sich, Ned.«

»Dass der PM tot ist. Den Löffel abgegeben hat. Herzanfall. Aber sie verheimlichen es. Wollen es bis nach dem Referendum vertuschen …«

»Du meine Güte! Wer verheimlicht es, Ned? Hast du das von der stillen Post?«

»Nicht ganz. Aber ich schätze, alle stecken unter einer Decke. Downing Street. Amanda.«

»Launische Person! Aber was für eine Geschichte, Ned ...«

Im Speisezimmer von Number 11 drückte der PLS-Mitarbeiter, der Brisketts Telefonate überwachen sollte, auf einen Knopf, der den Mitschnitt als höchst wichtig einstufte, und rief Dame Cecily und Dickie Green zu sich herüber.

»Wir haben ein Problem.«

Sie hörten sich schweigend den Mitschnitt an.

»Erstens«, sagte Cecily schließlich, »müssen wir das eindämmen. Jetzt. Briskett und Mr Parmesan oder wie auch immer er heißt. Und das Mädchen natürlich auch. Zweitens, wer hat sich verplappert? Das ist eine dreckige Angelegenheit. Total dreckig. Also müssen wir drittens, ohne unsere Verantwortung abzugeben, diesen fiesen Castle-Creeper Alois Haydn darauf ansetzen. Er kann Dinge tun, die wir nicht können.«

»Pscht, altes Mädchen«, sagte Dickie rasch. »Das muss man gar nicht laut aussprechen.«

»Ganz recht«, erwiderte Dame Cecily und legte einen gichtigen Finger an ihre Lippen.

DAS TEESPIEL

Nachdem er endlich Gewissheit erlangt hatte, entschied Lord Briskett rasch, wo er hinmusste. Im Moment saß er auf einem Ledersofa im Empfangsbereich des *National Courier*.

Oben im ersten Stock des Gebäudes, wo sich die Redaktion befand, wurde der lange Nachmittag durch das Teespiel aufgelockert. Chefredakteure, Redakteure und Korrespondenten mussten dabei abwechselnd ins Büro des Herausgebers marschieren und Ken Cooper auf die höflichste Weise eine beruhigende Tasse Tee anbieten. Denn er verlor gerade die Ruhe. Sichtlich. Und selbst für seine Verhältnisse ziemlich schnell.

»'ne Tasse, Ken?«, fragte der stellvertretende Herausgeber.

»Nee, danke. Bin beschäftigt.«

»Möchten Sie eine Tasse Tee, Boss?«, fragte der Mann, der über die neuen Medien schrieb.

»Nein. Raus hier.«

Dann kam der Verfasser der Nachrufe, ein höflicher, älterer ehemaliger Eton-Absolvent, mit zwei Porzellanbechern in der rechten Hand hereingeschlendert.

»Möchten Sie, Ken?«

»Verpissen Sie sich.«

Verzweifelt schickte die Redaktion den über sechzigjährigen Moderedakteur.

»Ken, mein Lieber, Zeit für ein Tässchen Tee?«

Cooper erhob sich von seinem Sessel, knöpfte sein Sakko zu, ging ans Fenster, drehte sich um, knöpfte die Jacke auf, setzte sich wieder und sagte: »Nein danke.« Dann lauschte er misstrauisch auf etwas, das wie kollektiver Applaus irgendwo draußen im Newsroom klang.

Der Nächste, der reinkam, war der junge Polizeireporter, der klopfte und die Tür mit einem Plastikbecher in einer Hand aufmachte. Ken schaute nicht mal hoch. »Sie sind gefeuert«, sagte er.

Als Erwachsener war Ken Cooper sein Leben lang unter Stress aufgeblüht. Er war süchtig danach. Er nahm Stress – frittiert, gewürfelt und mit Sauce Béarnaise – zum Frühstück, Mittag- und Abendessen. Aber seit der letzten paar

Tage war er wie besessen. Von allen Leuten, die er im Lauf der Jahre beim *Courier* eingestellt hatte, war Lucien McBryde sein Favorit gewesen. Dessen Tod hatte Ken geschockt, und er hatte sich vorgenommen, dieses Rätsel zu lösen. Aber selbst mit Hilfe der jungen Polizistin, die die Leiche gefunden hatte, war er nicht weit gekommen. Keine Bilder aus Überwachungskameras zeigten, wie McBryde das Gebäude betrat. Kein Anzeichen eines Einbruchs. Doch seit dieser verdammte Lord Briskett angerufen und ihn mit seiner Theorie vollgequasselt hatte, wonach der Premierminister tot sei und man das vertusche, begann Ken die Puzzleteile zusammenzusetzen.

McBryde hatte ein politisches Geheimnis gehabt. Das hatte er selbst gesagt. Er hatte Ken auch erzählt, dass er Alois Haydn treffen würde, und das war am Tag vor seinem Tod. Der Tod eines Reporters mochte keine große Rolle spielen, wenn die Zukunft des Landes auf dem Spiel stand. Aber vielleicht kannte Ken damit das Motiv.

Er malte sich einen Artikel in der Seitenspalte auf der Titelseite aus über den rätselhaften politisch motivierten Mordfall. Er würde McBrydes Foto, das normalerweise in der Autorenzeile unter den Artikeln stand, nach oben setzen. Daneben kam als Hauptbild Alois Haydn, wie er Downing Street verließ. So würden Haydn und McBryde in den Köpfen der Leserschaft schon mal visuell verknüpft. Stufe eins.

Er musste einfach nur Haydns Namen dezent in der Story über den Mord unterbringen – ein Verweis auf das geheimnisvolle Treffen mit McBryde vielleicht –, und, Stufe zwei, schon befände sich die verdammte Katze unter den verdammten Tauben, Blut und Federn, schon wäre es verdammt noch mal vorbei mit ihnen. Geschähe ihnen recht, den verdammten Tauben.

Es war alles eine Frage der feinen Klinge. Schließlich war Ken fertig und warf seinen Stift hin. Ihm war klar, dass er damit der verleumderischsten Titelseite, die er je gemacht hatte, verdammt nahe kam. Deshalb rief er sich den Redaktionsjuristen rein, einen stämmigen, behäbigen Mann in einem in die Jahre gekommenen Nadelstreifenanzug, der sich noch an die glorreiche Zeit vor dem Internet und die Leveson-Ermittlung wegen journalistischem Fehlverhalten erinnerte. Ken spürte sein Herz heftig klopfen. Atmen, Junge …

»Ah, Mr Cooper. Viel zu tun heute Nachmittag«, sagte Gerald, der Anwalt. »Sollten wir uns vielleicht erst einmal eine schöne Tasse Tee gönnen?«

Unten im Erdgeschoss schrak Lord Briskett zusammen, weil er irgendwo über seinem Kopf einen wütenden Aufschrei hörte.

Kurz danach tauchte ein käseweißer junger Mann auf – der Volontär höchstpersönlich –, um die Entschuldigung zu überbringen, dass der Herausgeber an diesem Nachmittag nicht in der Lage sei, ihn zu empfangen.

Noch während er das Gebäude verließ, holte Briskett sein Telefon aus der Tasche. Er hatte nicht vor, aufzugeben. Falls Ken Cooper nicht daran interessiert war, zu erfahren, was mit seinem jungen Reporter passiert war und warum, konnte er es ja auch Dame Cecily Morgan reinwürgen, der arroganten alten Fledermaus.

»Sie sind total übergeschnappt, Briskett«, sagte sie, nachdem er ihr die Geschichte skizziert hatte. »Vollkommen von der Rolle. Alois Haydn soll das irgendeinem Journalisten gesteckt haben? Unmöglich. Wenn Sie das glauben, müssen Sie geisteskrank sein.«

Leise und gelassen breitete der die gesamte Story Schritt für Schritt vor ihr aus. McBrydes Treffen mit Haydn. Seine

Nachrichten an Jennifer Lewis. Sein mysteriöses Verschwinden.

»Nun, Cecily, welchen Teil davon halten Sie angesichts Ihrer langen Geschichte der Betrügereien für nicht glaubwürdig? Das würde mich jetzt wirklich sehr interessieren.«

»Fast jeden Teil. Erstens war ihr vermisster Reporter ein Alkoholiker und drogensüchtiger Irrer. Tut mir leid, so schlecht von einem Toten zu sprechen, aber in Westminster arbeitet niemand, der diese Ansicht nicht teilen würde. Zweitens haben Sie nicht die Spur eines Beweises, um Mr Haydn, den ich genauso verabscheue, wie Sie es tun, mit dem unglückseligen Tod des jungen Mr McBryde in Verbindung zu bringen, dessen irre Kritzeleien für seine Freundin ungefähr so glaubwürdig sind wie ein Droh-Blog. Und der Rest ist pure Spekulation. Sie müssen Fieber haben, Briskett, und ich würde mir an Ihrer Stelle irgendeinen stillen Ort zum Ausruhen suchen, bevor Sie diesen Unsinn verbreiten und feststellen, dass sich die Welt in zwei Fraktionen spaltet: diejenigen, die Sie verspotten, und diejenigen, denen Sie einfach nur leidtun.«

Als junge Frau, vor ihrer Berufung zum Geheimdienst, hatte Cecily Morgan auf die Royal Academy of Dramatic Arts gehen wollen. Und sie war eine sehr gute Schauspielerin. Fast wäre es ihr gelungen, einen Samen des Zweifels in Brisketts Kopf zu säen. Und das, während sie permanent die Optionen kalkulierte, die sie hatte. War es wirklich möglich, dass ausgerechnet Haydn das Geheimnis gelüftet hatte? Warum hätte er das tun sollen? Und konnte sie ihm trauen, damit er sich um Briskett und sein kleines Team kümmerte? Er würde mehr machen als ihnen nur drohen. Es fühlte sich wie eine große moralische Entscheidung an. Aber ohne Haydn würde das ganze sorgsam errichtete Gebäude in sich zusammenstürzen. Zum ersten Mal seit Jahren wusste Dame Cecily nicht, was zu tun war.

9

Samstag, 16. September
Fünf Tage vor dem Referendum

ZURÜCKSPULEN ...

Ned Parminters Abenteuer hatte eigentlich am vorangegangenen Wochenende begonnen – obwohl er das damals noch nicht wusste. Und zwar weil Lucien McBryde sich langweilte und nichts mit sich anzufangen wusste. McBryde mochte hemmungslos und unberechenbar sein, aber er war nicht dumm. Er kannte sich selbst gut genug, um zu wissen, dass Langeweile für ihn ein ausgesprochen gefährlicher Zustand war. Doch Westminster war tot. Die ganze Kampagne und die Aktion passierten anderswo, in den Randgebieten des Landes. Es war kaum jemand übrig, mit dem man Klatsch austauschen oder der einem aus gut unterrichteten Kreisen berichten konnte. Der PM schien vollkommen von der Bildfläche verschwunden zu sein. So fühlte McBryde – der flotte Magier kleinerer Skandale, bei dem zwei plus zwei fünf oder sechs ergab – sich wie ein Mann voller Talente in einer Welt, die diese nicht mehr brauchte. Ungefähr wie ein tatendurstiger Elektriker in einer neuen Steinzeit.

Er lungerte in Soho herum, musterte die Nutten und die Schwulen, spähte durch Schaufenster in Pornozeitschriften, auf seltene Whiskys und in die paar traditionellen Läden und Cafés, die es in der Gegend noch gab. Als er in ein Schaufenster schaute, entdeckte er dahinter Ian Hislop von *Private Eye*, der ernst und geradezu feierlich ein riesiges Stück Sahnetorte verdrückte und dabei mit einer Hand wedelte, als nähme er an irgendeinem obskuren frommen Ritus teil. Aber McBryde fand das immer noch fad, fad, fad. Vielleicht sollte er versuchen, Kontakt zu Jen aufzunehmen. Er änderte seine Richtung und ging nach Südwesten zum Piccadilly Circus und zur London Library. Unterwegs begann sein Handy zu vibrieren.

Er war überrascht, aber erfreut, das unverwechselbare zischende Lispeln von Alois Haydn zu hören, der politischen Legende höchstpersönlich. McBrydes Langeweile verflog auf einen Schlag. Er hatte ihm vor einigen Wochen eine SMS geschickt und ein Porträt vorgeschlagen, obwohl er nicht wirklich mit einer Antwort rechnete. Ken Cooper hatte ihm gesagt: »Kapier diesen verdammten Alois Haydn, und du kapierst das verdammte moderne Großbritannien. Das Problem ist nur, dass das niemand tut. Und jetzt sieh verdammt noch mal zu, dass du weiterkommst.« Zu einem Treffen mit ihm eingeladen zu werden war eine völlig unerwartete Wendung.

McBryde betrat den nächstbesten Pub, mied den Blick des Barmanns und lief direkt in die Toilette, wo er sich mit zwei lauten Schniefern, einem durch jedes Nasenloch, den Gegenwert von fünfzig Mäusen reinpfiff. Dann machte er sich blinzelnd und summend auf den Weg Richtung Whitehall. Dabei fühlte er sich wie ein Angler mit einem Köder am Haken.

Alois Haydn wollte nicht, dass es irgendwelche Aufzeichnungen gab, auf denen man sah, dass Lucien McBryde in der Downing Street gewesen war, also hatte er als Treffpunkt das altmodische Café gegenüber dem Cenotaph, dem Kriegerdenkmal, vorgeschlagen. Manchmal verkehrten hier Journalisten nach den Pressekonferenzen des

Premierministers, aber hauptsächlich war es ein Touristenlokal, ruhig und anonym. Haydn bestellte Cappuccino, lehnte sich zurück und wartete auf seine Beute. Er sah nicht gerade aus wie ein Fisch, kurz bevor er an den Haken geht.

Nachdem McBryde erschienen war, unterhielten die beiden Männer sich zwanzig Minuten lang darüber, wie genau er sein Porträt strukturieren würde, mit wem Haydn ihm zu reden erlaubte und welcher »Linie« der *Courier* folgen würde. Doch dann hörte McBryde, dessen leicht wässrige Augen und mitgenommene Nase seinem Gegenüber nicht entgangen waren, mit Entsetzen, wie Haydn sagte: »Wissen Sie, ich glaube, ich möchte das alles doch nicht. Wie Sie bin ich eine Figur im Schatten. Wir sollten das grelle Scheinwerferlicht den Gewählten überlassen, meinen Sie nicht? Genau genommen mache ich gerade durch, was andere einen Gewissenskonflikt nennen würden, und ich möchte Ihnen etwas sagen. Doch dafür müssen Sie das Notizbuch wegtun. Auch keine Aufnahme.«

McBryde rieb sich die Augen, zuckte mit den Schultern, schloss sein kleines Notizbuch und stopfte es zurück in seine schon leicht ausgefranste Sakkotasche. Dann erzählte Haydn ihm vom Hinscheiden des Premierministers am Vortag, und wie der Außenminister und der Fraktionsführer, unterstützt durch eine mysteriöse Gruppe hauptsächlich proeuropäischer Vertreter des Establishments namens Professional Logistical Services, konspirierten, um die Sache bis nach dem Referendum am Donnerstag geheim zu halten. McBryde stellte ein paar Fragen und mühte sich, die Kernfakten zu behalten, die er niederschreiben würde, sobald Haydn weg war. Seine Erregung wurde durch den starken Verdacht gedämpft, dass er hinters Licht geführt wurde.

»Haben Sie das alles, Lucien?«, hatte Haydn in scharfem Ton gefragt. »Sie ziehen von hier jetzt nicht einfach los, pfeifen sich schnell was rein und bleiben dann irgendwo gekrümmt mit Pisse an der Hose auf dem Pflaster liegen, oder?«

McBryde war gekränkt. Das war schon lange vorbei. »Klar hab ich alles. Ich frage mich nur gerade, was für ein Spiel Sie da spielen? Wenn ich das in die Zeitung bringe und sich alles als Schwachsinn rausstellt, bin ich am Ende und die Lachnummer der Fleet Street. Stellen Sie sich mal das Grinsen in Hislops Gesicht vor. Oder *Have I Got News for You* in der nächsten Woche. Wie kann ich sicher sein, dass Sie mir die Wahrheit sagen?«

»Faire Frage«, meinte Haydn lächelnd. »Vielleicht sind Sie doch ein bisschen vifer, als ich dachte. Nun, während ich so hier sitze, kann ich es Ihnen nicht beweisen. Und ich rate Ihnen auch nicht, die Story sofort zu bringen. Sie müssen mir schon glauben, dass Sie nicht verschaukelt werden. Warum geben Sie die Sache nicht an Ihre kleine Freundin Miss Lewis weiter, dann kann die es an ihre Chefin weitergeben, und Sie machen es, erst kurz bevor sie es tun kann, publik. Dann liegt das Risiko – oder sollte ich sagen, die Ehre – bei Olivia Kite?«

McBryde kratzte sich die juckende Kopfhaut und versuchte, das Kribbeln unter seinen Achseln zu ignorieren. Er rutschte auf seinem Stuhl herum. »Das funktioniert doch auch nicht besser, Mr Haydn, oder? Für mich klingt das, als würde ich den Sündenbock in einer Geschichte geben, die Olivia Kite lächerlich machen und Ihnen zu einem ›Ja‹ im Referendum verhelfen soll. Glauben Sie vielleicht, ich bin ein Idiot?«

»Natürlich tue ich das, Lucien. Das tut jeder. Aber Sie können sich als nützlicher Idiot erweisen, wenn Sie möchten, und als erfolgreicher. Ich schlage Ihnen vor zu versuchen, unseren lieben Premierminister zu finden. Ich versichere Ihnen, das wird Ihnen nicht gelingen. Danach könnten Sie, wenn Sie mögen, seine seltsame Nichtverfügbarkeit in Ihrer feinen Zeitung verbreiten. Fragezeichen wie Pfeffer über Ihren Artikel streuen. Ein paar heikle Fragen stellen. Machen Sie Ihren Job, verdammt noch mal. Leute wie Sie warten immer darauf, dass Leute wie ich das für Sie erledigen.«

Mit diesen Worten und dem ziemlich glaubwürdigen Eindruck eines gereizt schnaubenden Mannes stand Haydn auf und ging.

Später würde er sich selbst dafür tadeln, dass er die Geschichte so scheinbar willkürlich preisgegeben hatte. Aber dann wurde ihm klar, wie entscheidend das Timing für seinen finanziellen Coup war. In diesem Moment schien es das perfekte Beispiel eines widerlegbaren Verrats, wie aus dem Lehrbuch dafür, wie das britische Establishment tatsächlich funktioniert. Während er auf das Pflaster der Whitehall trat, wo es immer noch von Touristen wimmelte, gestattete er sich ein Grinsen. Job erledigt. Vor seinem geistigen Auge sah er eine zischende Zündschnur in einem Comic.

Nach diesem Treffen suchte McBryde eines seiner Lieblingslokale in London auf, die schäbig-schicke Weinbar Gordon's neben der U-Bahn-Haltestelle Embankment. Dort trank er an einem wackeligen Tisch eine ganze Flasche Barolo und verfasste seinen Brief an Jen. Um der Klarheit willen schrieb er Haydns Geschichte auf seinem Laptop, druckte sie in einem Copyshop aus und schob beides in ein Kuvert. Das war im Grunde genommen sein Tagwerk. Den Umschlag hatte er schließlich noch in der London Library deponiert, wo er sich durch die abendliche Party schlängelte. Der Spaziergang dorthin hatte ihm den Kopf freigemacht.

Aber wie auch Ken Cooper gelegentlich beobachtete, war Lucien McBryde allem anderen zum Trotz ein verdammt anständiger Journalist. Er spürte also, dass da irgendwas faul war. Alois Haydn war kein echter Kontakt oder Freund von ihm. Offensichtlich war er an dieser Verschwörung in Downing Street beteiligt, also warum zum Teufel hatte er ausgerechnet mit ihm gesprochen? Was war sein Motiv? Es konnte nichts mit Macht zu tun haben, denn die war ja gerade, praktisch in diesen Minuten, im Begriff, an die Rivalen des Premierministers überzugehen, allen voran an Olivia Kite. Also musste es etwas anderes sein. Vielleicht Geld? Was führte Haydn wirklich im Schilde?

Während er an diesem langen Abend die Trauer ertränkte, die in ihm aufgekommen war, als er Jens Namen schrieb, schickte McBryde eine SMS an seinen alten Schulfreund mit den Riesenzähnen und dem genialen Talent für Zahlen. Falls irgendjemand diesem Rätsel auf den Grund gehen konnte, dann Charmian Locke.

10

Sonntag, 17. September
Vier Tage vor dem Referendum

GESCHICHTEN VON JUNGS

Charmians erster Gedanke war, dass sich Lucien in den letzten fünfundzwanzig Jahren kaum verändert hatte. Schon im Alter von neun war er groß, lässig und attraktiv gewesen, ein Junge, der ebenso schnell bewundernde Blicke auf sich zog, wie er eine Auseinandersetzung anfing. Charmian dagegen war pummelig und schüchtern gewesen. Er redete nur zögernd, weil er sich für seinen Sprachfehler schämte. Und die anderen Jungs sagten ihm nach, er stinke. Die Pausen waren die reinste Hölle für ihn gewesen. Charmian trödelte so lange es eben ging im Klassenzimmer herum und stahl sich dann an den äußersten Rand des Spielplatzes, wo staubige Platanen ihm ein wenig Deckung boten. Von dort aus beobachtete er die anderen Jungen, die herumrannten, lachten und sich mit Sachen bewarfen oder auch nur in lässigen Kreisen dastanden, die Hände in den Hosentaschen, und sich unterhielten wie Erwachsene.

Charmian hatte versucht, sich ihnen zu nähern und angeboten, Schokolade oder die Fußballmünzen, die alle sammelten, mit ihnen zu teilen. Die gelegentlichen Tritte ans Schienbein oder Boxhiebe in die Nieren schmerzten bei weitem nicht so wie ihre kalten, verschlossenen Mienen. Gleichgültigkeit war, auch wenn er damals den Begriff noch gar nicht kannte, am schwersten zu ertragen. Nach einer Weile versuchte er sein Glück bei anderen ebenfalls unbeliebten Jungs, und tatsächlich hatte er eine Zeitlang einen ungepflegten Freund von zwergenhafter Gestalt. Aber dann bildeten selbst die anderen Aussätzigen kleine Zirkel oder Kolonnen und wandten sich von ihm ab, sodass Charmian wieder allein dastand. Ein graues, an den Rand des menschlichen Treibens gedrängtes Häufchen Elend. Lucien McBryde hatte ihm nicht zugesetzt oder ihn auf dem Kieker gehabt, er hatte ihn schlichtweg ignoriert.

Charmian kam zu dem Schluss, dass die anderen Jungs recht hatten und dass schon von Geburt an irgendein Fluch auf ihm lastete. Er war ein Ausgestoßener, weil er widerlich und mitleiderregend war, und mehr gab es dazu nicht zu sagen. Seine Eltern bekamen nichts davon mit. Er sprach nie darüber, weinte nie.

Als sie sich Jahre später mühsam in Richtung Abitur abrackerten und Lucien ihn um Hilfe bat – Charmian war nicht beliebter als vorher, hatte allerdings inzwischen seine verborgenen Talente für Mathe und Naturwissenschaften entdeckt –, da verspürte er etwas, das er zuvor nicht gekannt hatte. Er wurde sogar, ein einziges Mal, zu Lucien nach Hause eingeladen. Dort behandelte sein Vater, ein Journalist, ihn mit offensichtlichem Respekt, und Lucien selbst war auf hochmütige Weise leutselig. Zum ersten Mal bekam Charmians Welt einen gewissen Glanz. Und manchmal schimmerte sie sogar.

Die zwei Jungen wurden nie enge Freunde – das wäre unmöglich gewesen –, doch Charmian verehrte Lucien fortan aus der Ferne. Sie besuchten dieselbe Universität, an der Lucien so beliebt und umschwärmt war wie eh und je. Als er fast aufhörte, Charmian Locke zu kennen, verstand Charmian, warum. Was er jedoch nie begriff, war Luciens Unfähigkeit, seine brillanten Aussichten nach der Universität zu nutzen – die Storys von alkoholisiertem, skandalösem Fehlverhalten, die Abfolge enttäuschender mittelmäßiger Jobs. Charmian fühlte sich davon persönlich gekränkt, fast wie ein verschmähter Liebhaber. Die zwei trafen sich sehr gelegentlich zu einem Curry oder Bier, aber danach fragte sich jeder von ihnen, wozu eigentlich.

Um neun Uhr an diesem Sonntagabend war McBryde wieder in der Weinbar Gordon's, diesmal an einem Tisch im Freien. Er leerte eine Flasche Claret und rauchte eine Zigarette, während Charmian Locke ihm gegenübersaß. Als McBryde ihm von dem Gespräch erzählte, das er vorher, gleich die Straße hinunter in Whitehall, mit Alois Haydn geführt hatte, streckte Charmian eine lange, graue Zunge heraus und leckte sich über seine großen, gelben Zähne. Er lächelte. McBryde versuchte, nicht hinzusehen. »Ääh … erstaunlich. Der alte Mann ischt nicht mehr? Und die Welt weisch nichtsch davon? Ooh, Luschien, damit wirscht du berühmt. Wasch hält dich davon ab, in deiner Tscheitung darüber tschu schreiben, alter Freund?«

»Charmian, überleg doch mal. Denk wie ein Sensationsschreiber. Warum hat dieser lügende Bastard Haydn die Story ausgerechnet mir erzählt? Was hat er davon? Das passt nicht zusammen. Ich hab Jen davon erzählt, also selbst wenn ich falschliege, kommt zumindest irgendwas raus. Aber bis ich nicht weiß, was Haydn wirklich im Schilde führt, kriege ich kein Auge zu. Ich schätze, es könnte Macht sein – wenn er denkt, dass er bei dem Referendum aufs falsche Pferd gesetzt hat. Aber meine Vermutung ist eher Geld. Wir reden hier schließlich von einer ziemlich gewichtigen Insider-Information, nicht wahr?«

Locke fiel es schwer, nicht damit rauszuplatzen, dass er Alois Haydn sehr gut kannte. Aber ihm war klar, dass er dichthalten musste. Wenn der PM wirklich tot war, lief da mit Sicherheit eine große Sache; Haydn würde seine Gründe gehabt haben. Aber dieses quasselnde Wrack von einem Jungen, den er einst fast geliebt hatte, das war jetzt in der Tat eine tickende Zeitbombe. Ein einziges Mal, vor langer Zeit, hatte Charmian sich McBryde anvertraut. Er hatte sich – noch dazu in ebendieser Weinbar – dazu hinreißen lassen, mit ein paar Insider-Informationen zu prahlen, die er bekommen hatte. Zwei Tage später hatte er einen lächerlichen Bericht darüber im *Courier* gelesen und eine Stunde danach seinen Job verloren. McBryde bestritt jede Verantwortung, doch als Charmian recherchiert hatte, wer der Finanzjournalist war, der als Verfasser unter dem Artikel stand und ihn ruiniert hatte, stellte sich raus, dass er nicht existierte; wer hinter dem Pseudonym steckte, ließ sich nicht klären. Als er jetzt McBrydes Selbstdarstellung hörte, war es total offensichtlich. Auf dem Sessel vor ihm lümmelte jemand, der für eine Story alles tun würde.

Charmian hatte ein Motto: »Verzeih deinen Feinden, aber vergiss ihre Namen nie.« Jetzt hatte er einen Namen, und das Verzeihen fiel ihm zunehmend schwer. Je länger er darüber nachdachte, desto stärker fühlte er sich ganz persönlich hintergangen. Also redete er weiter, schmeichelte McBryde mit Theorien im Börsenjargon, und der Blick seiner kieselgrauen Augen wurde steinhart, während er die verzückte Aufmerksamkeit des Journalisten genoss.

Dabei verstand McBryde kaum etwas von dem Finanzjargon und den genannten Prozenten, aber er erfasste das Wesentliche – dass nämlich das Wissen um eine Änderung des wahrscheinlichen Referendumsergebnisses im Voraus jemanden tatsächlich sehr reich machen konnte. Flüchtig machte er sich ein paar Notizen.

Was er Jen in seiner Nachricht geschrieben hatte, die sich jetzt in der London Library befand, war, wie ihm klarwurde, ohne dieses letzte Puzzlestück bedeutungslos. Jetzt hatte er das Gefühl, Haydns Motiv zu kennen.

Zwei Kollegen vom *Courier* aßen an einem Nachbartisch. Sobald Charmian die Toilette ansteuerte, ging McBryde mit seinem sorgfältig gefalteten Zettel zu ihnen.

»Fenton. Price. Hier sieht man euch ja sonst gar nicht. Aber für mich ist das ein Glück. Jungs, ich besaufe mich hier nicht nur, sondern bin an einer Story dran. Könntet ihr das hier für mich in die London Library bringen? Stopft es einfach in den neuesten Dominic Sandbrook.«

»Lucien. Glückwunsch, du dreckiger Mistkerl. Kein Problem. Ärger mit den Weibern?«

»So was Ähnliches.«

Während er bei den Männern in der Schlange wartete, bis er an die Reihe kam, dachte Charmian an seine Kindheit und an den ihn zur Weißglut bringenden, charmanten Lucien McBryde zurück. Er hatte nicht die Absicht, Sir Solomon Dundas zu verärgern oder Alois Haydn zu schaden. Und er sah schon gar keinen Grund dafür, warum er nicht auch selbst ein wenig Geld machen sollte. Allerdings bestand die Gefahr, dass Lucien ihm in die Quere kam.

Als er wieder oben war, schlug er daher, anstatt gute Nacht zu sagen, vor, in die American Bar im Savoy gleich um die Ecke weiterzuziehen. Dort trank er Tonic, während McBryde einen Whisky Sour nach dem anderen kippte. Danach ging es ins Christopher's. Charmian blieb beim Tonic Water, McBryde trank Cocktails. Als sie danach Richtung Osten gingen, bewegte McBryde sich wie ein schlecht genesener Schlaganfallpatient. Und bis sie bei Cheshire Cheese in der Fleet Street angekommen waren, stotterte er sentimental: »Wrgg. Gaaah … aabbia. Nnnnn. ’nifer. Sss vamasssllllt. Gaaagh.«

»Ich denke, wir brauchen was Solides im Magen, meinst du nicht, alter Freund?«, sagte Charmian und führte McBryde am Ellbogen in den Golden Cockerel. Er besorgte ihnen einen Tisch im Freien. Auf der Terrasse für die Raucher. McBryde war ihm wortreich dankbar dafür. Dort saßen sie allein in der kühlen spätabendlichen Luft. Charmian bestellte Steaks für sie beide und noch eine Flasche Rotwein. Wie er feststellte, nahm McBryde zwar kaum Notiz vom Essen, schaffte aber noch fast die ganze Flasche.

McBryde glaubte ganz offensichtlich zu sprechen, denn seine Lippen bewegten sich, doch es kam nur ein dünnes, zusammenhangloses Geräusch heraus. Noch bevor Charmians gewaltige Beißer das Steak zerlegt hatten, lag sein Freund schon mit dem Kopf auf dem Teller und war fest eingeschlafen.

Charmian, der das Lokal gut kannte, lief rasch hinein, duckte sich hinter der Bar und nahm sich einen Schlüssel, an dem ein Schildchen mit der Aufschrift »Terrasse« hing. Dann kehrte er an ihren Tisch zurück, machte McBryde die Hose auf und zog sie ihm bis zu den Knöcheln hinunter. Als Nächstes kehrte er ins Innere des Lokals zurück und schloss die Tür zur Terrasse hinter sich ab. Von drinnen war McBryde hinter einer Reihe von Eiben in großen Pflanztrögen nicht zu sehen. Charmian bezahlte noch die Rechnung und ging.

»Goodbye, alter Kumpel«, sagte er. »Ich wünschte, ich könnte sagen, viel Glück.« Seltsamerweise lispelte er dieses eine Mal nicht.

Bei sich dachte Charmian, dass das im Grunde gar kein Mord im eigentlichen Sinne war. Seiner Ansicht nach kletterten diejenigen, die ihren Aufstieg aus eigener Kraft schafften, während diejenigen, die sich selbst zerstörten, dies taten, indem sie sich von Leitern – oder Restaurantterrassen – schmissen, nachdem sie ihre Gaben vergeudet und sich dem Untergang geweiht hatten. Sollte es so kommen, dass McBryde nach Lokalschluss allein und unbemerkt zurückblieb, und sollte es weiters so kommen, dass er irgendwann in der Nacht von dem Bedürfnis, sich zu erleichtern, aufwachte, und sollte es außerdem so kommen, dass er dann in der Dunkelheit und mit der runtergelassenen Hose ins Stolpern geriet und über das niedrige Geländer stürzte, das die einzige Barriere zwischen der Terrasse und der Straße darunter war – wenn all das so kommen sollte, wem außer McBryde selbst konnte man dann die Schuld daran geben?

Mit dem Gesicht im Teller träumte Lucien McBryde von Jen. Von ihren blassen Armen, die ihn hielten, und von ihrer Zunge in seinem Mund. Dann verblasste der Traum, und er begann in der nächtlichen Kälte zu zittern. Er musste pissen. Verdammt, war das dunkel hier …

11

Dienstag, 19. September
Zwei Tage vor dem Referendum

VIRTUELLE REALITÄT

Von Anfang an hatten die Verschwörer gewusst, dass es Dinge geben würde, die außerhalb ihrer Kontrolle lagen. Als er einmal nach den größten Schwierigkeiten seiner Amtszeit gefragt wurde, soll der lässige alte Showman Harold Macmillan die bemerkenswerte Antwort gegeben haben: »Ereignisse, mein Lieber, Ereignisse.« Und genau so kam es auch.

Der amerikanische Botschafter in Rom fuhr nach einem Kurzurlaub in seiner Villa auf dem Land nach Hause, als sein Auto von zwei Motorrädern gestoppt wurde. Fünf Kugeln kosteten seinen Fahrer das Leben, die sechste ihn selbst. Seine Frau überlebte schwerverletzt. Der Schütze und seine beiden Komplizen, die die italienische Polizei fasste, nachdem sie versucht hatten, zu Fuß zu fliehen, erwiesen sich als britische Muslime aus Manchester. Kein Wunder, dass das Weiße Haus praktisch umgehend in der Leitung war: Die Präsidentin bestand darauf, von Angesicht zu Angesicht mit ihrem guten Freund, dem Premierminister, zu sprechen, von einem Videokonferenzraum zum anderen.

Dickie Greene, der ehemalige Vorsitzende des Joint Intelligence Committee, arbeitete seit vier Jahren für PLS. Mit seiner lauten, rauhbeinigen, redseligen und eigensinnigen Art hatte er sich mit Tony Blair bald entzweit; in die geschmeidige Atmosphäre unter David Cameron passte er nie. Für die Firma war er ein wichtiger Neuzugang gewesen, allerdings hatte man bis dato allgemein den Eindruck, dass er sich seinen Lebensunterhalt noch nicht so recht verdiente. Das sollte sich an diesem Tag endlich ändern.

Als die Präsidentin, flankiert von ihrem Nationalen Sicherheitsberater und dem CIA-Chef, auf dem Bildschirm erschien, sah sie keinen britischen Premierminister vor sich. Immerhin erkannten die Amerikaner die meisten Leute, die sich in London um den Tisch versammelt hatten: Sir Richard Greene war während der Kriege im Irak und in Afghanistan permanent zwischen Washington und London hin- und hergereist; Außenminister Jason Latimer; den ehemaligen Chef des Verteidigungsministeriums, Admiral Lord Jock Dalgety.

»Guten Tag, Gentlemen«, sagte die Präsidentin. »Wo ist mein alter Freund, der Premierminister? Dies ist ein schwerer Tag für unsere beiden Länder …«

»Ich bin mir sicher, dass Sie sich noch an mich erinnern, Frau Präsidentin«, erwiderte Greene. »Und ich bin froh, zwei andere alte Freunde bei Ihnen zu sehen. Ich fürchte, dass dies tatsächlich ein noch schlimmerer Tag für London ist, als Ihnen dort drüben bewusst ist. Die Männer, die man in Rom gefasst hat, arbeiteten nicht allein. Wir haben eine sehr ernste Bedrohung für das Leben des Premierministers aufgedeckt, die heute zum Tragen kommen sollte. Aus diesem Grund, und ich bin sicher, Sie werden das verstehen, haben wir entschieden, ihn an einen ganz und gar sicheren Ort zu verbringen. Nur die allergrößte Sorge konnte uns zu diesem Schritt veranlassen. Er hat mich jedoch gebeten, Ihnen seine persönliche Entschuldigung für seine Abwesenheit heute Nachmittag zu übermitteln.«

Mit versteinerter Miene deutete die Präsidentin ein winziges Kopfnicken an. Einem kurzen, geschäftsmäßigen Informationsaustausch folgte eine Diskussion über paneuropäische Sicherheitsprotokolle und ein abgestimmtes Statement der Entschuldigung und des Mitgefühls im Namen der Regierung Seiner Majestät, das Dame Cecily Morgan zuvor verfasst hatte. Dann war das Telefonat beendet.

Die Verschwörer waren noch mal davongekommen. Aber sie standen ganz dicht vor der Panik. Die Presse begann schon einige unangenehme Fragen zu stellen. Und Briskett lief nach wie vor frei herum.

Außerdem brauchte man diese ständige Wachsamkeit in Number 10. Wie Amanda vorhergesehen hatte, war eines der größten Probleme der Mitwisser, die Zahl derjenigen in der Downing Street zu beschränken, die merkten, was vor sich ging. Schließlich hatten mehr als hundertfünfzig Leute Zugang zu dem komplexen Netz aus Räumen, die sich über die ursprünglich drei schäbigen Reihenhäuser erstreckten.

Nachdem Francis Fieldfare aus dem Verkehr gezogen war, stellte Chris Tickell die größte Gefahr dar. Er war der politische Administrator, der die Verantwortung für das Verhältnis des PM zum Rest seiner Partei und zur Opposition im Parlament trug; außerdem schrieb er die meisten Scherze für seine Reden.

Im Untergeschoss des Gebäudes, direkt unter dem Arbeitszimmer des Premierministers und dem Büro der Privatsekretäre, herrschte permanentes Gedrängel auf dem Flur zum Sicherheitsbüro mit dem ganzen Papierkram und den entsprechenden Geheimnissen. Auch zur Küche und zur Wäschekammer ging es hier. Die Gerüchte hier unten waren wie ein fragendes Summen, irritiert, aber nicht verärgert. Vom russischen Spezialisten für Entsendungen aus dem Büro für Äußere Angelegenheiten bis hin zu dem Mann, der die Schokoriegel in den Automaten nachfüllte, spürten alle, dass etwas nicht stimmte. Der Bienenstock hatte keine Königin mehr, und die Bienen begannen, das zu merken. Als er sich selbstbewusst seinen Weg durch den schmalen Korridor bahnte, wurde Chris Tickell zufällig gegen Sam Mulligan gedrückt, den fröhlichen, rotgesichtigen Sekretär für den Terminkalender. In einer Welt, in der Status sich nach der Nähe zum PM bemisst, fühlten sich die beiden Männer gleichgestellt.

»Seltsame Vorgänge, Chris.«

»Verdammt zwielichtig, Sam.«

»Hast du den alten Herrn in letzter Zeit mal gesehen?«

»Nicht mal eine Spur von ihm. Diese ganzen Oldies hier auf einmal – Hochsicherheitskontrolle und so, aber ich verstehe eigentlich nicht, was die hier machen. Hast du Fieldfare gesprochen?«

»Gestern. Heute nicht.«

»Hochtrabend lange Mail von ihm heute Morgen, in der er von einer großen Krise in der City schwafelt, dazu diese Sache mit Deutschland, und jetzt die Schießerei in Italien.«

»Ja, die habe ich auch gekriegt. Darum haben wir den PM auch nicht gesehen. Müssen Geduld haben, sollen die Köpfe gesenkt und die Maschinerie am Laufen halten, das ganze Zeug. Nachdem das Referendum durch ist, mehr dazu.«

»Ganz genau. Überzeugt?«

»Nicht im Geringsten. Mir gefällt die Stimmung hier drin nicht, und ich mag diese Leute nicht, die sich da oben rumtreiben.«

»Geht mir genauso.«

»Willst du irgendwas dagegen unternehmen?«

»Wenn mir was einfallen würde.«

»Wir könnten ja probieren, irgendwie in die Wohnung zu kommen und mit ihm direkt zu sprechen.«

»Ja, daran hab ich schon gedacht. Aber was, wenn er da oben ist, total beschäftigt und sauer? Was sagen wir dann? ›Oh, Premierminister, wir haben uns bloß gefragt, ob Sie noch am Leben sind‹? Das fände er kein bisschen komisch. Dann hätten wir die längste Zeit hier gearbeitet.«

»So ungefähr hab ich mir das auch gedacht. Klingt nicht verlockend.«

»Für mich auch nicht.«

Zwei Etagen über ihnen machte Ronnie Ashe sich klar, dass er als Fraktionsführer zwar ein Experte für die Gepflogenheiten im House of Commons war, aber deutlich weniger versiert in denen der Downing Street. Trotzdem konnte auch er die fragende, fast schon prärebellische Stimmung im Gebäude nicht übersehen. Endlich gelang es ihm, den Außenminister unter vier Augen zu sprechen.

»Das geht nicht mehr lange gut, Jason. Die Hälfte der Referenten und Privatsekretäre weiß, dass irgendwas im Busch ist, und ich glaube, die ›garden room girls‹ auch. Und dann ist da noch unser lästiger Historiker.«

»Stimmt. Also was schlagen Sie vor?«, fragte Latimer.

»Nun, wir können ja nicht noch mehr Leute umlegen. Nach dem armen Fieldfare kann man uns bestimmt sowieso schon wegen Beihilfe zum Mord drankriegen.«

»Sie haben recht, Ronnie. Wir brauchen sicher nicht noch mehr herumliegende Leichen. Aber ich habe über diesen polnischen Kerl noch mal nachgedacht. Haydn hat ihn ins Spiel gebracht. Also ist es seine Schuld. Wenn wir zusammenhalten, können wir alles ihm in die Schuhe schieben. Wo kommt dieser Haydn übrigens ursprünglich her?«

»Aus dem Irak, habe ich gehört.«

»Sicher? Ich dachte immer, er wäre ein Kraut.«

Nach diesem Gespräch verspürte Ronnie zwar eine gewisse Erleichterung, aber dennoch dankte er seinem Schöpfer dafür, dass das Parlament im Moment nicht tagte und die meisten Minister des Kabinetts sicher außerhalb von London waren. Trotzdem waren hier einfach immer noch viel zu viele Leute – diese ganzen Schleimer und Ratgeber, ganz zu schweigen von den Sekretären und den Sekretärinnen der Sekretäre. Immerhin arbeitete die Zeit für sie. Jetzt trennten sie nur noch zwei Tage von der Abstimmung, und es gab immerhin den Hoffnungsschimmer, dass es diesen Digital-Verrückten gerade noch rechtzeitig gelingen würde, einen kompletten, frontal sprechenden PM hinzukriegen. Vielleicht würden sie die Schlussrede trotz allem noch bekommen.

Aber die Anspannung forderte von allen ihren Tribut. Ronnie fühlte sich total erschöpft. Amanda sah angeschlagen aus, und Nelson Fraser stank wie ein kürzlich exhumiertes Mammut. Ronnie hatte die beiden splitternackt oben im gut ausgestatteten kleinen Studierzimmer des Premierministers überrascht. In dem Raum, wo einst Samantha Cameron ihre Kleider entworfen hatte. Ihre Erschöpfung war nicht ausschließlich postkoitaler Natur gewesen.

Und dann gab es da noch die Damen und Herren von der Presse.

Es hatte ein schwieriges Meeting mit der parlamentarischen Presselobby bei ihrem täglichen Briefing gegeben, das man für die Dauer der Referendumskampagne aus dem üblichen winzigen Zimmer am Ende einer Wendeltreppe im House of Commons in eine geräumigere Umgebung in Number 10 verlegt hatte.

Nachdem sie in dem überheizten, mit hellem Holz vertäfelten Raum aufmarschiert war, auf Plastikstühlen hockte und zuvor beim Betreten des Gebäudes ihre Handys hatte abgeben müssen, fühlte sich die Crème de la Crème der politischen Journalisten Londons eingepfercht und war frustriert.

Der Kommunikationsreferent des PM, PMOS – Prime Minister's Official Spokesman –, Nelson Fraser, wehrte einige halbherzige Versuche ab, aus dem vermeintlichen Ereignis des Tages in Bluewater eine Story à la »Premierminister beleidigt Rentnerin« zu machen, als der altgediente Reporter Simon Selfridge sich von seinem Platz hinten im Raum erhob.

»Fraser, das ist wie immer alles sehr interessant. Vielen Dank. Aber wir würden den Premierminister gern *sehen*. Wir möchten mit ihm reden. Tag für Tag zwingt man uns hierherzukommen, während dieser Riesenkrise, von der man uns sagt, sie reiße das Land in Stücke. Und ohne wichtigtuerisch sein zu wollen, denke ich, dass der PM es der freien Presse schuldet, gelegentlich herzukommen und persönlich zu argumentieren. Also wo ist er? Können Sie ihn holen gehen?«

Nelson Fraser lächelte, zuckte mit den Schultern, schüttelte den Kopf und machte abwehrende Gesten, aber im Raum erhob sich zustimmendes Gemurmel. Er beugte sich über das Rednerpult aus Sperrholz und Filz. »Er ist gleich den Flur hinunter und arbeitet wie verrückt, wie Sie sich denken können, Simon. Er ist ein sehr vielbeschäftigter Mann.« Da wurden die Unmutsäußerungen nur noch lauter. Ein paar Schreiberlinge riefen, sie würden sich weigern, den Saal wieder zu verlassen, bis sie den PM gesehen hätten.

Nun beschloss der erschöpfte Fraser, dass der Moment gekommen sei, ein kalkuliertes Risiko einzugehen. Eine streikende Presselobby würde größeres Aufsehen erregen, und das musste er verhindern, egal was das nach sich zog. Er holte tief Luft.

»Na schön, ich werde gehen und ihn holen. Möchte der Vorsitzende der Presselobby mich vielleicht begleiten?«

Fraser, der ordentlich Karriere beim *Guardian* und der *Times* gemacht hatte, bevor der Premierminister ihn abwarb, hatte keine Ahnung, wie er da rauskommen sollte. Alois Haydn, von dem er wusste, dass er ihn nicht mochte, würde ihm den Kopf abreißen. Und Amanda … Aber an die durfte er jetzt gar nicht denken. Trotzdem marschierte er in Begleitung des fetten, selbstgerechten langjährigen Politikredakteurs der Zeitungsgruppe Leeds und Halifax einigermaßen selbstbewusst über den Flur und klopfte an die Tür des Premierministers. Niemand antwortete. Er öffnete. Das Zimmer war leer. Das war seltsam, weil er Bremner hier kurz vor Beginn des Presse-Meetings zurückgelassen hatte.

Dann hörte man ein Hüsteln hinter der geschlossenen Tür des Nebenraums: Der Premierminister war auf der Toilette.

»Das ist ein bisschen peinlich, Simon«, sagte Fraser zu

Selfridge. »Wie Sie sehen können, ist der Premierminister – beschäftigt.«

Genau in diesem Moment ertönte hinter der Tür die unverwechselbare Stimme. »Wer ist denn da draußen? Sind Sie das, Nelson, Sie kaledonischer Irrer? Und da ist noch jemand bei Ihnen, Simon Selfridge, unser geschätzter Vorsitzender der Presselobby, wie ich vermute.«

»Ja, Herr Premierminister«, sagte Selfridge. »Es ist gut, Sie, äh, persönlich anzutreffen. Die Kollegen hatten gehofft, Sie könnten uns ein paar Minuten lang Ihre letzten Überlegungen persönlich erläutern, bevor das Land zur Wahl geht ...«

Hinter der Tür gab es eine lange Pause. Endlich wurde das Schweigen gebrochen. »Ich bin, gewissermaßen, ziemlich beschäftigt, Simon. Aber kennen Sie eigentlich die Geschichte von Churchill und Sir Stafford Cripps? Eine wahre Begebenheit ...«

»Nein, Herr Premierminister, ich glaube nicht«, sagte Selfridge und hatte den deprimierenden Eindruck, nicht mehr Herr der Lage zu sein. Der Anekdotenschatz des Premierministers war legendär – genau wie die Tatsache, dass er ihn nutzte, um unbequeme Fragen abzuwehren.

»Nuuun ... Cripps war gerade aus Moskau zurück, essigsauer wegen Sozialismus und so. Churchill verabscheute ihn wie eh und je. Ich glaube, es war 1942, und Winston nagte gerade ziemlich am Hungertuch. Wir neigen ja dazu, zu vergessen, dass er zeitweise auch an Popularität verlor, selbst mitten in den Auseinandersetzungen. Also jedenfalls verdächtigte Churchill Cripps, der damals Lordsiegelbewahrer war, auf seinen Job aus zu sein. Damit lag er ziemlich richtig. Cripps wollte ihn aufsuchen und stand mehr oder weniger genau dort, wo Sie jetzt stehen, aber er fand den Premierminister im gleichen Zustand wie den aktuellen in diesem Moment. Also ließ er den offiziellen Bürodiener an die Badezimmertür klopfen. ›Sir Stafford Cripps besteht darauf, Sie sofort zu sehen‹, vernahm Churchill. Winston knurrte sofort zurück: ›Sagen Sie dem Lordsiegelbewahrer, dass der Premierminister gerade auf dem Thron sitzt und sich immer nur um einen Scheiß auf einmal kümmern kann.‹«

Man hörte ein langes, tiefes Lachen, dann beendete Bremner die Unterhaltung. »Und jetzt gehen Sie zurück und sagen Ihren Mädels und Jungs, dass wir nett geplaudert haben und Sie Ihr Bestes gegeben haben, aber dass die Umstände ungünstig waren.«

Simon Selfridge tapste über den Flur zurück und wusste sich im Besitz einer Geschichte und Begegnung, die er zwar niemals drucken lassen konnte, die ihm jedoch mehr als einen Whisky Soda in der Bar der Parlamentspresse einbringen würde.

Und so ging auch diese Krise vorüber.

DAS FLACKERN ALTER FLAMMEN

Lord Briskett hatte begonnen, sich unwohl zu fühlen, kaum dass er sein Handy in die Tasche zurückgesteckt hatte. Dabei befand er sich doch gerade im Paradies – in einer guten Buchhandlung. Er hatte ein halbes Dutzend Hardcover unter dem linken Arm, eine Kreditkarte zwischen den Zähnen und seine Aktentasche am rechten Arm hängen. Er war bei Hatchards auf der Straße Piccadilly und unterhielt sich gerade mit dem Chef über eine seltene Erstausgabe, der er auf der Spur war. Der Buchladen würde gleich schließen, und er spürte, wie müde seine Beine vom Herumlaufen den ganzen Tag über waren.

Abgesehen davon wuchs seine Sorge, je länger er darüber nachdachte, was in Number 10 vor sich ging. War Ned in Gefahr? Seinem Ton nach zu schließen, hielt er es selbst eindeutig für ein Risiko, Jennifer nach Essex hinauszufahren. Briskett vermutete, dass es an dieser ganzen Affäre Aspekte gab, die er noch nicht vollkommen verstand.

Er legte seine Aktentasche ab, nahm die Kreditkarte aus dem Mund und zahlte. Die schwer zu bekommende Erstausgabe hatte er ganz vergessen. Sein Blick wanderte zu den verlockenden Tischen mit den Neuerscheinungen und blieb an einem Umschlag mit Blumen in Rot-, Pink- und Goldtönen hängen. Darauf stand zu lesen: *Kafka in Kensington. Roman.* Von Myfanwy Davies-Jones. Da kam Briskett eine geniale Idee. Er hatte Myfanwy in den Siebzigern gekannt, als er selbst ein radikaler junger Akademiker mit dauergewelltem Haar gewesen war. Hatte sie damals nicht jeder gekannt? Ihm fiel das aber auch deshalb ein, weil Ned Parminter ihm erzählt hatte, dass Jennifer Lewis Myfanwys Tochter war. Ihre einzige Tochter. Also mussten die beiden sich doch nahestehen. Wenn irgendjemand wusste, was da vor sich ging, und ihm helfen konnte, richtig zu verstehen, was es zu verstehen gab, dann wäre das sicher Myfanwy Davies-Jones. Sie war für ein Abenteuer immer zu haben gewesen.

Nachdem er seinen Charme bei dem Buchhändler hatte spielenlassen, besaß Briskett den Namen von Myfanwys PR-Agentin, und noch während er die Piccadilly wieder hinauflief, hatte er sie persönlich am Telefon. Ihre Stimme war in den letzten dreißig Jahren nur tiefer und sexier geworden.

»Du liebes Ding«, sagte er.

»Liebes Herzchen«, erwiderte Myfanwy.

»Süßes Mädel.«

»Mein Hübscher.«

»Es ist viel zu lange her.«

»Mein lieber, *lieber* Schatz.«

»Du klingst völlig unverändert.«

»Liebling, du bist etwas Besonderes.«

»Ich müsste dich um einen kleinen Gefallen bitten«, sagte Briskett kess.

»... Na schön. Ich geb's auf. Wer genau ist denn da?«, sagte Myfanwy.

Schließlich tauchte in ihrem vom Sherry leicht benebelten Gehirn die verschwommene Erinnerung an einen ziemlich attraktiven jungen Kerl auf, und sie willigte ein, ihn in einer Stunde in einem Café mit Blick auf den Sloane Square zu treffen.

Als er dort auftauchte, konnte Lord Briskett eindeutig erkennen, dass Myfanwy schon eine ganze Weile an dem Tisch im Freien sitzen musste: Er bemerkte einen Aschenbecher, der mit lippenstiftverschmierten Zigarettenstummeln gefüllt war. Zudem eine fast leere Weinflasche und einen sentimentalen Ausdruck in ihrem Gesicht. Er war trotzdem gekränkt. All die Jahre, in denen er bei gepflegten Tischgesprächen hatte anklingen lassen, dass er der berühmten, rätselhaften Myfanwy Davies-Jones »sehr nahegestanden« hatte, und dann war diese armselige Frau zu betrunken, um sich an ihn zu erinnern. Er war ziemlich gut gewesen, hatte er wenigstens gedacht. Sie hatten eine enge Beziehung gepflegt, hatte er ebenfalls gedacht.

»Wie steht's, altes Haus?«, begrüßte er sie nicht gerade zartfühlend.

»Sorry, Süßer. Aber du bist schon so lange her.«

»Jedenfalls gibt es viel zu erzählen, jetzt, wo wir schon mal hier sind. Über eines deiner Kinder, für den Anfang.«

Myfanwy richtete sich kerzengerade auf. »Meiner Kinder? Ich habe nur die arme kleine Mademoiselle J. Wandervogel. Das ist schon die ganze Bande, du ungehobelter Klotz.«

»Ach, Myfanwy, Liebling, ich bin Historiker. Oder hast du das schon vergessen? Ich bestreite meinen Lebensunterhalt damit, mir Dinge zu merken. Ich kann mir sogar die Stimmen von Leuten merken.«

Briskett winkte wortlos nach einer zweiten Flasche Wein, nahm sich eine von Myfanwys Camels, zündete sie sich an und nahm sich kaum Zeit zum Atmen.

»Also, ich erinnere mich noch sehr gut an dein erstes Kind, den kleinen Jungen, selbst wenn du das lieber nicht tust. Damals gab es eine Menge Spekulationen über den Vater. Lord Croaker, *requiescat in pacem?* Mir gefiel die Vorstellung besser, dass es Rufus Panzer gewesen ist, der geile alte Irre. Ich persönlich mochte Rufus immer gern. Aber du hast den Jungen weggegeben, nicht war, Süße? An wen gleich wieder? Die Sozialarbeiter in Camden? Oder an die Nonnen?«

»Sei nicht vulgär. Nachdem ich so viele gute Freunde hatte, die anboten … Er hat es viel besser getroffen, als er es je hätte haben können, wenn er bei mir geblieben wäre.«

»Ach«, sagte Briskett mit der Miene eines Mannes, der gerade den Blick senkt und die guten Karten in seiner Hand erblickt. »Aber ich erinnere mich anscheinend sogar an die Gerüchte damals. Dass du eine Dinnerparty veranstaltet und ihn tatsächlich *versteigert* haben sollst.«

Myfanwy starrte wortlos zwei Minuten lang auf den Straßenverkehr.

»Bullshit.«

»Na, Gott sei Dank«, seufzte Briskett. »Das war wirklich eine hässliche kleine Geschichte.«

»Ich gebe keine Dinnerpartys. Hab ich nie getan. Ich habe ihn bei einem Mittagessen versteigert.«

Es folgte ein noch längeres Schweigen. Briskett spürte, dass er seine Revanche gehabt hatte. Außerdem wechselte Myfanwy sowieso das Thema.

»Also, was wolltest du mir über Jenny erzählen? Das arme Ding hat sich schließlich doch auch mal in Schwierigkeiten gebracht«, sagte sie. »Offen gestanden ist es das erste Interessante, was ihr je passiert ist. Lange Zeit konnte ich gar nicht glauben, dass sie von mir ist. So blutleer. Dabei gibt es nur zwei Dinge, die im Leben eine Rolle spielen, Lord Briskett vom Bullshit-College in Bullshitford. Und zwar Sex-Appeal und ein großzügiges Herz. Die arme kleine Jennifer hatte nie eines von beiden. Oder wenigstens dachte ich das.«

Briskett hatte Myfanwys rustikale Ausdrucksweise in der Konversation vergessen, aber schnell erinnerte er sich daran, wie sehr er sie einst genossen hatte. Jetzt berichtete er ihr, dass sein junger wissenschaftlicher Mitarbeiter ihn angerufen habe, während er Jennifer anscheinend aus den Fängen der Gefahr rettete, aber auch, dass er so verstört gewirkt hatte, als brauche er Hilfe.

Myfanwy, die ihm kaum zugehört zu haben schien, war auf einem philosophischen Trip. Sei es nicht interessant, meinte sie, dass die einzigen wahren Impulse der Menschheit Lust und Liebe seien und dass diese keine Zwillinge oder auch nur verwandt seien – so wie Rot und Pink –, sondern Todfeinde. Niemand brach in kultureller Hinsicht eine Lanze für die Lust. Wer hatte das je versucht? Der alberne kleine D.H. Lawrence, *Le Sacre du Printemps* und eine kleine Truppe lächerlicher literarischer Pornografen. Die Liebe – reiner, weniger selbstsüchtig – hatte alle Religionen auf ihrer Seite, dazu die großen Dichter und

Romanciers und die Rechtsprechung. »Aber in einem fairen Duell, Briskers, gewinnt jedes Mal die Lust. Kultur und Religion erzielen so gut wie nichts. Die Warnungen vor der Hölle, die Happy Ends bedeuten doch rein gar nichts im Vergleich zum Anblick eines wohlgeformten Arschs, der die Straße entlangspaziert.«

Briskett, der sich in ihrer Gesellschaft von Minute zu Minute wohler fühlte, erwiderte, dass Myfanwy schon immer wie ein Mann und nicht wie eine Frau gedacht habe.

»Mein Erfolgsgeheimnis«, erwiderte sie und schien kein bisschen gekränkt.

Briskett lenkte das Gespräch zurück aufs Geschäftliche. Um die »Ja zu Europa«-Bewegung in den Umfragen vorne zu halten, erklärte er, habe man den Tod des Premierministers vertuscht. Jennifer habe davon erfahren und sei deshalb jetzt auf dem Weg zu Olivia Kites Anwesen.

»Das weiß ich alles«, sagte Myfanwy. »Sie hat mir einiges erzählt, und ein ziemlich ungehobelter Bursche – ein Russe, glaube ich –, der für diesen widerlichen kleinen Dreckskerl Alois Haydn arbeitet, hat es mir bestätigt.«

»Was ich allerdings nicht verstehe, Myfanwy, ist, warum deine Tochter in Gefahr ist und warum ausgerechnet Haydn hinter ihr her sein soll. Er muss doch wissen, dass die Verschwörung aufgeflogen ist. Die Neuigkeit wird auf die eine oder andere Weise rauskommen. Eigentlich sollte er im Moment eher daran denken, das Land zu verlassen. Er ist ja noch nicht mal Brite. Laut meinen Quellen stammt er ursprünglich aus Alexandria.«

Myfanwy sah ein wenig beunruhigt drein.

»Aus Ägypten ist er bestimmt nicht. Er ist aus … der Gegend hier«, sagte sie und deutete vage Richtung King's Road, bevor sie die Flasche leerte und weitersprach. »Mein Lieber, was Alois jetzt vorhat, ist ziemlich offensichtlich, wenn man kurz nachdenkt. Aber darum geht es ja nicht. Wahrscheinlich stimmt es, dass Jennifer in Gefahr schwebt. Anfangs habe ich ihr nicht wirklich geglaubt. Aber jetzt glaube ich ihr.«

Briskett hob fragend die Augenbrauen und bot ihr eine seiner eigenen Zigaretten an.

»Und ich werde dir alles bis ins letzte Detail erklären, Mylord, wenn Sie einwilligen, mich zu begleiten. Dieses Treiben geht nun schon lange genug, und Alois muss gestoppt werden. Daher ist es für dich und mich an der Zeit, dieses trostlose Haus auf dem Land aufzusuchen und die Dinge zu regeln. Auf die althergebrachte Weise.« Myfanwy griff in ihre ramponierte Chanel-Handtasche und zog eine kleine Pistole mit Ebenholzgriff heraus.

»Wir werden gewappnet sein. Der liebe, süße Lord Croaker hat mir die hier gegeben, als ich noch ein ziemlich junges Ding war. Bis jetzt hatte ich noch nie Gelegenheit, sie richtig zu benutzen. Vielleicht wird es bei diesem Abenteuer anders sein ...«

Briskett zuckte zusammen. Er hatte zwar große Lust auf eine Story, aber nicht auf Gewalt. Abwehrend wies er sie darauf hin, dass er kein Auto besaß.

»Sei doch kein solcher Hasenfuß, Professor«, sagte Myfanwy. »Es ist schon viel zu spät, um heute noch aufzubrechen. Aber das tun wir morgen, gleich in der Früh. Und inzwischen wirst du mitkommen und bei mir bleiben, damit wir einander wieder besser kennenlernen. Ich gestehe, dass ich mich anfangs nicht mehr richtig an dich erinnern konnte, aber es gibt da ein paar bestimmte Details, an die ich meine Erinnerung gerne auffrischen würde.« Briskett hatte die Farbe von pochiertem Lachs angenommen. Er erinnerte sich sehr wohl. Daher erhob er sich jetzt und deutete eine Verbeugung an.

Am nächsten Morgen schritt Myfanwy Davies-Jones gefolgt von Lord Briskett die Treppe ihres Apartmenthauses hinunter und trat mitten auf die Straße, ohne auf den Verkehr zu achten. Sie hob einen Arm, sodass ihre offene Jacke flatterte, und rief: »Taxi!«

AN DER SCHWELLE

Sie hätten schneller fahren sollen. Zu dem Zeitpunkt, als ihre Mutter Lord Briskett kurz ihre Pistole zeigte, war Jennifer allein.

Die A12 war unter dem Getrappel, den Flüchen und ausländischen Befehlen schwitzender römischer Legionäre entstanden, die sie damals unter der Bezeichnung »Inter V« speergerade von Londinium aus Richtung Nordosten gebaut hatten. Aber nachdem die Italiener mit ihrer deutschen Arbeitsethik wieder nach Hause abgezogen waren, verpfuschten die Einheimischen sie ziemlich.

Es gab hier keine Berge, keine Hügelchen wie in West Country oder Moore wie im Norden – nur platte Felder, aus deren dunkler, fast schwarzer gepflügter Erde Gerste wuchs. Außerdem Strommasten und gelegentlich Getreidesilos, die wie dunkle, ausgestreckte Finger am Horizont in den Himmel ragten. Fast jedes Straßenschild war mit Graffiti beschmiert; ungehobelte, verzwergte Worte, wie humpelnde Flüchtlinge der Sprache von Johnson, Dickens und Orwell. Die Hecken- und Grasränder waren mit Fetzen von Plastiktüten und weggeworfenen Fast-Food-Verpackungen übersät. Das war ländliche Gegend für schlechtes Wetter, kurze Tage und tiefhängende Wolken.

Die Straße wurde schmaler, und eine hohe Bruchsteinmauer verlief einige Meilen lang wie eine graue Schlange parallel dazu und wurde nur einmal durch ein Tor mit Säulen unterbrochen. Irgendjemandes schickes Privathaus und kein Schild mit dem Logo des National Trust. Der Himmel war von diesem undurchdringlichen Beinah-Weiß mit Spuren von Grün und Purpur, wie man es normalerweise nur aus Ostengland am Ende eines ewig langen Winters kennt. Dabei war gerade mal Mitte September und das Wetter warm.

Nach vielen Meilen geselligen Schweigens fuhr Ned langsamer und parkte an der Stelle, wo die Mauer des Anwesens endete. Dann stiegen er und Jen wortlos aus dem Wagen und begannen, sich wieder zu küssen. Mit Zunge. Ned hatte nie gedacht, er wäre bei dem, was jetzt unweigerlich folgen musste, besonders gut. Ständig trug er die Bürde der Zurückweisungen mit sich und hatte das quälende Geräusch abfälligen Mädchengekichers im Ohr. Doch der Trieb siegte, als er begann, Jens enge blaue Jeans behutsam herunterzuziehen. Fast hätte er sie von den Beinen geholt, weil sie sich so schwer über ihren kleinen, weißen Po ziehen ließ. Sie umklammerte seine Schultern und keuchte leise. Dann verhedderten sich die Hosenbeine an den Stiefeln.

Sie grunzte, beugte sich vor, hielt sich mit einer Hand an der Autotür fest und kickte schwungvoll sowohl die Stiefel wie auch die Hose fort, sodass sie von der Taille abwärts nackt war. Ned nutzte zitternd die Gelegenheit, seinen Gürtel zu öffnen und an seiner Hose zu reißen. Jen spürte das feuchte Laub und die Erde unter ihren Füßen. Sie streckte wieder die Arme nach ihm aus, schmiegte sich an seine Brust und vergrub ihre schmalen Finger in seinem drahtigen Haar. Als Nächstes schlang sie die Arme um seine Schultern, zog sich hoch und spießte sich höchst erfolgreich auf ihn. Ned war zwar von dieser neuen Entwicklung höchst erfreut, fragte sich aber gleichzeitig, ob seine Beine wohl unter ihm nachgeben würden. Beide hatten an das hier gedacht, seit sie in London ins Auto gestiegen waren. Und der Sex funktionierte; sie besprangen sich wie die Hirsche und schlängelten sich wie Aale. Und danach umgekehrt.

Was um alles in der Welt sehe ich bloß in ihm?, hatte Jen sich eine Stunde zuvor gefragt, während sie auf die kräftigen, blassen Finger schaute, die auf dem Schaltknüppel lagen, und auf das verschlossene Gesicht, mit dem er durch die Regentropfen und Flecken auf der Windschutzscheibe starrte. Die Antwort, wie sie schließlich befand, war eine nach Moschus riechende, verlässliche, altmodische Männlichkeit, romantisch, aber stabil. Er war jemand, der niemals nicht erscheinen würde, ein Mann zum Anlehnen. Nicht gerade hübsch. Genau genommen ein plumpes, nervöses männliches Tier. Aber gerade die Vorstellung, dass es so unpassend schien, mit ihm Liebe zu machen, der Gedanke, dass er sich dabei selbst verwirrt beobachtete, machte die Aussicht darauf so aufregend. Sie hatte keine Ahnung, was in seinem Kopf vorging. Auch das gefiel ihr. Die meisten Männer waren doch wie dreckige Fenster: einmal drübergewischt, und man konnte alles sehen, was dahinter war. Nicht so Ned Parminter.

Neds Gedanken waren in diesem Moment zufälligerweise auch nicht gerade erhaben. Er dachte angestrengt über ihre Nase nach. Darüber, wie sie sie kräuselte, wenn sie nachdachte, und über ihre Beine, mit denen sie sich nach dem ambrosiagleichen Kaffee am Morgen an ihn gepresst hatte. Reife ging eben über alles. Schon seit sie Lucien McBryde den Laufpass gegeben hatte, was kurze Zeit Gesprächsthema in Westminster gewesen war, war Jen zumindest theoretisch verfügbar gewesen. Ihre berüchtigte

Kälte hatte Ned nie abgeschreckt. Ihm kam sie eher auf interessante Weise angespannt oder geschärft vor als kalt. Auch ihre vehement vertretenen politischen Ansichten, insbesondere ihr Hass auf das europäische Empire stießen ihn nicht ab. Er war selbst politisch konservativ und hegte nostalgische Gefühle für ein leereres, freundlicheres, weniger hektisches England. Und Menschen, die sich für Politik interessieren, tendieren nun mal dazu, sich für Menschen zu interessieren, die sich ebenfalls für Politik interessieren. Sein steinernes Herz brauchte einen Funken, und Jennifer Lewis war zwar vorsichtig, aber zugleich ebenfalls steinhart.

Im Moment jedoch schmolz sie dahin und war fertig. Sie hatte Ned so lange in sich behalten, wie es ihm eben möglich war. Nun küssten sie sich flüchtig auf einem sauberen, aber feuchten Rasenfleck. Nachdem die Lust verflogen war, spürte Ned, dass sich ein Zweiglein in seine linke Pobacke bohrte, während Jen nun nur noch vor Kälte zitterte. Bald vollführten sie diesen unvorteilhaften Hüpftanz, den die Engländer – und nur die Engländer – aufführen, wenn sie sich im Freien in Eile anziehen. Das alte Auto verbarg sie vor dem spärlich vorüberfließenden Verkehr.

Die Stimmung war also dahin. Schuldbewusst wandte Jen ihre Aufmerksamkeit wieder dem zu, was vor ihnen lag. Wenn es ihr gelänge, Olivia davon zu überzeugen, dass der Premierminister tot war, würde Olivia das Land mittels Schock dazu bringen, sich in letzter Minute zu vergegenwärtigen, wie dieses alte, zynische und korrupte politische Spiel gespielt wurde. Es war undenkbar, dass die Wähler sich nicht von denen abwenden würden, die sie getäuscht hatten. Die ganze Zukunft der Britischen Inseln stand auf dem Spiel, einem Spiel, das durch ein paar Worte von ihr, Jennifer Lewis, beeinflusst werden konnte. Doch sie war noch hier, dachte über nichts davon nach, sondern verspätete und lenkte sich mit einem Mann ab, den sie kaum kannte. Wie eine verführte Pilgerin. Er war schon seit Wochen hinter ihr her. Nun ja, jetzt war es eben passiert. Das war dieses.

Plötzlich fühlte sie sich ausgesprochen genervt. Sie begriff Ned eigentlich nicht wirklich. Wie hatte sie nur jemals daran denken können, ihm zu vertrauen? Er war irgendein Akademiker … Er musste eigene Interessen haben. Er war kein Freund, vielleicht noch nicht mal ein Verbündeter. Sie war einfach nur zu ihm gelaufen, in einer Mischung aus blinder Panik und blindem Glauben, damit er sie aus London und von der Bedrohung durch Alois Haydn wegbrachte. Denn der würde zweifellos nicht zögern, sie umbringen zu lassen, genauso wie er zweifellos irgendwie Lucien McBryde hatte umbringen lassen. Trotzdem war sie jetzt hier, nur ein paar Meilen von Olivias Anwesen entfernt, auf dem Sprung, Englands lange Geschichte zu verändern.

Doch jetzt, so schwach und verwirrt sie auch sein mochte, meldete sich Jens Bedürfnis nach Ordnung zu Wort. Sie konnte sich das alles nicht erlauben. Nur ihrem Instinkt folgend, machte sie ihren BH zu, beugte sich zum Rücksitz und spürte etwas Schweres unter ihren Fingern – Myfanwys Schraubenschlüssel. Sie holte aus und ließ ihn auf Neds verstrubbelten Kopf krachen. Er machte nur: »Hmm. Aah«, ging in die Knie und fiel vornüber. Dann rührte er sich nicht mehr. Viel Blut war nicht zu sehen.

Jen zog sich fertig an, schlang ein letztes Mal die Arme um seine Brust und zerrte ihn vom Auto weg auf ein paar Lärchen zu. In deren Schatten stand ein grüner Mülleimer aus Plastik, der an einem Betonpfosten befestigt war und den sie zuvor noch nicht bemerkt hatte. Daran war ein Schild befestigt: »East Ness Borough Council. Nur für Hundekot – kein sonstiger Müll.« Sie lehnte Ned Parminter, Bachelor of Arts der Universität Oxford, behutsam dagegen und stieg danach wieder in sein Auto.

Als sie in hohem Tempo wegfuhr und dabei in den Rückspiegel schaute, erhaschte sie kurz den Blick auf einen Mann in Lederjacke und mit Motorradhelm, der sie von der anderen Straßenseite aus beobachtete. Weil der Gedanke daran, was sie soeben getan hatte, sie noch ablenkte, bemerkte sie nicht, wie er langsam eine Waffe aus der Packtasche seines Motorrads holte.

ZURÜCK ZU OLIVIA

Olivia Kite fühlte sich abgelenkt, während sie in der Bibliothek von Danskin House auf und ab ging. Dabei hinterließen ihre Absätze kleine Dellen in den Dielenbrettern, die man kurz nach dem Tod von William Shakespeare hier verlegt hatte. Sie spähte durch die halboffene Tür: Ihre Berater hatten sich um den Fernseher versammelt und gackerten verzweifelt. Die letzte Fernsehansprache des Premierministers vor der Abstimmung war gerade zu Ende, und alle waren sich darin einig, dass es ein Meisterstück gewesen war. Ein Meisterstück der Bösartigkeit und versteckter Andeutungen, aber auch ein politischer Geniestreich. Seinen Triumph über Deutschland hatte er kaum erwähnt, als wäre das eine Selbstverständlichkeit. Olivia vermutete, dass er für den nächsten Tag Händeschütteln von olympischen Ausmaßen geplant hatte und den Kampf voller Selbstvertrauen lässig absolvieren würde.

Der Beitrag hatte mit einem Bild des Premierministers begonnen, auf dem er aus einem Fenster von Number 10 in den Garten von Downing Street blickte, während Sonnenstrahlen auf seinem Gesicht und seinen Händen spielten. Dann hatte sich das Bild in körniges Schwarzweiß aufgelöst, und die Zuschauer waren aufgefordert worden, sich die dystopische Zukunft Großbritanniens außerhalb Europas vorzustellen. Ein Land in verhärmter Armut im Stil der Sowjetunion, wo London nur noch ein schwaches Echo der früheren Pracht und Herrlichkeit war. Die Stimme des PM aus dem Off hatte schwermütig und nachdenklich geklungen. Der Mann war so überzeugend wie nie, während er die Vision eines Lebens am Arsch der Welt skizzierte. Ein Land, das, während es zu verliebt in seine eigene Geschichte war, nicht wagte, irgendeine bedeutende Rolle in der modernen Welt zu spielen. Olivia war so eine Art böse Hexe in diesem Winter Kingdom, die Cruella de Ville des modernen Konservatismus. Schleifende Klänge von Schostakowitsch betonten die Worte des Premierministers in diesem schockierenden, brutal wirkungsvollen kleinen Film.

Er endete mit dem Premierminister, der an der Stirnseite des Kabinettstischs stand, um den sich der Computeranimation sei Dank nicht nur ein paar bedeutende Gesichter aus dem gegenwärtigen Kabinett, sondern auch einige berühmte historische Gestalten versammelt hatten: ein schlanker, langhaariger Horatio Nelson, ein unerschütterlicher Winston Churchill, Margaret Thatcher, die in ihrer Handtasche kramte. »Margaret da drin?«, platzte Olivias Pressechefin heraus. »Wie erbärmlich! Schreckt der Mann vor nichts zurück?« Am Ende deutete der Premierminister in die Runde, schaute in die Kamera – wenn auch aus ziemlicher Entfernung – und fasste zusammen: »Bitte kümmern Sie sich nicht um die lächerlichen Gerüchte, die Sie vielleicht in den letzten Tagen gehört haben. Glauben Sie an mich, wie Sie es stets getan haben. Und entscheiden Sie sich dafür, Teil *Groß*-Britanniens zu bleiben.«

Der Verweis auf die Gerüchte über seinen Gesundheitszustand bewiesen indirekt, dass der Premier durchaus aktiv war.

In Number 10 wandte sich derweil Dame Cecily Morgan an die drei Männer, mit denen sie sich die Übertragung angesehen hatte: Nelson Fraser, der den Großteil des Texts verfasst, Rory Bremner, der ihn gesprochen, und den seltsam aussehenden Goth, der die Bilder kreiert hatte. »Gentlemen, darauf können Sie sich was einbilden. Das war ein Meisterwerk.«

»Danke, Baroness«, erwiderte Bremner. »Aber ich muss mich doch fragen, ob der alte PM tatsächlich so ein Genie war. Das war die beste, eloquenteste Rede, die er je gehalten hat, und kein einziges Wort davon stammte von ihm.«

Nelson Fraser, dessen Festtags-Kilt inzwischen wie ein zerknitterter Vorhang um seine Taille hing, schüttelte sein rötliches Haupt. »Das kann man so nicht sagen. Die Worte stammen zwar von mir, aber die Inspiration kam ausschließlich von ihm. Ich bin stolz auf meine Formulierungskünste, aber das alles war nichts anderes als eine höhere Form von Plagiarismus.«

Nach einem längeren Blick auf den Goth beendete Dame Cecily diese Unterhaltung: »Nun, denken Sie daran, dass keiner von Ihnen jemals über das hier sprechen darf. Der PM stirbt erst nach Abschluss des Referendums am Donnerstag. Daher ist mein ›Gut gemacht‹ alles, was Sie je dazu hören werden. Und jetzt verpissen Sie sich alle miteinander.«

Im Hinausgehen kamen sie an Amanda Andrews vorbei, die auf dem Flur stand. Sie applaudierte und hatte Tränen in den Augen.

Nachdem diese Sache erfolgreich erledigt war, rief Dame Cecily noch einmal Haydn an. Sie brauchte ihm nicht zu erklären, warum. Ihren Gewissenskonflikt hatte sie so gelöst, dass sie ihm von der undichten Stelle erzählt hatte – die Neuigkeit schien ihn keineswegs zu überraschen –, aber ihn zugleich schwören ließ, dass Briskett keine Gewalt angetan würde, denn schließlich war er ja ein einigermaßen anständiger Kerl.

»Irgendeine Spur?«

»Nichts. Er ist zwar beim *National Courier* aufgetaucht, hat aber niemanden zu sehen bekommen, und jetzt ist er wieder verschwunden. Wir waren nicht in der Lage, ihn mit den Überwachungskameras aufzuspüren, allerdings bin ich mir auch ziemlich sicher, dass er weder in der U-Bahn noch auf einem der größeren Bahnhöfe war. Und er ist nicht in seine Wohnung zurückgekehrt. Natürlich verfüge ich auch nur über begrenzte Ressourcen. Es ist an der Zeit, dass Sie und Ihre Leute mal die Hände aus den Taschen nehmen und helfen. Wir müssen Seine Lordschaft unbedingt zum Schweigen bringen.«

»Aber nicht endgültig, Alois. Das ist definitiv nicht notwendig.«

»Analysieren Sie mal das Wort ›notwendig‹, Cecily. Verstecken Sie sich nicht hinter Euphemismen.«

»Ich habe mich mein ganzes Berufsleben lang hinter Euphemismen versteckt, Sie dummer kleiner Mann«, sagte Dame Cecily und beendete das Gespräch. Sie bedauerte ihre letzten Worte sofort. Was auch immer man über Alois Haydn denken mochte, er war kein Mann, den man beleidigte, und erst recht keiner, den man unterschätzte.

Aber zum Bedauern war es jetzt zu spät. Haydn hatte aus Essex mit ihr gesprochen. Er besaß einen Vertrag mit einem der kleineren Privatunternehmen, die vom Heliport Battersea aus operierten. Es hatte ihn nur einen einzigen Anruf und eine kurze Taxifahrt gekostet, bevor er von der winzigen Betonmauer neben der Themse abhob. Mit dem Hubschrauber nach London hinein- oder hinauszufliegen wurde von Jahr zu Jahr schwieriger – eine Reihe von Beinah-Unfällen und ein Zusammenstoß mit einem Kran machten die Flugroute noch komplizierter –, aber es dauerte nicht lange, bis er mit Kopfhörern auf den Ohren auf die graue Brühe vor East London herunterstarrte, die Richtung Nordsee schwappte. Der Flug war kalt, und Alois merkte, wie seine Zähne klapperten, aber während sie sich Richtung Norden die Küste hinaufbewegten, kam die Sonne heraus. Er konnte Danskin House mit seinem Turm, der Flagge und den es umgebenden Bäumen schon erkennen. Dann das mosaikartige Labyrinth aus Sumpfgebieten und, immer noch roh und unfertig wirkend, sein eigenes Haus, Rocks Point.

Haydn hatte Flugangst und zitterte noch ein wenig, als Ajit ihn an der Haustür begrüßte. Sie küssten sich auf beide Wangen, dann machte Alois sich los.

»Habe keine Zeit zu verlieren, Darling. Ich muss hinüber nach Danskin House. Besprechung, die ich nicht absagen kann …«

Olivia leckte sich erwartungsvoll die Lippen, als sie ihn erblickte. Diesen Ausdruck hatte Haydn zwar schon gehört, aber so wie bei Olivia hatte er das noch bei niemandem gesehen.

»Sie sind hier die Herrin«, sagte er. »Aber ich habe Neuigkeiten für Sie, die Sie zur Herrin über alles machen werden.«

»Ich bin die Herrin. Und was sind Sie dann?«

»Heute Ihr ergebenster Diener. Nur ein Bote.« Alois spürte, wie ihm das Atmen schwerer fiel. Aber er zwang sich zum Hinsetzen und sprach einigermaßen ruhig weiter.

»Der Premierminister ist tot. Er ist sogar schon seit ein paar Tagen tot. Alles, was seither aus Number 10 kam, war Fiktion. Etwas Gemachtes. Eine Lüge.«

Olivia rührte sich nicht. Sie blieb so reglos, als sei sie aus Stein. Keine Wimper zuckte. Nicht die geringste Bewegung der Nasenflügel oder Lippen.

»Wir – also der innere Zirkel in Number 10 – hatten das Gefühl, Sie würden das Referendum gewinnen, wenn es rauskäme. Also sind wir in Panik geraten, Olivia. Es ist eine umfassende Vertuschungsaktion. Jetzt können Sie die Wahrheit enthüllen und alles umdrehen.«

Olivia legte einen Daumen an ihre Lippen. Dann schnitt sie eine Grimasse, die ihre perfekten Zähne sichtbar werden ließ, und biss sich in den Finger. Heftig.

Ihre schmerzende Hand schüttelnd, fragte sie: »Beweis? Motiv?«

»Sie wissen, wie Sie den Beweis erbringen. Ein halbes Dutzend Telefonanrufe, ein halbes Dutzend zittriger Stimmen. Also bitte, Olivia, beleidigen Sie mich nicht. Was das Motiv angeht – wie auch immer Sie von mir denken mögen –, ich bin ein Patriot. Alles, was ich möchte, ist, an Bord genauso willkommen zu sein wie die ersten Rekruten, die vor einem Jahr an Deck geklettert sind.«

»Sie möchten mir gehören.«

»Ich möchte Ihnen gehören.«

»Das ist vielleicht anstrengender, als Sie es sich vorstellen«, sagte Olivia und wandte ihm den Rücken zu. Innerhalb von Augenblicken hatte sie ein halbes Dutzend Berater an ihre Seite gerufen und organisierte eine Welle von

Aktionen. Haydn war entsetzt und zugleich voller Bewunderung. Er hatte sich selbst immer für einen Strippenzieher gehalten, aber er war nichts. Das hier war eine Strippenzieherin.

Inzwischen waren die ersten Reaktionen auf den Fernsehauftritt des PM spürbar. Politikredakteure und eine Handvoll antieuropäischer Minister waren bereits am Telefon, um Olivia Kites Einschätzung zu erfahren. Die allgemeine Ansicht lautete, dass die Ausstrahlung verheerend war; alle wollten wissen, wie sie darauf reagieren würde. Sie verstanden ihre fröhlichen, ausweichenden Antworten auf ihre Fragen nicht. Aber sie wusste genau, wie ihr Gegenschlag aussehen würde. Der Typ war tot. Wenn sein letzter Auftritt nur eine schlaue Trickserei gewesen war, umso besser. Die britische Öffentlichkeit würde vom Zynismus der leichenfressenden Dämonen in Number 10 nur umso stärker angewidert sein. Sehr bald würde sie das ganze Referendum haushoch gewinnen.

Sehr bald, aber noch nicht sofort. Ihr Instinkt sagte ihr, dass Haydn noch etwas für sich behielt. Seine Geschichte passte noch nicht so ganz. Wenn er falschlag oder ihr nicht die ganze Wahrheit sagte, konnte sie am Ende immer noch wie eine Idiotin dastehen. Sie überlegte weiter, während sie auf den Platten vor dem alten grauen Obstgarten hin und her ging.

In ihrem Kopf vermischten sich die politische und ihre private Krise. Sie hatte den Betrug ihres Ehemanns nicht verziehen, aber er war ein schwacher Mann und sie nicht die Frau, die lange zurückschaute. Und in diesem Moment spürte sie, dass sie sich plötzlich für einen Mann interessierte, den sie seit Jahren kannte und der sie, trotz seiner allgemein bekannten Homosexualität, schon oft mit einem Blick betrachtet hatte, der nicht misszuverstehen war.

Ja, Alois Haydn, den berüchtigtsten Apparatschik des Premierministers, in diesem alles entscheidenden Moment auf ihre Seite zu holen, würde nicht nur allgemeines Erstaunen, sondern auch lüsterne Spekulationen nach sich ziehen. Sie wollte ihn gern auf Knien sehen. Wenn sie doch nur gewusst hätte, was in seinem Kopf vorging. Aber das Einzige, was jeder über Alois Haydn wusste, war, dass er immer auf der Seite der Sieger stand. Schon das allein konnte sich als nützlich erweisen. Ja, das war es. Das war die Lösung.

In dem Moment, den sie bestimmte, um der Welt von dem in Downing Street praktizierten Schwindel zu berichten, sollte Haydn neben ihr stehen. Er würde seine frühe Komplizenschaft gestehen, seine Mitverschwörer nennen und ihr seine Loyalität zusichern. Das würde eine unmissverständliche Botschaft sein. Als Zusatzbonus würde das noch Reeder demütigen und erzürnen. Es würde jedoch auch bedeuten, dass sie sich sehr stark auf die schmächtige Gestalt Alois Haydn stützte, der jetzt gerade im Anrichteraum auf ihre Entscheidung wartete. Er hatte seine Rolle zu spielen. In der Zwischenzeit sollte er ruhig unbehaglich lange warten. Sie musste alles über diese Situation wissen. Und das tat sie nicht. Noch nicht.

Olivia ging hinein und durch einen Gang mit Gewölbe in das Speisezimmer, das im Moment das summende Nervenzentrum ihrer Kampagne bildete. Wo einst Zuckerrohrplantagen ge- und verkauft worden waren, wo man Handelsschiffe bezahlt und ihre Reiserouten geplant hatte, wo komplexe Petitionen an eine Reihe von Monarchen verfasst worden waren, dort streiften nun miauend die irritierten Katzen der Familie Kite umher. Der alte Eichentisch war für Landkarten sowie handgeschriebene Schaubilder und Charts zu den letzten vierundzwanzig Stunden der Kampagne freigeräumt worden. Olivia zündete sich eine ihrer seltenen Zigaretten an, nahm eine Reitgerte zur Hand und begann die Unterlagen damit anzustupsen, wobei sie nur noch flüchtig auf die Ausdrucke der letzten Umfrageergebnisse schaute.

Sie war rundum zufrieden. Alles, was in ihrer Macht stand, war geschehen. Jimmy Cardigan, der Gewerkschaftsführer aus der Fraktionsspitze von Labour, einst fanatisch europhil, hatte eingewilligt, zusammen mit Matthew Aron, dem ideologisch reinsten Vertreter der Befürworter des freien Marktes bei den Tories, in Leicester aufzutreten. Sowohl Sky als auch die BBC hatten zugesagt, über das Event zu berichten. Außerdem hatte sie eine Menge Parlamentsabgeordneter in Birmingham – lauter Einheimische, aber ohne besonderen Nachrichtenwert. Bei diesem Referendum würden die Unentschlossenen den Ausschlag geben. Boris hatte eine Weile gebraucht, bis er von seinem Zaunplatz herunterstieg. Sie hatte auch versucht, die Stand-up-Comedian Isabel Ashley und den ehemaligen Schatzmeister der Tories und jetzt parteilosen Lord Osborne zu überzeugen, auf ihre und damit die Siegerseite zu wechseln, aber keiner schien besonders scharf darauf zu sein. Sie zuckte mit den Schultern. Die morgige Pressekonferenz würde alles ändern. Darauf richtete sie nun ihre respekteinflößende Aufmerksamkeit.

In der nachlassenden Brise hing der Union Jack schlapp am Turm in der Mitte von Danskin House.

AUFTRITT EINES BÄREN

Nur ein paar Meilen entfernt hatte Ajit Gupta sich eines der Rennräder genommen, die vor der Küche für Besucher bereitstanden, und trat in der Dämmerung aus Leibeskräften in die Pedale. Und zwar auf das nächste Dorf zu. Uferschwalben schossen über ihn hinweg, und Meerlavendel hellte das graugrüne Strandgras auf, aber Ajit hielt den Blick fest auf den schmalen, gewundenen Weg gerichtet. Hier waren England und das Meer miteinander verwoben. Salzwasser konnte mit der Geschwindigkeit eines Peitschenhiebs kommen und einen Mann vom Ufer fortreißen. Abseits des Weges war kein Schritt sicher.

Ajit träumte von einem neuen Start – mit Zitronenhainen und frischen Papayas und dem Geräusch brechender Wellen in der Ferne. Wie wohl Brotfrüchte schmecken mochten? Der Name klang schrecklich, aber egal. Er malte sich aus, wie er an seinem Computer vor sich hin schrieb und die Storys wie von selbst kamen. Naipaul und Graham Greene. Während er strampelte, schleuderte das Hinterrad einen feinen Strahl aus Wasser und Dreck hoch. Wie ein Zwischenruf der Erde von Essex, der sich von seinem Nacken bis zu seinem Hinterteil erstreckte.

Die letzten hundert Meter bis zum Postamt und dem Gemischtwarenladen ließ er das Rad ausrollen. Er wollte ein dringendes Schreiben an seine Bank abschicken. Doch dann wurde sein sonniges, realitätsfernes Gemüt rüde durch den Anblick eines riesigen, grimmigen Bären von einem Mann erschüttert. Der trug eine alte Lederjacke, ausgefranste Jeans und schwere Motorradstiefel. Er stand zwar im Schatten des Ladens, unternahm aber keine wirkliche Anstrengung, sich zu verstecken.

»Aleksander? Was tun Sie denn hier? Sind Sie auf dem Weg zum Haus? Aber Mr Haydn ist nicht hier.«

Aleksander trat aus dem Schatten und zeigte auf sein Motorrad. »Ich bin jetzt aus London hier. Ich bin Leuten für Mr Haydn gefolgt. Sie sind keine guten Leute. Sie benehmen sich wie Hunde. Einer von ihnen ist vielleicht tot. Hoffe ich. Ich versuche die andere zu finden. Ich hatte sie schon fast, aber dann habe ich sie auf diesen albern schmalen englischen Straßen verloren. Das Mädchen. Jemima.«

»Jennifer?«

»Ja. Jennifer.«

Ajit wollte mit dieser monströsen Kreatur, diesem schwitzenden Caliban nichts zu tun haben. Olivia Kite würde wissen, was mit ihm zu tun wäre, und außerdem war Jennifer wahrscheinlich sowieso auf dem Weg nach Danskin House. Falls Alois sich auch dort befand und ihm das unangekündigte Erscheinen dieser Kreatur peinlich war, konnte er es auch nicht ändern. Sollte er ruhig dieses eine Mal die Verantwortung übernehmen.

Also beschrieb Ajit ihm den Weg nach Danskin House. Aleksander grunzte einen Dank und stieg wieder auf seine Maschine.

JEN VERMASSELT ES

Der Schotter knirschte, und Ned Parminters Bristol kam unter dem quietschenden Protest der alten Federung vor dem säulenverzierten Eingang von Danskin House zum Stehen. Jen wühlte in ihrer Handtasche, zog McBrydes Umschlag heraus und überflog noch einmal den ausgedruckten Bericht seines Treffens mit Alois Haydn. Er ging nicht sehr in die schmutzigen oder sonstigen Details, war aber ausführlich, was das Timing und die Identitäten der Verschwörer betraf. Zu ihrer Überraschung fiel noch ein gefalteter Zettel, den sie zuvor nicht bemerkt hatte, aus dem Umschlag.

»Nachtrag« stand mit Bleistift und dick unterstrichen

darüber. »Jen«, las sie, »es gibt eine kleine Verwicklung, die ich nicht ordentlich auflösen kann ...« Ach so, dachte sie, nur noch mehr Spekulation. Sie schob den Zettel in die hintere Tasche ihrer Jeans und nahm sich vor, ihn später ganz zu lesen. Aber zuerst musste sie Olivia finden. Sie lief auf direktem Weg ins Speisezimmer.

Die Begrüßung ihrer Chefin fiel nicht so herzlich aus, wie Jen sich das erhofft haben mochte. Olivia erhob sich ohne Willkommenslächeln und wandte sich an die paar Arbeitskräfte, die noch nicht Feierabend gemacht hatten. »Würde es euch etwas ausmachen, uns für einen Moment allein zu lassen?« Jen stand stocksteif vor ihr, die Hände hinter dem Rücken – ein Schulmädchen vor der Direktorin. Olivia befingerte ihre Reitpeitsche.

»Tauchst du also doch noch auf. Ich habe mich schon gefragt, wie lange du noch in London herumlungern willst. Wir sind in deiner Abwesenheit ziemlich gut klargekommen, Herzchen. Ich habe allerdings ein paar Fragen an dich.«

Jen behauptete sich: »Sie werden schon hören wollen, was ich zu sagen habe. Ich habe, wie Sie sehen werden, meine Zeit nicht vergeudet. Deshalb stelle ich auch die erste Frage. Gegen wen kämpfen wir hier eigentlich wirklich?«

Olivia gab das von sich, was Jennifer erwartet und schon viele Male gehört hatte, allerdings immer unter vier Augen.

»Nummer drei, Apathie – den fundamentalen Mangel an Ernsthaftigkeit in der britischen Bevölkerung. Nummer zwei, die Feiglinge des Big Business und der Banken, die unsere Demokratie nur zu gern verkaufen würden, um ein wenig mehr Einfluss auf die Regulierungszwerge in Brüssel und Straßburg zu haben. Aber Nummer eins ist, wie du sehr genau weißt, der Premierminister selbst, dieser glitschige alte Heuchler mit seiner Honigstimme. Die Leute lieben ihn …« Aber Olivia wirkte abgelenkt, fast gelangweilt.

Jen kam näher und starrte ihr in die Augen. »Was würden Sie sagen, wenn ich Ihnen erzählen würde, dass unser Feind Nummer eins nicht mehr unter uns weilt? Dass der Premierminister vor vier Tagen in seinem Büro verstorben ist. *Es stimmt.* Sie haben die Leiche versteckt und es geschafft, die ganze Sache geheim zu halten. Eine ganz schöne Leistung. Dieser widerliche Alois Haydn ist darin verstrickt. Er hat Lucien McBryde alles gestanden, der danach ermordet wurde. Es mag vielleicht verrückt klingen, Olivia, aber ich glaube, die sind auch hinter mir her.«

Nachdem sie vorsichtig den Schlagbolzen entfernt und die Granate mit dem Unterarmlupfer einer Cricketspielerin geworfen hatte, trat Jennifer einen großen Schritt zurück und wartete auf den Knall. Ein Aufschrei? Gelächter? Staunen? Skepsis? Aber Olivia lächelte nur reserviert.

»Soso, Jennifer, dann hat sich also dein Ex-Boyfriend am Ende noch mal für dich ins Zeug gelegt, unmittelbar bevor er Selbstmord beging. Es mag dich vielleicht überraschen, aber hier draußen im Busch haben wir schon vor Ewigkeiten vom Tod des Premierministers erfahren. Also wage es nicht, herzukommen und anzufangen, mit dummen Anschuldigungen gegen einen unserer wichtigsten Verbündeten um dich zu werfen. Der, wie du wissen sollst, zufällig auch ein guter Freund von mir ist. ›Widerlich‹? Ich werde dir sagen, was widerlich ist: sich in London herumtreiben und gute Menschen anschwärzen, etwas von Mord faseln und sich viele Stunden verspäten, bevor du der Frau, deren Angestellte du bist, eine wichtige Information mitzuteilen gedenkst.«

Jen wurde rot und machte den Mund auf, um etwas zu sagen, aber Olivia kam ihr zuvor. »Spiel jetzt bloß nicht die Unschuldige. Wage es nicht. Ein kleines Vögelchen hat mir alles gezwitschert.« Und dann erhob sie ihre Stimme und rief: »Oh, kleines VÖGELCHEN!«

Die helle Eichenholztür hinter ihr flog auf, und hereinspaziert kam mit dunklen Augen Alois Haydn. Jen glotzte. Beelzebub höchstpersönlich. Der Killer neben ihrer Königin. Sie hätte auch nicht mehr gestaunt, wenn Olivia ihr offenbart hätte, dass sie sich einen Sibirischen Tiger als Haustier in ihrer Küche halte.

Hinter ihr ging knarrend die Tür zur Eingangshalle auf, und Aleksander betrat den Raum. Er hob schon seine Waffe, doch als Haydn schwach den Kopf schüttelte, zuckte Aleksander mit den Achseln, drehte sein Gewehr um und schlug mit dem Kolben kräftig auf Jens Kopf. Sie ging in die Knie, schwankte ein wenig, als würde sie beten, bevor sie langsam auf den Teppich sank.

Selbst wenn nur ein Zehntel der Dinge zutraf, die Alois ihr über Jennifer Lewis erzählt hatte, überlegte Olivia, dann hatte das Mädchen heftige Kopfschmerzen wirklich verdient, und wahrscheinlich noch deutlich mehr als das. Olivia fühlte sich fast gekränkt.

»Dann eben so«, sagte Aleksander, während er sich bückte und Jen unter den Achseln packte. Alois nahm ihre Füße, und die beiden schleppten sie nach oben in ein Schlafzimmer, wo sie sie auf ein Bett legten. Aleksander holte eine dicke Rolle Klebeband aus der Tasche seiner Lederjacke und bedeckte Jens Mund mit einem Streifen. Dann fesselte er sie stramm an Händen und Füßen. Er sah sich im Zimmer um. Das Fenster lag zu hoch, um hinauszuspringen, und an der Tür befand sich ein altmodisches Schloss. Nachdem Haydn Jens Handtasche durchsucht und ihr Handy herausgenommen hatte, verließen die beiden das Zimmer. Für den Moment war sie sicher genug. Ein Problem, das warten konnte.

Ein bisschen später kam Jen mit rasenden Kopfschmerzen zu sich. Es mochte ihr vielleicht nicht so vorkommen, aber sie hatte ausgesprochenes Glück gehabt. Hätten Alois oder Aleksander sich die Mühe gemacht, ihre Hosentaschen zu durchsuchen, und hätten sie dort den zerknitterten Zettel gefunden, den zu lesen sie sich nicht die Mühe gemacht hatte, hätten die beiden sie auf der Stelle umgelegt.

KLARTEXT

Oberhalb des runden Teichs auf dem Gelände von Danskin House stand eine kleine weiße Replik des Artemistempels mit dorischen Säulen aus Sandstein und Holzschindeln auf dem Dach. Seine gegenwärtige Funktion war es, eine Sammlung von Rasenmähern zu beherbergen. Auf dem Sitz des größten lungerte, während sein Motorrad an der Rückwand lehnte, Aleksander. Er hatte Haydn gerade berichtet, wie Jen Ned Parminter gefällt hatte, und wurde nun von seinem Arbeitgeber gebrieft.

»Das Mädchen weiß mehr als genug, um mich zu ruinieren, und das heißt, auch dich zu ruinieren«, sagte Haydn.

Aleksander gähnte. Er wollte nicht zu enthusiastisch wirken. Hier war Geld im Spiel. Besser erst mal abwarten und zuhören.

»Wenn alles läuft, wie es sollte, werde ich – es komfortabel haben. Ich war immer großzügig dir gegenüber, nicht wahr, Aleksander? Also lass mich das deutlich sagen. Wenn das Mädchen bei Olivia auspackt und es für mich versaut, dann versaut sie es auch für dich.«

»Und deshalb wollen Sie, dass ich was mache?« Während er redete, zog Aleksander sein Handy aus der Jeanstasche, hielt es in Richtung Haydn und drückte auf einen Knopf.

»Was tust du da?«, fragte Haydn.

»Das ist ein gefährliches Business. Ich mache eine Aufnahme. Wir sind Männer, wir vertrauen einander. Aber nur damit Sie mich nicht in der Toilette runterspülen, Mr Haydn, das ist meine Versicherung. Was dagegen?«

Alois hatte etwas dagegen, aber er wusste auch, dass er nicht in der Lage wäre, das allein durchzuziehen.

»Nein, natürlich nicht. Und du hast ganz recht, das ist alles sehr unglücklich. Du möchtest, dass ich genauer werde. Du möchtest ein Druckmittel. Ich gebe es dir. Leider muss dieses Mädchen beseitigt werden. So ist das. Ich wünschte, es gäbe eine Alternative, aber die gibt es nicht.«

Aleksander zeigte kein Anzeichen von Überraschung, sondern grunzte nur und kratzte sich. Er merkte, dass er gleich niesen musste. Alois sprach leise und monoton weiter, in der Hoffnung, dass das Telefon dann nicht richtig aufnehmen konnte.

»Komm morgen früh gegen elf wieder hierher. Das ist der Tag vor dem Referendum, also wird hier totale Hektik herrschen und keiner auf dich achten. Pack sie in den Wagen, in dem sie gekommen ist, fahr zu mir, dann schaffst du sie hinaus in die Sümpfe und erledigst es dort. Um diese Jahreszeit wird da draußen viel geschossen. Niemand wird darauf achten. Den Rest übernehmen die Gezeiten.«

Alois zündete sich eine türkische Zigarette an, schlenderte aus dem Tempel, vorbei an den Resten einer Grotte und in den Rosengarten. Olivia Kite, die ihn von einem der

Fenster im oberen Stock aus beobachtete, dachte sich, dass er aussah wie ein tadellos gekleideter kleiner Junge.

Aleksander urinierte gegen eine dorische Säule, bevor er sein Motorrad einen schmalen Pfad hinter ein paar Zedern entlangschob. Weg vom Haus.

In einem abgesperrten Schlafzimmer schmeckte Jen Blut in ihrem Mund und wand sich vergeblich auf dem Bett.

Olivia war immer noch wutentbrannt über Jens Verrat, den Alois ihr offenbart hatte. Am liebsten hätte sie sie windelweich geprügelt, aber Alois hatte recht: Jen war eine gefährliche Ablenkung, und wichtig war nur, sie ruhigzustellen. Um Miss Lewis würde sie sich später kümmern, nachdem die Pressekonferenz gut über die Bühne gegangen war.

Olivia nahm vier Schlaftabletten mit hinunter in die Küche, zerstieß sie zu Pulver und streute das in eine Schale mit heißer Suppe. Dann kehrte sie wieder nach oben zurück, löste Jens Fesseln, tat entsetzt über das Klebeband auf ihrem Mund, das sie behutsam löste, und gab ihr einen Kuss. Die noch benommene und verängstigte Jen nahm ihre aufrichtige Entschuldigung für die Schlägertypen, die sich irgendwie in Danskin eingeschlichen hatten, an und löffelte dankbar die angebotene Suppe.

Olivia griff wieder nach ihrer Reitpeitsche und verließ das Zimmer. In ihr keimte eine gewisse Neugier darauf, diesen scheußlichen Alois Haydn ohne seine Kleider zu sehen.

12

Mittwoch, 20. September
Ein Tag vor dem Referendum

PHOEBUS ERWACHT: EIN HISTORIENSPIEL

In den frühen Stunden des darauffolgenden Morgens wirkte Rocks Point nicht nur wie eine finanzielle Torheit, sondern wie ein öder Witz. Wege mit ausgefahrenen Spurrillen führten zu einem kleinen Hügel, auf dem noch verstreut ein paar Reste des alten viktorianischen Hauses standen. Einst ein Ort, an dem Arthur Ransome mit Trotzkis Sekretärin Zuflucht gefunden hatte und wie am Fließband Kolumnen mit Anmerkungen über die Natur für den *Guardian* schrieb. Jetzt waren davon nur noch ein paar halbhohe Mauern aus roten Ziegeln übrig und ein Haufen aus verbogenem Schmiedeeisen.

Ein ganzer, ursprünglich kunstvoll gemauerter Kamin lag auf der Seite, und aus den Brennnesseln ragten Wetterfahnen aus gehämmertem Metall. Zu sehen waren auch noch die toten, grauen Reste der einstmals im viktorianischen Gewächshaus liebevoll gezogenen exotischen Pflanzen. Hunderte zerbrochener Glasscheiben reflektierten das Mondlicht wie gesprungenes Eis auf einem stillen See.

Der monströse Bau aus verstärktem Beton und Glas, der jetzt die Reste des ursprünglichen Hauses überschattete, wirkte wie ein planloses Arrangement aus geometrischen Formen, die jemand aus dem Mathematikbuch eines Grundschülers gestohlen hatte. Das Ganze war nicht besser oder schlechter als viele andere selbstverliebte moderne Torheiten, die sich Neureiche entlang der englischen Küste hatten errichten lassen. Von North bis East Anglia konnte man grün verglaste Palazzi, fliegende Untertassen, schmiedeeiserne Spinnen und rachitische Fantasien auf Holzbeinen finden. An den Wochenenden trafen dort Hedgefonds-Manager, Werbeleute und Russen auf der Flucht in Hubschraubern ein, um ein bisschen zu ballern und zu protzen. Dorset war genauso schlimm, Devon stand das Gleiche bevor.

Alois Haydns Schweizer Architekt hatte Vorbehalte dagegen gehabt, seinen Entwurf am äußersten Rand der zurückweichenden Küstenlinie von Essex verwirklicht zu sehen, wo er wirkte wie ein kleines, elegantes Atomkraftwerk. Als dann auch noch der unerlässliche Heli-Landeplatz dazukam, schrieben einige Blogger, das Ganze sähe aus wie der Schlupfwinkel eines Bösewichts bei James Bond. Aber die Jäger von Wildgeflügel und die Vogelbeobachter waren sich in einem Punkt einig: Rocks Point war ein Schandfleck. Im Inneren des Hauses verstärkten die riesigen Fenster, die eigentlich Alois Haydn, Ajit Gupta und ihre Wochenendgäste in strahlendes Licht tauchen sollten, den desolaten Eindruck nur noch.

Es gab hier keine Rocks, nur Modder und Schlacke und einen riesigen nasskalten Himmel. Es existierte auch kein Point, nur ein Umkreis aus salzigem Schlamm, der im Norden wie im Süden in gelbliches Meerwasser überging. Im Westen lagen die Trümmer des viktorianischen Hauses und im Osten, wann immer der Regen aussetzte, das graue Meer, regelmäßig durchsetzt mit Fähren und Containerschiffen auf dem Weg von oder nach Harwich. Haydn hatte eine neue Hypothek auf das Anwesen aufnehmen müssen und war in London zu beschäftigt gewesen, um es nach seinem Geschmack einzurichten oder auch nur fertigbauen zu lassen. Das war aber auch das einzig Gute.

Nur ein einziges Zimmer im Erdgeschoss war einigermaßen fertig, um den Schießwütigen Quartier zu geben. Abgesehen davon war nur die Wendeltreppe aus Beton, die zu den Schlafzimmern im ersten Stock führte, gestrichen worden. Sie war grellweiß und mit Lithografien verschiedener Folterungen und Hinrichtungen dekoriert, ursprünglich von Goya, hatten die Chapman-Brüder sie grell umgestaltet. Abgesehen von der Treppe und dem Schützenzimmer waren alle Wände noch nackter Beton, geschmückt mit Girlanden elektrischer Kabel, die aus ausgefransten Löchern ragten. Unten standen ein paar Möbel, aber das meiste war in Plastikfolie gehüllt und von Staub bedeckt. Oben wanderte eine eingehüllte stöhnende Gestalt zwischen den Schlafzimmern und Alois Haydns »Bibliothek« (in der es keine Bücher gab) hin und her.

In einer seidenen Pyjamahose und mit einer Bettdecke gegen die Kälte über dem Kopf fühlte sich Ajit Gupta, als sei er in einem Alptraum erwacht. Dieses schreckliche Haus an diesem schrecklichen Ort erschien ihm noch schrecklicher, seit er gestern beim Stöbern in den E-Mails seines Partners entdeckt hatte, dass es sie beide in den Bankrott trieb. Sie mussten verrückt gewesen sein.

Eine Villa am Meer, ein Stück altes England mit Würde und Geschichte, war für diesen kalten Verschlag abgerissen worden. Was hatten sie sich bloß dabei gedacht? Und nachdem, gemäß der vorsichtigsten Schätzung, dieses Haus noch weitere zwei bis drei Millionen erforderte, um auch nur wetterfest zu werden, von gemütlich ganz zu schweigen, beschlich Ajit das Gefühl, hier in England würde es für ihn niemals besser werden.

Schlaflos wanderte er zur Rückseite des Hauses und

starrte auf die bröckelnden alten Ziegelmauern. Immer noch vor Kälte zitternd, merkte er, dass er durstig war. Er hatte den ganzen Abend auf Alois gewartet, dabei zu viel Wein getrunken und sich gefragt, ob er ihn wegen ihrer Geldsorgen zur Rede stellen sollte. Bei was für einer Sorte Mann war er bloß gelandet?

Ajit tappte nach unten, vorbei an den Lithografien, die ihm Grimassen zu schneiden schienen, und in die provisorische Küche. Die wurde dominiert von einem riesigen Kühl-Gefrier-Schrank aus gebürstetem Stahl, der wie ein aufrechter Sarg in einer Ecke stand. Er griff nach einer Packung Orangensaft. Als er sich umdrehte, erschrak er und ließ den Saft fallen. Ein nackter Alois Haydn saß auf einem der Küchenstühle und starrte ihn an.

»Oops. Sorry. Ich bin spät von Olivia Kite hierhergekommen. Ich wollte dich nicht wecken.«

Haydn stand auf und trat ans Fenster. Im Mondlicht konnte Ajit leuchtend rote Striemen auf seinem Rücken erkennen.

Das eisengraue Nichts, das das Meer, die Fähren und Containerschiffe verborgen hatte, wurde von den ersten rosaroten Schlieren durchzogen. Als Haydn anhob zu sprechen, leuchtete der Flaum auf seinen muskulösen Beinen und erstaunlich kräftigen Armen an vielen kleinen Stellen gold- und orangefarben. Er drehte sich zu Ajit um. »Wenn du mich anschaust, was siehst du dann?« Er schwieg und hob die Arme wie ein siegreicher Sportler.

Ich sehe einen Faun, dachte Ajit. Einen Babygott mit Messingbrust, Haaren aus gehämmertem Kupfer und Fesseln und Füßen aus Ton.

Was er jedoch sagte, war: »Ich sehe einen Mann, der mich wie eine Hure benutzt, noch dazu wie eine dumme Hure. All diese zwielichtigen Finanzdeals, Alois. Diese ganze Verschwiegenheit. Deine schäbigen kleinen Geheimnisse. Diesen schrecklichen Polen. Und jetzt diese Spuren auf deinem Rücken. Was treibst du eigentlich den ganzen Tag lang? Ich weiß, was ich tue. Ich sitze auf meinem Arsch und schreibe Sätze. Und wenn all die Sätze fertiggeschrieben sind, bringe ich sie meinem Verleger und habe am Ende ein Buch. Und selbst wenn nicht so viele Leute meine Bücher lesen, so sind es doch genug, damit ich mir meinen Lebensunterhalt ehrlich damit verdienen kann. Und du? Du lebst in Saus und Braus, aber was machst du eigentlich? Mir steht es wirklich bis oben, dieses Irrlichtern im Zwielicht, weil du dich für so clever hältst. Verdammt, ich habe mich sogar so weit erniedrigt, deine Konten durchzusehen. Also weiß ich, dass dieser Blödsinn uns das Genick bricht. Ich will nicht behaupten, dass es keinen Spaß gemacht hat, aber ich will hier raus.«

Haydn streckte sich im Sonnenlicht. Ajit loszuwerden, das käme ihm ganz gelegen, aber es wäre ein großes Risiko. Er wusste zu viel, und diese Schreiberlinge waren immer auf der Suche nach Stoff.

»Du wirst mich in einem Buch verwenden, nicht wahr, Süßer?«

»Ich bin kein Erpresser. Aber irgendjemand sollte dich bald mal in einem Buch verwenden. Es wäre eine Schande, es nicht zu tun …«

Haydn hatte das Gefühl, eine Gefahr aufgedeckt zu haben. Er begann auf und ab zu gehen, als spräche er einen Monolog auf einer leeren Bühne.

»Du schreibst deine Sätze, Ajit. Ich gehe Risiken ein. Wir nutzen beide unseren Verstand, so gut wir können. Aber ja, natürlich befinden wir uns an einem Wendepunkt. Wenn das hier vorbei ist, kann ich nie mehr nach Westminster oder Whitehall zurück. All die Kontakte, all die

Partys, die wir gegeben haben, die noch unerwiderten Gefallen, diese kleinen Päckchen goldwerter Informationen … alles vorbei, alles nutzlos jetzt.«

Als die Sonne aufzugehen begann, war er nur noch eine Silhouette vor dem Fenster. Ajit kam es vor, als würde er nicht den Mann beobachten, den er einst geliebt hatte, sondern eine Marionette. Haydn sprach weiter.

»Ich bin ein ehrgeiziger Mann. Ja, in diesem Land ohne Ehrgeiz wage ich, das zu behaupten. Hier spielen Politiker keine Rolle mehr. Weder Staatssekretäre noch Minister noch Lords. Die Briten halten sich für Demokraten, aber sie sind nur Konsumenten. Sie wählen oft nicht, und sie denken auch oft nicht. Die einzigen Leute, auf die es hier ankommt, sind die Superreichen, die Leute, die sich Fußballmannschaften und Privatjets und protzige Penthäuser an der Themse kaufen können. Wenn du Macht willst, musst du so reich werden wie die räuberischen Russen, die tyrannischen Araber, die Bauträger in Schanghai und die indischen Industriellen.

Deshalb, Ajit, werde ich das Vereinigte Königreich schröpfen. Das wird mich so reich machen wie diese Art von Leuten. Und um das zu erreichen, bin ich zu allem, zu absolut allem bereit, das getan werden muss. Die Welt ist geteilt in diejenigen, die träumen – oder schreiben –, und Männer der Tat. Also, Ajit, willst du immer noch weg?«

Die Sonne war jetzt ganz aufgegangen. Haydn stellte einen seiner kleinen Füße vor den anderen, drehte die Handfläche nach oben, als erwarte er Applaus, und verbeugte sich. Ajit war von diesen kleinen Händen wie hypnotisiert. Sie waren so klein und braun, so spitz zulaufend. Sie erinnerten eher an die Grabschaufeln eines Maulwurfs als an ein menschliches Wesen.

Aber er hatte seine eigenen Visionen. Haydn erschien ihm jetzt wie ein Monster aus einer Radierung von Blake, mit fleckigen Schwingen und lepröser Haut. Er erschauerte und dachte sich, dass er, sobald es ging, von hier fort und zurück nach London musste.

»Ja, Alois. Ich fürchte, ja.«

»Dann möchte ich dir noch einen Rat erteilen. Als Abschiedsgeschenk. Damit solltest du ein paar Millionen Pfund machen, sodass du für den Rest deines Lebens finanziell ausgesorgt hast.« Dann erklärte Haydn Ajit genau, wie er Optionen auf British Airways, British Aerospace und ein paar der großen Banken kaufen sollte. Er spekulierte darauf, dass Ajit der Versuchung von so leicht verdientem Geld nicht würde widerstehen können. Und wenn Sir Solomon Dundas und Charmian Locke recht behielten, würde man ihn sicher schnappen und für ein paar Jahre in einem der Gefängnisse Seiner Majestät sicher wegsperren. Danach würde keiner mehr etwas darauf geben, was ein verurteilter Betrüger behauptete.

Inzwischen waren sie beide schrecklich hungrig. In der Küche stand ein kleiner Campingkocher, auf dem der ahnungslose Ajit Eier mit Speck zubereitete. Das frugale Mahl spülten sie mit Armagnac hinunter, den sie aus Tumblern tranken. Danach ließ sich der immer noch nackte und plötzlich jung und verletzlich wirkende Haydn auf seinem Stuhl nach hinten sinken. Ajit strich mit einer Hand über seine Brust, zog an einem der Nippel und begann, ihn zu küssen. Eine Stunde später lagen sie befriedigt, tief schlafend, umschlungen – und viele Meilen voneinander entfernt – im Bett.

Um elf Uhr morgens summte ganz Danskin House schon vor Geschäftigkeit bei der Vorbereitung auf Olivia Kites finale Pressekonferenz vor dem Referendum. Wie Haydn richtig vermutet hatte, achtete keiner auf Aleksander. Er marschierte unverblümt in die Einfahrt, schloss den Bristol mit dem Schlüssel auf, den er aus Jens Handtasche genommen hatte, und versteckte sein Gewehr sowie etwas zusätzliche Munition unter dem Fahrersitz. Dann ging er ins Haus und immer zwei Stufen auf einmal nehmend nach oben in das Zimmer, wo sie Jen am Vorabend zurückgelassen hatten. Dank Olivias heißer Suppe schlief sie immer noch tief und fest und schnarchte dabei. Er weckte sie behutsam. Sie zuckte entsetzt und angewidert zurück, als sie die Augen aufschlug und ihn über sich stehen sah.

»Pscht, Mädchen«, sagte er und brachte ein Lächeln zustande. »Mrs Kite sagt, du sollst mit mir zurück nach London fahren. Hier wird es zu kompliziert.«

Jennifer versuchte zu protestieren, aber Aleksander legte sanft eine Hand über ihren Mund. »Nein, jetzt nicht, Mädchen. Ich werde deine Fragen im Auto beantworten. Jetzt musst du dich anziehen. Ich warte draußen, so ist es okay. Du musst leise mit mir runterkommen und keinen Lärm machen. Mrs Kite ist böse über uns beide.«

Erst als der Bristol, den Aleksander sehr schlecht fuhr, von der Hauptstraße zum Dorf abgebogen war und begann, über einen Weg mit tiefen Fahrrinnen in Richtung Sümpfe zu rumpeln und zu holpern, sprang Jens Verstand wieder an. Der Himmel war farblos. Ein schimmernder Dunst machte es schwer, irgendetwas außer Riedgrasbüscheln, den einen oder anderen Zaunpfahl und die Pfützen mit Brackwasser auf dem Weg zu erkennen. Geisterhaft waberten die Silhouetten von verkrüppelten Bäumen. Jen gefiel das alles nicht.

Alois Haydn hatte wieder recht gehabt. Die kleine Insel war von Lärm erfüllt. Häufiges Knacken und Krachen zeigte an, dass die Jäger auf Wildgeflügel unterwegs waren und in der suppigen Helligkeit ihre Ziele fanden. Als niemand in Sichtweite war, bog Aleksander von der Straße ab und bat Jen höflich, kurz auszusteigen. Sie fühlte sich wie ein Automat, schluckte ihre Angst hinunter, öffnete erst den Sicherheitsgurt, dann die Tür und stellte sich neben den Wagen. Ihre Knie zitterten. Ohne Hast und wortlos griff Aleksander unter seinen Sitz und holte das Gewehr hervor.

»Jetzt wirst du zu dem Graben dort gehen, nicht laufen. Keine Sorge, das Wasser ist nicht tief. Dort wirst du dich bitte hinknien. Es wird sehr schnell gehen.«

Schluchzend und keuchend, war Jen unfähig zu sprechen. Als sie sich in den Graben kauerte, merkte sie, wie das Wasser bis über ihre Knie reichte. Sie hörte ein metallisches Klicken. Es musste sehr laut gewesen sein, dachte sie, weil es das laute Hämmern in ihrem Kopf übertönte. Sie musste an Ned Parminter denken.

Aleksander stand breitbeinig und mit ausgestreckten Armen hinter ihr. Die kurzen Läufe des Gewehrs waren keine drei Zentimeter von Jens ungekämmtem Haar entfernt. Das, dachte er bei sich, war etwas, worin er gut war. Etwas, das er mochte.

Weit draußen auf der Nordsee hatte ein kleines Tiefdruckgebiet eine Turbulenz über dem Wasser erzeugt. Wellen kräuselten die Oberfläche. Die Böe überraschte einen Schiffskellner, der auf einer vorbeifahrenden Fähre gerade auf dem Weg zur Bar war. Als die federleichte Brise die triefnassen Ränder des Sumpfgebiets erreichte, hob sich der Dunst plötzlich.

Trevor Kampusch war schon sein ganzes Berufsleben lang Taxifahrer in London. Zwischen Barnet und Croydon gab es keinen Ort, den er nicht so gut gekannt hätte wie den Rücken seiner mit Leberflecken übersäten Hand. Er hasste es, hier draußen, wo Fuchs und Hase sich gute Nacht sagten, zu sein. Fünfzig Meilen von der nächsten Falafel entfernt. Er hatte für die alte Lady im Fond und ihren Kavalier getan, was er konnte, um dieses verdammte Haus zu finden, zu dem sie wollten, aber es gelang ihm einfach nicht.

Seine Passagiere waren von Beginn an sehr schweigsam gewesen. Er hatte gedacht, die alte Dame sei eingeschlafen. Aber tatsächlich dachte Myfanwy gründlich über ihre alten Fehler nach. Den unansehnlichen kleinen Jungen, den sie als Baby für den Gegenwert eines vierzehntägigen Romurlaubs verkauft hatte. Die kleinen Gewissensbisse erinnerten sie daran, wie sie selbst noch ein junges Mädchen gewesen war. Nun ja, vielleicht konnte sie noch etwas in Ordnung bringen. Dies würde ein Tag der Wahrheit werden.

Schließlich hatte sich die Gelegenheit, ein wenig mit Briskett zu klatschen und zu tratschen, als unwiderstehlich erwiesen. Sie hatte die Chance genutzt und dem eifrigen Zuhörer ihre Lebensgeschichte erzählt. Briskett war gebührend beeindruckt, als er erfuhr, wie viele Männer und Frauen, über die er im Laufe seiner Karriere geschrieben hatte, entweder ihre Liebhaber oder Freundinnen gewesen waren. Sie hatten sich über Minister und ehemals schneidige Offiziere unterhalten, über eigennützige Erinnerungen, Tagebücher und Sammlungen von Briefen, die noch nicht veröffentlicht waren. Sie sprachen auch von Jennifer und Ned Parminter. Das Ganze erwies sich als kurzweiliges Abenteuer. Keiner von beiden verspürte Gefahr, als sie sich Danskin House näherten.

Doch der Taxifahrer hatte sich wirklich komplett verfranzt. Sein Atlas lag aufgeschlagen neben ihm, aber dieses Straßengewirr konnte einen fast dazu bringen, sich ein Navigationsgerät zu wünschen. Während der Taxler fluchte und eine Wende in sieben Zügen versuchte, ohne in eine der heimtückisch wirkenden Lachen zu beiden Seiten des Weges zu geraten, starrte Lord Briskett nach draußen, ließ sein Fenster herunter und schrie: »Ned?«

Zweifellos stand da der geliebte Bristol seines Protegés, allerdings schlecht geparkt, schlammbespritzt und in gefährlicher Schräglage.

Aleksander hörte den Schrei, hielt inne und drehte sich um.

In diesem Moment bemerkte Lord Briskett das im Graben kauernde Mädchen, das eindeutig in Schwierigkeiten war. Er sprang aus dem Taxi und rannte auf Aleksander zu, der sich gerade aufrichtete und mit seinem Gewehr flugs in Richtung des elegant gekleideten Akademikers zielte.

»Hey, Sie! Was treiben Sie da?«, rief Briskett in seinem strengsten oxfordianischen Kommandoton. Das hätten seine letzten Worte sein können, aber auf seinen lederbesohlten Budapestern, die für das Pflaster der Großstadt perfekt waren, rutschte er auf dem Matsch aus und schlug der Länge nach hin, genau in dem Moment, als der Pole schoss und ihn nur um Zentimeter verfehlte. Der Schuss traf das Taxi.

Sofort ertönte ein anderes ebenso lautes Geräusch. Aleksander taumelte zurück, schaute an sich runter und staunte über ein ordentliches rundes Loch in seiner Schulter, aus dem das Blut nicht sickerte, sondern in kräftigem Strahl austrat. Sein Arm wurde gefühllos, und das Gewehr fiel vor seine Füße, bevor er selbst zusammensackte.

Neben dem Taxi erlebte derweil Myfanwy unter einem großen Fedora aus blauem Filz, den sie 1960 bei Liberty erstanden hatte, eine fast sexuelle Befriedigung, als sie auf das kleine Ding mit dem Ebenholzgriff in ihrer Hand schaute. »Das wollte ich schon immer einmal tun«, sagte sie zum Taxifahrer. »Ein göttliches Gefühl.«

DIE ZWEITE BOTSCHAFT

Sie ließen Aleksander neben der Straße liegen. Jen zitterte zwar heftig, konnte dem Taxifahrer aber den Weg nach Danskin House beschreiben. Sie saß mit Myfanwy hinten, während Briskett ihnen mit dem Bristol folgte. Jen konnte nicht schlüssig erklären, warum Aleksander sie hatte töten wollen, aber sie hatte das eindeutige Gefühl, in Gesellschaft sicherer zu sein. Myfanwy hörte ihrer Tochter mit seltener Zurückhaltung zu, dann fragte sie, was genau Jen Olivia Kite mitgeteilt hatte.

»Weißt du, Jennifer, Liebes«, sagte Myfanwy, »der liebe, kluge Lord Briskett hat herausgekriegt, dass der Premierminister tot war und dass es einen schrecklichen Schwindel gegeben hat, um das komplett zu verheimlichen. Offenbar helfen einige meiner Freunde in London tatsächlich dabei mit. Und so kostbar du auch bist, Liebling, es scheint sich doch kaum zu lohnen, dich wegen einer seltsamen Geschichte umzubringen, die sowieso kurz vor der Enthüllung steht. Also ist das noch nicht das Ende der Geschichte.«

Jen berichtete ihrer Mutter über die London Library und die Nachricht von Lucien McBryde. Die darin enthaltene Information wirkte wie ein immenser Knüller: »Aber das Komische war, als ich es Olivia erzählte, schien sie überhaupt nicht erstaunt. Was meinst du, wie sie es schon wissen konnte?«

Plötzlich fiel Jen McBrydes zweite Nachricht ein, auf die sie nur einen flüchtigen Blick geworfen hatte, als sie am Tag zuvor bei Olivia eingetroffen war. Es war die, die er – auch wenn sie das nicht wissen konnte – am Abend vor seinem Tod noch in der Weinbar Gordon's hastig hingekritzelt hatte. Sie war noch da. Klein zusammengefaltet in der hinteren Hosentasche ihrer Jeans. Sie fischte sie heraus, strich sie glatt und las sie zweimal aufmerksam durch. Dann reichte sie sie an Myfanwy weiter, die gerade lautstark mit dem Taxifahrer über das Recht, in seinem Wagen zu rauchen, debattierte. Auf dem Zettel stand:

Nachtrag
Jen, es gibt da eine kleine Verwicklung, die ich nicht ordentlich auflösen kann. In der Schule hat man uns immer beigebracht, alle W-Fragen zu beantworten – Wer? Was? Wann? Wo?
Aber das wichtigste W ist doch das Warum. Und das plagt mich seit meiner Unterhaltung gestern Abend mit Alois Haydn. Er war an der Verschwörung beteiligt. Also warum sollte er sie zerstören wollen? Und warum hat er ausgerechnet mir davon erzählt?

Das hat mir keine Ruhe gelassen. Also habe ich gerade einen alten Schulfreund gefragt, der früher in der City arbeitete, ob es möglich ist, dass Haydn auf irgendeine Weise davon profitiert, wenn er das Ergebnis des Referendums im Voraus kennt. Er konnte mir nicht viele Details nennen, aber er sagte, dass Haydn ein Heidengeld machen könnte. Ich müsste nur den richtigen Leuten die richtigen Fragen stellen, und dann würde mir alles klar. Ich weiß nicht, was genau er damit meint, aber ich schätze, Olivias Leute werden es wissen. Hoffe, das hilft. Ich glaube, ich liebe Dich immer noch.
Lucien xxx

»Und ob uns das hilft«, sagte Myfanwy. »Das ist das letzte Kapitel. Jetzt ergibt alles einen Sinn. Wenn Alois einen Finanzschwindel plant und Olivia Kite nichts davon erfahren soll, dann …« Sie holte tief Luft, verstummte dann und blickte hinaus auf die niedrigen Hecken, die die Straße Richtung Danskin House säumten.

»Es geht offensichtlich um Geld«, sagte sie nach einer Weile. »Alois führt irgendwas im Schilde, und er denkt, du könntest wissen, was. Ich vermute, er denkt, McBryde muss es dir erzählt haben. Was sein genaues Vorhaben angeht, so kenne ich genau den richtigen Mann, der wissen wird, wie man das herausbekommt. Aber anscheinend war Alois wirklich bereit, dich umlegen zu lassen. Das hätte ich ihm nie zugetraut, obwohl er schon sein ganzes Leben lang ein kleiner Fiesling ist.«

Sie gähnte. »Ich werde wohl ein Wörtchen mit ihm reden müssen.«

Als sie sich dem Haus näherten, war die Straße von zu beiden Seiten parkenden Fahrzeugen fast blockiert. Schwerfällige Kleinbusse der BBC für Außenübertragungen, geschmückt mit Antennen und Schüsseln, ein Minibus von Channel 4 und ein riesiger Umzugswagen mit dem Schriftzug »Sky News« standen zwischen zahlreiche Pkws gequetscht. Männer, die nur dazu da waren, schwarze Kabel abzuwickeln, taten eifrig genau das. Überhebliche Heranwachsende bellten in ihre Handys.

Lord Briskett bezahlte den immer noch grummelnden Taxifahrer und stürzte sich fröhlich ins Getümmel. Er hatte es nach kürzester Zeit herrlich. Schließlich kannte er fast alle politischen Chefberichterstatter mit Namen und war bald von einer Traube dunkler Sakkos umgeben, während er eifrig die sensationelle Neuigkeit verkündete, die Olivia Kite eigentlich erst im Rahmen ihrer Pressekonferenz zu enthüllen gedachte. Keiner glaubte ihm. Ihre skeptischen Mienen, die ziemlich unmissverständlich zeigten, dass sie ihn für verrückt hielten, amüsierten ihn nur noch mehr.

So tanzte er schon fast vor Freude, als Myfanwy ihn beiseitenahm, um ihm Lucien McBrydes zweite Nachricht zu zeigen. Er ignorierte ihren Vorschlag, einen ihrer zahlreichen Freunde zu kontaktieren, sondern rief sogleich Dame Cecily Morgan an. Sie gehörte zu den wenigen Menschen in London, die in der Lage waren, innerhalb von Minuten herauszufinden, was genau Alois Haydn getan hatte. Nach einem kurzen Telefonat mit einem verlegenen Sir Solomon Dundas, der alles gestand, rief Dame Cecily Briskett sofort zurück.

»Ich bin bestimmt keine Frau, die sich leicht schockieren lässt, aber er hat das ganze verdammte Land übervorteilt. Er glaubt, nachdem die Europagegner das Referendum gewonnen haben, wird Sterling in den Keller gehen. Der Schaden für London wäre immens. Und wir dachten die ganze Zeit, wir würden mit ihm zusammenarbeiten …«

Genau in diesem Moment strömte die Medienmeute, als hätte sie nur ein einziges Gehirn (was oft genug auch stimmt), durch die Tore und über den Rasen vor Danskin House: die ganze Horde aus Kameraleuten, Tontechnikern, Rechercheassistenten und Juniorreportern mit dem Auftrag, die besten Plätze für ihre Vorgesetzten freizuhalten. Hinter ihnen spazierten lässig die Chefberichterstatter und Fernsehmoderatoren. Es ist ja eine seltsame Tatsache, dass, während die Politik an Format und Bedeutung verliert, diejenigen, die lediglich über sie berichten, zunehmend großspuriger auftreten. Die Nachhut bildeten vier Trainees der BBC im Berufspraktikum, alle ungefähr Anfang zwanzig, die unter dem Gewicht einer Sänfte stöhnten, in der der politische Chefredakteur des Senders thronte.

Vor mehreren Reihen goldfarbenen Stühlen und einem Podest für die Kameras hatte Olivia Kites Team eine gut einen Meter hohe Bühne mit Union Jacks geschmückt. Dahinter hing vom oberen Stockwerk von Danskin House ein Transparent:

BRITANNIAS SCHANDE!

DIE GRÖSSTE LÜGE ALLER ZEITEN?

Auf der Bühne ein Dutzend wohlbekannter Gesichter – Schauspieler, Geschäftsleute und sogar der eine oder andere Politiker. In der Mitte der Bühne saß Olivia, die heute ihren üblichen schwarzen Hosenanzug gegen ein umwerfendes kobaltblaues Outfit mit dunkelroten Paspeln und eine weiße Rüschenbluse getauscht hatte. Zwar wirkte sie immer blass, aber nun war sie kreidebleich. Die dunklen

Augen blitzten, und ihr Mund leuchtete lasziv in Karminrot. Die Wirkung war wie ein Zusammenprall von Elizabeth I. und Lady Thatcher, aber zweifellos effektvoll. Neben ihr, klein, mausfarben und mit einem nervösen Grinsen im Gesicht, saß Alois Haydn.

Nachdem die Horde der Journalisten sich mit viel Ellbogeneinsatz und Gerangel um die besten Plätze endlich niedergelassen hatte, erblickte Olivia Jennifer Lewis, die hinter den Presseleuten zwischen Myfanwy Davies-Jones und Lord Briskett stand. Auch Alois Haydn hatte sie entdeckt und machte sogleich ein ausgesprochen unentspanntes Gesicht. Herrisch winkte Olivia Jen neben sich auf die Bühne. Das war ein brillanter Schachzug. Die Anwesenheit einer derangierten, dreckverkrusteten jungen Frau bestätigte den Eindruck, dass dies eine einzigartige Pressekonferenz werden würde.

In ihren dünnen Fingern hielt Olivia ohne ersichtlichen Grund eine Reitpeitsche. Damit hieb sie auf den Tisch vor sich, um die Veranstaltung zu eröffnen. Die Pressemeute zuckte kollektiv zusammen. Dann beugte sie sich zum Mikrofon vor.

»Seit nun fast einem Jahr, Ladies und Gentlemen, sage ich Ihnen, dass wir, das britische Volk, belogen wurden. (An dieser Stelle sauste die Gerte zur Betonung erneut nieder.) Man hat uns *belogen* (klatsch!), als Edward Heath uns erst einmal aufforderte, dem Gemeinsamen Markt beizutreten. Danach hat man uns bei *jeder neuen Wende* (drei Peitschenhiebe!) unter fast – aber nicht ganz – jedem folgenden Premier belogen: Als aus dem Markt eine Union und aus der Union ein Superstaat wurde. Daher werden meine Anschuldigungen wegen Betrugs gegen diese *erbärmliche* (schnalz!), *feige* (klatsch!), *unehrliche* (ein noch lauterer Knall, da nun der Tisch zu splittern begann), *ver-*

achtenswerte Regierung Sie wohl kaum überraschen. Heute jedoch wird die britische Bevölkerung endlich – und gerade noch rechtzeitig – erkennen, wie tief zu sinken diese Regierung bereit war, um den Menschen etwas vorzumachen.

Gestern erfuhr ich aus glaubwürdigen Quellen, dass der Premierminister – dem ich selbst jetzt noch meinen Tribut als tadellosem Diener seines Volkes und Ehrenmann zolle – vor fast einer Woche verstorben ist. Seine Reden, Interviews, öffentlichen Auftritte und seine Fernsehstatements seither waren lediglich Fake, bewerkstelligt durch eine Reihe kindischer Tricks. Das Land wurde also erneut belogen. Ich behaupte nun nicht, dies sei der Fehler des verstorbenen Premierministers, und fordere noch heute ein Staatsbegräbnis für einen Mann, der im Tode auf zynische Weise von kleinen Wichten missbraucht wurde …«

Der Rest von Olivia Kites fulminanter Rede, die in die Geschichte eingegangen ist und an englischen Gymnasien nach wie vor zum Lehrplan gehört, ist zu bekannt, als dass er hier wiederholt werden müsste. Sie war so überwältigt von ihrer Empörung und Eloquenz, dass sie völlig vergaß, Alois Haydn und seine Verstrickung in das Komplott zu erwähnen, aber ihre flammenden Worte wurden in voller Länge von allen Fernseh- und Radiostationen gesendet. Jede Zeitung widmete ihrer Rede am nächsten Tag ganze Seiten, unter anderem Kommentare, in denen die Journalisten erklärten, von Anfang an etwas in dieser Art vermutet zu haben. Reaktionen auf die Rede dominierten Witter noch nie da gewesene achtzig Stunden lang.

In den Büros von PLS in London standen die Telefone nicht mehr still und die E-Mail-Postfächer quollen über, weil Kunden nach Insider-Informationen gierten. Das Unternehmen war zwar bis zum Hals in einen nationalen – oder eigentlich sogar internationalen – Skandal verwickelt, aber nun hatte man es komplett übervorteilt. Wenn das Referendum gegen Europa ausging, dann konnte die Hälfte der Kunden riesige Summen abschreiben – und das waren ausgerechnet die Kunden, die PLS fürstlich dafür entlohnten, genau über solche Ereignisse bestens informiert zu sein.

General Sir Mike Patten versuchte, Baroness Tessie Fremantle zu beruhigen. Niemand, erklärte er ihr im Vertrauen, würde je von der Beteiligung der PLS an dieser verdammten Sache erfahren. Und außerdem sei es ja allem Aufruhr zum Trotz noch keineswegs sicher, dass die Abstimmung verloren sei. »Dieser Lazarus-Trick ist doch offen gestanden einfach zu bizarr. Wer würde heutzutage noch so etwas glauben?«

Dame Cecily Morgan hatte die Nase voll. Es war keine leichte Woche gewesen. Jetzt lehnte sie sich gegen die Kante ihres Schreibtischs, verzog den Mund und richtete ihren imposanten Busen genau auf den General a. D. »Ganz recht, Mike. Die ganze Sache ist schlicht unglaublich. Oh nein, das konnte hier einfach nicht passieren. Das wäre so meschugge wie – was? – zwei Brüder, die sich um die Führung der Labour Party streiten? Oder wie ein Ehepaar, das sich wegen eines geringfügigen Verkehrsdelikts gegenseitig in den Knast bringt? Oder wie zwei prominente Mitglieder der Conservative Party, die eine schwule Beziehung führen, während sie gleichzeitig die Werte traditioneller Familien verkünden? Oder wie ein Premier, der ein Verhältnis mit einer seiner Ministerinnen hat? … Durchgeknallt. Bekloppt. Das ist so behämmert, als würde man sich für einen ganzen Krieg rüsten und denken, keiner merkt's. Vollkommen verrückt. Nein, nein, so etwas könnte hier nie passieren. Die großartige britische Öffentlichkeit würde ihnen das einfach nicht durchgehen lassen. Ganz recht, Mike.« Nach diesen Worten stapfte Dame Cecily davon, um sich ein Bier zu besorgen.

In Essex waren die Journalisten, die man so gut darauf trainiert hatte, einfach alles zu glauben, was man ihnen erzählte, von der schieren Dimension der Geschichte, die Olivia Kite ihnen soeben serviert hatte, so erregt, dass sie alle sofort von Danskin House zurück zu ihren Redaktionsstuben in London rasten oder zu den Übertragungswagen, um weitere Bilder zu liefern. So verpassten sie allesamt den Rest der Geschichte, die erst begann, nachdem die Kameras abgeschaltet und die Kabel wieder ordentlich aufgerollt waren.

FRAUEN-WRESTLING

Duftwicken und Teerosen. Lavendel und frisch gemähter Rasen. Zitternd war Olivia Kite von der Bühne gestiegen und ging nun in einer Art postkoitalen Benommenheit durch den Garten zurück zu ihrer Bibliothek, als ein Schrei sie stehen bleiben ließ.

»Sie dumme Frau! Sie absolute Närrin!«

Olivia wirbelte herum. Myfanwy Davies-Jones stand breitbeinig da, das dunkelrot angelaufene Gesicht gekrönt von ihrem blauen Fedora-Hut. Ihre knallbunte Jacke mit Schottenkaros, die schmale walisische Gestalt und ihr giftgrüner Blick ließen sie weit bunter wirken als den Garten um sie herum.

Olivia sah genauso grellbunt und nicht weniger respekteinflößend aus. Im Schatten hinter ihr stand Alois Haydn. Hinter Myfanwy hatte sich mit dem schelmischen Ausdruck eines kleinen Jungen, der drauf und dran ist, seine erste Fensterscheibe zu zerschmettern, Lord Briskett aufgebaut. Es sah aus, als würden sich zwei weibliche Samurai mit ihren Dienern für einen Kampf auf Leben und Tod bereitmachen.

Olivia schwang ihre Reitpeitsche. »Ich weiß nicht, wer Sie sind. Jedenfalls sehen Sie aus wie Vivienne Westwoods besoffene ältere Schwester. Und ich weiß schon gar nicht, was Sie in meinem Garten zu suchen haben und warum Sie mir Unverschämtheiten an den Kopf werfen. Aber da es mein Haus ist, bestehe ich darauf, dass wir hineingehen. Was auch immer Sie mir sagen wollen, können Sie da drin erledigen.«

Drinnen sah Olivia sich nach irgendeinem Vorteil um, an den sie sich klammern konnte. Sie entschied sich für einen Sessel vor dem Kamin und setzte sich mit steifem Rücken darauf.

Myfanwy lief mit großen Schritten durch den Raum und blieb drohend vor ihr stehen. Die Stimme, mit der sie dann sprach, klang jedoch fast sanft. »Mrs Kite, Sie müssen wissen, dass ich eine Dame von Welt bin. Und dass Sie manipuliert wurden wie eine hilflose Marionette, von diesem Mann da.« Mit einem verächtlichen Fingerzeig deutete sie auf Alois Haydn. »Er hat schon seit Tagen Ihre Fäden in der Hand und lässt Sie daran tanzen. Selbst wenn Sie dieses Referendum gewinnen sollten, wird es ein Pyrrhus-Sieg sein. Befleckt vom Gestank nach Korruption und noch dazu, Mrs Kite, nach Vaterlandsverrat.«

Selbst die größten Fans ihrer Romane mussten zugeben, dass Myfanwy Davies-Jones ein Faible fürs Pompöse hatte.

»Jetzt hören Sie mir mal zu, Sie verrückte alte Schabracke«, erwiderte Olivia. »Der Verrat liegt allein bei der Gegenseite. Lügen. Bestechung. Amtsmissbrauch. Das einzige Vergehen, das Mr Haydn sich hat zuschulden kommen lassen, besteht darin, dass er noch rechtzeitig zur Besinnung gekommen ist und dafür gesorgt hat, dass das britische Volk die Wahrheit erfährt.«

Lord Briskett trat vor und verschränkte die Arme, um mehr Autorität auszustrahlen. Typisch Oxford. »Miss Davies-Jones hier ist eine der allerbesten Schriftstellerinnen, die unsere Britischen Inseln je gesehen haben, und seit vielen Jahren eine gute Freundin von mir. Und Mrs Kite, sie hat vollkommen recht. Ich habe eindeutige Beweise dafür, dass Ihr Freund Mr Haydn eine sagenhafte Menge Geld darauf gesetzt hat, dass morgen mit ›Nein‹ abgestimmt wird. Er hat das getan, indem er auf die Währung Großbritanniens spekulierte. Falls das ein Geheimnis sein sollte, inzwischen spricht es sich bereits herum. Schon jetzt haben andere Spekulanten nachgezogen. Die Auswirkung dieser Geschäfte und des Referendums auf das Vertrauen in die City, um nicht zu sagen auf die gesamte britische Wirtschaft, zu diesem äußerst heiklen und schwierigen Zeitpunkt wird katastrophal sein. Und dieser Mann hier ist dafür verantwortlich. Er ist ein korrupter, zwielichtiger kleiner Schädling.«

Myfanwy übernahm wieder. »Für Alois war es wichtig, dass Sie gewinnen, also lieferte er Ihnen die Munition für den Sieg – aber nur, um sich selbst auf die verachtenswerteste Weise zu bereichern. Ich stehe seinem Ansinnen, stinkreich zu werden, nicht einmal besonders feindselig gegenüber, aber ich muss meinen Protest einlegen, wenn er versucht, seine eigene Schwester ermorden zu lassen, die doch nur ein harmloses Mädchen ist, damit sie seine Pläne nicht verrät.«

»Seine Schwester?«, sagte Olivia.

»Meine Schwester?«, echote Alois mit bebender Stimme.

Da erinnerte Myfanwy sich schlagartig an ihre Pistole, holte sie aus der Handtasche und fuchtelte damit in Haydns Richtung. Gleichzeitig richtete sie sich zu ihren ganzen 152 Zentimetern auf.

»Ich lese in dir wie in einem offenen Buch, Alois. Das konnte ich schon immer. Seit deinem ersten Erscheinen – so nass und rosa und scheußlich, wie du damals warst, aber nun bist du noch schlimmer. Ja, mir ist durchaus bewusst, dass das ein Schock für dich sein muss, aber ich kann dir versichern, dass ich mich ernstlich dafür schäme, deine Mutter zu sein.«

ABER WO IST NED?

Lord Briskett, Myfanwy Davies-Jones und Jennifer Lewis zogen schwankend, aber siegreich von dannen. Und zwar ins Gasthaus Chelmsford Arms, das vollmundig seine »durchgehend warme Küche« anpries. Drei Mikrowellengerichte erklärten die Prahlerei, begleitet von drei großen Gläsern unsäglichen Weins. Doch die Atmosphäre rund um den ramponierten Holztisch war gemütlich und beruhigend.

Wobei, so gemütlich war sie doch wieder nicht. Lord Briskett hatte noch nicht nach Ned Parminter gefragt. Aber das würde er sicher bald tun. Jen spürte, dass sie ihm eine Erklärung schuldete.

Nach einem Seitenblick voller neuem Respekt auf ihre Mutter kam sie zu dem Schluss, dass sie und ihr Boyfriend mit der Wahrheit zurechtkommen würden.

»Sie müssen sich fragen, was mit Ned passiert ist«, begann sie zögernd, tauchte eine Fingerspitze in ihren Wein und zeichnete damit Kreise auf die Tischplatte. »Nun, er war hinter mir her, wissen Sie. Ich war auch ziemlich scharf auf ihn. Aber ich fürchte, ich habe Panik gekriegt. Ich kenne ihn ja nicht sehr gut, und weil mir alles andere so komisch vorkam und ich nicht wusste, wer überhaupt auf wessen Seite steht, da erschien es mir einfach als das Beste, ihm eins auf den Kopf zu geben. Ich habe ihn etwa vierzig Meilen von hier an der Straße bei ein paar Bäumen zurückgelassen. Ich denke, es wird ihm schon wieder gut gehen. Abgesehen davon, dass er heute bestimmt Kopfweh hat.«

Briskett nahm diese Neuigkeit nicht gut auf. Dieses Mädchen kam offensichtlich stärker nach seiner Mutter, als irgendjemand von ihnen sich das gedacht hätte. Ned Parminter war, bei all seinen exzentrischen Vorlieben, ein netter und weltfremder Kerl sowie ein guter Wissenschaftler. Abgesehen von allem anderen besaß er viele Notizen, die Briskett brauchen würde, wenn er sich daranmachte, eine umfassende Geschichte des Referendums zu schreiben. Brisketts Sorge und Irritation wurden deutlich, als er seinen Entschluss verkündete, sich sofort auf die Suche nach seinem Assistenten zu begeben. Myfanwy befürwortete den Schlag auf Neds Kopf klar und vermutete, dass er sicher längst per Anhalter nach Danskin House oder noch wahrscheinlicher: zurück nach London gefahren sei.

»Ich bin für heute kaputt«, fügte sie noch hinzu. »Keine weiteren Eskapaden mehr für mich.«

Gleichzeitig unterhielten sich in einem Schlafzimmer im dritten Stock des Turmes in der Mitte von Danskin House Olivia Kite und Alois Haydn. Die Fensterläden standen offen, und die üppigen Düfte aus dem Garten wehten herein.

Alois hatte angenommen, ihre Interessen wären im Einklang, da sie doch beide denselben Ausgang des Referendums wünschten. Doch Olivia war eine gelehrige Schülerin, was die neuen Medien anging, von Witter über die Website *Pirate* bis hin zum auferstandenen *Independent*. Sie wusste, dass sie die Aufdeckung umfangreicher Spekulationen gegen das Pfund aus ihrem innersten Zirkel niemals mehr loswürde – so wie Gordon Brown den Verkauf der Goldreserven des Landes oder Tony Blair die Verstrickung mit Bernie Ecclestone. Sie hatte Alois alle Möglichkeiten geschildert, wie seine Zockerei übertrieben, missbilligt und ihr in die Schuhe geschoben werden würde.

»Du kannst doch keine Kampagne führen, um es besser zu machen, und dann Geld darauf setzen, dass es allen viel schlechter ergehen wird, du halbwalisischer Trottel. Du kannst nicht versprechen, die Leute zu retten, und ihnen gleichzeitig ihre Zukunft stehlen. Das ist ein absolutes politisches Desaster. Ich sollte dich in den Staub treten.«

Doch ihre Stimme klang leidenschaftslos. Beide wussten, dass es dafür zu spät war. Wenn die britische Bevölkerung dafür stimmte, Europa zu verlassen, dann würde Alois über die Maßen reich werden – und über die Maßen nützlich. Und inzwischen war es zu spät, als dass noch irgendjemand das hätte verhindern können. Schlauer Alois, dachte sie. Und doch kein Ausländer, sondern absolut der Sohn seiner Mutter.

Vor dieser Unterhaltung, die in Olivias Bett stattfand, hatte Alois Haydn unter einer gewissen Seelenpein gelitten. Sein ganzes Leben lang hatte sein Selbstwertgefühl auf Einzelgängertum, Freiheit und Unabhängigkeit basiert. Von Kindheit an hatte er gewusst, dass er kein geborener Haydn war, sondern diese exotische und begabte Familie ihn unter mysteriösen Umständen aufgenommen hatte, über die sein Adoptivvater Ludwig Mises-Berlin Haydn nie ein Wort verlor. Als Kind hatte er über seine wahre Herkunft fantasiert. Camille und Liddell hatten ihn nur sarkastisch »Bruder« genannt, aber er hatte sich schließlich als Waise und als selbstbestimmter Autor seines eigenen Schicksals gesehen. Zu diesem Zeitpunkt seines Lebens zu erfahren, dass er nicht nur kein Waisenjunge, sondern eng verwandt mit dieser lächerlichen Frau und diesem schrecklichen Mädchen war, daran vermochte er keinen Gefallen zu finden.

Er verspürte keinerlei Familiensinn. Nachdem Myfanwy, Jen und Briskett weg waren, hatte er sich fast eine Stunde lang in Olivias Badezimmer zurückgezogen. Dort verwöhnte er sich mit teuren Salben, aalte sich in warmem Wasser und duftenden Ölen. Seinen eigenen Körper zu massieren, die Finger auf sein Gesicht zu drücken und mit ihnen durch sein Haar zu fahren – das, nun ja, rötlich, wenn auch nicht so rot wie Jennifers oder goldbraun wie das von Myfanwy war –, half ihm langsam, sich zu beruhigen.

Schließlich begann er, wieder taktisch zu denken. Wo war Aleksander, und konnte er sich darauf verlassen, dass er den Mund hielt? Würde Jen ihren eigenen Bruder, der er ja nun war, anzeigen? Sicher nicht – nachdem sie wusste, dass er einen Zeugen hatte, der sie in ihrem verrückten Moment mit dem Schraubenschlüssel am Straßenrand beobachtet hatte. Das brachte ihn wieder auf Aleksander und seine Rolle Klebeband. Aber nichts war unrettbar. Nachdem Alois sich abgetrocknet und frische Kleider angezogen hatte und drauf und dran war, das Badezimmer zu verlassen, war er schon fast wieder optimistisch.

Seine Stimmung änderte sich allerdings in dem Augenblick, als er die Tür öffnete und Olivia mit nichts als einem kurzen schwarzen Seidenkimono bekleidet vor ihm stand. »Ich werde dich in den Staub drücken. Ich werde dich zum Weinen bringen. Und danach werde ich dich vögeln«, verkündete die nächste Erste Ministerin des Vereinigten und Unabhängigen Königreichs von Großbritannien. »Also folge mir«, fügte sie hinzu, machte auf der Stelle kehrt und ging über eine Wendeltreppe vor ihm her aufs Dach.

Alois kannte die Geschichte von Sir Rufus Panzers Spaziergang und war daher halbwegs gefasst auf das, was dann kam. In der Tat marschierte Olivia mit auffliegendem Kimono und barfuß über die ganze Länge der Mauer. Am Ende angekommen, drehte sie sich ohne zu wackeln um und winkte ihm. Er holte einmal tief Luft, wandte den Blick nicht von ihren Augen und stürzte, beschützt von den Geistern der Vergangenheit Danskins, nicht.

Über das Wesen des Deals, den die beiden eingingen, erst auf der Mauer und danach im luxuriösen Satin von Olivias Bett, sollte von Journalisten, Politikern und Historikern noch viele Jahre lang spekuliert werden. Damals wurde eine Dynastie gegründet, von der man eines Tages, ohne Ironie, in einem Atemzug wie von den Marlborough-Churchills oder den Pitts sprechen würde. Auf seine Weise sollte der Pakt den Verlauf der britischen Geschichte genauso beeinflussen wie jeder andere Westminster-Pakt. Die Ehe zwischen nationalistischer Politik und City-Reichtum begann an jenem Tag in Danskin House.

DER MANN AUS DEM MOOR

Ajit Gupta hatte blutrünstige Sportarten stets verabscheut. Daher reagierte er ziemlich ungehalten, als zwei einheimische Wildgeflügeljäger an die Tür hämmerten, während er in Rocks Point gerade seine Sachen packte. Die beiden steckten in billigen Imitationen von Tarnanzügen des Militärs und trugen Waffen unter den Armen. Aus Taschen, die sie sich um die Brust geschnallt hatten, ragten Bündel aus blutigen Federn.

Der Ältere der beiden, Bill Whiteford, der sich einen Tag von seinem Schreibtischjob in Chelmsford freigenommen hatte, griff mit entsetzter Miene nach Ajits Hand.

»Sie müssen uns helfen«, sagte er eindringlich. »Da draußen im Moor geht etwas Schreckliches um, und es hat den Weg hierher eingeschlagen.«

Eindeutig konnte man durch den Pesthauch eine massige, schlurfende Gestalt erkennen, die auf das Haus zukam. Sie war von Kopf bis Fuß mit Schlamm und Blut verschmiert. Das Gesicht war maskenhaft. Langsam hob das Ding einen Arm und zeigte geradeaus. Die Jäger drückten sich verängstigt an die Wand.

»Gupta«, sagte Aleksander. »Wir müssen reden.«

ES IST NICHT VORBEI

In den Redaktionsräumen des *National Courier* grub Ken Cooper sich die Fingerspitzen in die Kopfhaut, um so vielleicht die Story über Lucien McBryde aus dem Kopf zu kriegen. Sie lenkte ihn einfach zu sehr ab. Er war emotional zu stark darin verwickelt.

Und die Dinge änderten sich ja schrecklich schnell, quasi minütlich. Die Enthüllung vom Hinscheiden des Premierministers war die größte politische Story Großbritanniens in der Moderne – spektakulärer als der Sturz Thatchers, als Blair und der Irak. Die Sender mit Nachrichten rund um die Uhr zeigten Olivia Kite fast in Dauerschleife. Alle paar Minuten tauchte sie auf dem Bildschirm auf. Inzwischen war mit dem üblichen Sinn für Theater die Polizei in Number 10 eingetroffen. Gerade rechtzeitig für die Frühausgaben der Zeitungen von morgen. Laut Aussage des politischen Berichterstatters der BBC, der vor der berühmten Haustür stand, behandelte die Polizei zum ersten Mal in der Geschichte Number 10 »erstaunlicherweise als gewöhnlichen Tatort«.

Und tatsächlich waren weit mehr Polizisten in Downing Street als üblich, und sie wirkten auch weniger ehrerbietig. Der Kommunikationsreferent des verstorbenen PM, Nelson Fraser, wurde mit blassem Gesicht, aber sehr geradem Rücken aus der Haustür geführt. Er hatte schützend einen Arm um Amanda Andrews gelegt, die jedoch dreist genug war, den sie beobachtenden Kameras eine Kusshand zuzuwerfen. Ein Mannschaftswagen der Polizei erwartete sie. Dann beugte Ken sich auf seinem Stuhl vor und gab einen so heftigen und eigentlich längst vergessenen Kraftausdruck von sich, dass er sogar selbst erschrak. Denn hinter Amanda und Fraser führte die Polizei den Fraktionschef Ronnie Ashe und den Außenminister Jason Latimer hinaus. Beide trugen Handschellen.

Erst nachdem die Polizeiwagen mit ihren prominenten Gefangenen abgefahren waren, wurde das Downing-Street-Rednerpult herausgetragen und zwei Schritte vor dem Metallgitter aufgestellt, hinter das die Weltpresse und die Rundfunkleute verbannt waren. Nach einer langen Pause kam eine neue Gestalt aus Number 10. Der Finanzminister Jo Johnson war vierzehn Tage lang nicht in London zu sehen gewesen, weil er die Pro-Europa-Kampagne in Wales und dem West Country geleitet hatte. Jetzt trat er vor die Mikrofone und bestätigte offiziell den Tod des Premierministers, der, wie er es formulierte, »einige Tage her« sei, aber »illegal und auf unanständige Weise« vertuscht worden war. Auch vor ihm selbst.

Sogar sein eigenes Büro in Downing Street hätten sich, wie er sagte, unbekannte Personen angeeignet, von denen einige offenbar über Insider-Wissen bezüglich der Arbeitsweise von Whitehall verfügten. Die Polizei ermittle, aber mysteriöserweise schienen diese Leute kaum Spuren hinterlassen zu haben. Der verstorbene Premier würde, wie von Olivia Kite großmütig vorgeschlagen, ein Staatsbegräbnis erhalten. Außerdem sollte es eine vollkommen unabhängige Untersuchung der jüngsten bedauerlichen Ereignisse geben, deren Sitzungen allesamt öffentlich sein würden. Lord Aaronovitch habe bereits eingewilligt, deren Leitung zu übernehmen. Innerhalb von sieben Jahren würde man die Ergebnisse vorlegen.

Johnson fügte hinzu, dass auf Anraten des Justizministers Mr Alois Haydn, der von Beginn an in die Vertuschung verwickelt war, nicht strafrechtlich verfolgt würde, da er unschätzbar wertvolle Informationen an Mrs Kite weitergeleitet habe, die zur Enthüllung des Komplotts geführt hatten, bevor noch größerer Schaden angerichtet werden konnte.

Ken Coopers Bildredakteur, der sich ebenfalls gerade den Gang der Ereignisse in Downing Street angesehen hatte, klopfte an die Tür seines Chefs und trat ein. Nach so langjähriger Zusammenarbeit dachten die beiden Männer mehr oder weniger das Gleiche.

»Titelseite wegschmeißen, Boss?«

»Jawoll. Ich will vier verdammte Schnappschüsse, einen von jedem dieser Bastarde.«

Die Bilder würden die Titelseite zieren und in ihrem Ausdruck von Jason Latimers stiller Würde bis zu Amanda Andrews' schäkerndem Grinsen reichen. Darunter die aus einem einzigen Wort bestehende Überschrift, die Cooper persönlich skizzierte. Er arbeitete mit seinen ersten Ideen nach wie vor gern auf Papier: VERRÄTER.

Wie jeder Zeitungsredakteur weiß, sind Titelseiten leicht zu gestalten, wenn die Story wirklich groß ist. Das quälende Problem sind dann allerdings die abgelehnten Alternativen, die eine radikal andere Botschaft vermittelt hätten. Cooper war nicht zufrieden, außerdem erstaunte und ärgerte ihn die Vermutung, dass Alois Haydn ungeschoren davonkommen würde. Immerhin versprach die Story vom »Nest der Verräter« noch mehr Erkenntnisse. Und Cooper wusste, wenn man zwischen Trauer und Wut wählen kann, sollte man jedes Mal die Wut nehmen.

Er ging einen Kompromiss ein, indem er ein Bild des verstorbenen Premierministers auf die untere Hälfte der Titelseite stellte und dazu einen umfassenden Nachruf, den Lucy Scadding und das Kommentatorenteam in halsbrecherischer Geschwindigkeit verfasst hatten. Er verwies auf das lange Ringen des PM, um einen brauchbaren Deal über ein schlankeres und demokratischeres Europa mit den Deutschen, den Holländern und anderen Ländern aus dem Norden auszukämpfen. Dann waren da noch sein zutiefst enttäuschender Gipfel in Paris und nicht zu vergessen seine leidenschaftlichen Reden. Ein separater Artikel stellte die Frage, ob sein anscheinend unschlagbarer letzter Fernsehspot nicht mehr als ein geschickter Fake gewesen war. Es gab Fotos von ihm aus früheren Jahren: von seiner Anfangszeit bei der Navy, seinem Erfolg bei einer Nachwahl und seiner Rolle als Juniorminister in mehreren aufeinanderfolgenden Kabinetten. Dem unzuverlässigen Journalisten, der für die Tagebuchkolumne zuständig war, wurde ein spitzer kleiner Artikel über seine gescheiterte

Ehe erlaubt. Der grundsätzliche Ton war jedoch geprägt von Bewunderung, Trauer und Verehrung.

Als Ken später am Abend die frühen Ausgaben der Konkurrenten des *Courier* durchblätterte, war er erleichtert zu sehen, dass keinem ganz klar gewesen war, welche Linie man vertreten sollte. Weder *Sun* noch *Mirror* wollten sich von der bevorstehenden Abstimmung ablenken lassen: »Wählen Sie ›Nein‹ für Britannien« und »Wählen Sie ›Ja‹ für Britannien«, tönten sie. Die *Times* brachte ein Bild von Olivia Kite, auf dem sie als moderne Elisabeth I. in ihrer ganzen Macht dargestellt war, dazu ein ironischer Artikel von Matthew Parris. Der *Guardian* lieferte eine komplexe Story, die zu suggerieren schien, dass die Downing-Street-Verschwörung von der CIA inszeniert worden war und der Premier vielleicht ermordet worden war, weil er sich gegen Guántanamo Bay ausgesprochen hatte. Der *Daily Telegraph* veröffentlichte das Foto einer wunderschönen jungen Frau, die nicht wusste, wie sie abstimmen – und anscheinend auch nicht, wie sie ihren BH zumachen – sollte. Der *Independent* brachte eine Story über ein Flüchtlingslager in Thailand.

Nur die *Daily Mail* lieferte eine Titelseite, die Ken ein wenig neidisch machte. Unter einem Foto, das Jason Latimer mit besonders leidender Miene zeigte, stand die Überschrift: »Der Dolchstoß«. Im dazugehörigen Artikel von Simon Heffer stand, dass Latimer bereit gewesen sei, sein Land und seinen Premierminister zu betrügen, um sich die Möglichkeit zu sichern, selbst nach der Macht zu greifen. Nur indem sie mit einem »Nein« gegen die EU stimmen würden, könnten britische Bürger diesem Mann ihre Verachtung zeigen. Oben auf der Titelseite spekulierte Liz Jones darüber, ob Amanda Andrews in ihrem Alter noch einen so kurzen Rock tragen sollte.

Ken wusste, dass das Zeitalter der Tageszeitungen zu Ende ging. Aber die Blogosphäre, Witter und die wichtigsten Politik-Websites waren in ihren Reaktionen ebenso gespalten. Trolle quasselten, was sie am liebsten mit Amanda Andrews oder Olivia Kite anstellen würden. Verschwörungstheoretiker fühlten sich bestätigt vom Auftauchen Alois Haydns an der Seite Kites auf der Pressekonferenz – was hatte das zu bedeuten? »Fusseliger blauer Haferkeks«, der einflussreichste rechtsgerichtete Blogger wetterte gegen die allgemeine Ansicht, Millionen von Leuten könnten, nur um dem verschiedenen Premierminister die Ehre zu erweisen, für Europa stimmen. Dem schlossen sich nur wenige an. Die meisten Kommentatoren vertraten die Meinung, dass die Verschwörung Beweis für die antidemokratischen Tendenzen im proeuropäischen Lager sei und ein »Nein« daher noch dringender geboten.

13

Donnerstag, 21. September
Tag des Referendums

DER AUFSTIEG VON LORD CROAKER

Der Regen vom frühen Morgen war vorbei, und die Sonne trocknete bereits das Gras im Garten von Number 10, als Alois Haydn sich einen Liegestuhl nach draußen brachte und sich an einer Stelle niederließ, wo er durch eine hohe Mauer vor neugierigen Blicken geschützt war. Die Rutsche und die Kinderschaukel, die David Cameron mitgebracht hatte, waren noch da, sahen inzwischen aber schon etwas ramponiert aus. Die Polizei, die sich lärmend wichtiggemacht hatte, war wieder weg. Endlich herrschte Ruhe.

Er drehte sich um und schaute zu den Fenstern der Wohnung hinauf, in der der Premierminister zerlegt worden war. Nachdem er von Olivia, die Telefonate zu erledigen hatte, gestern am frühen Abend nach London zurückgeschickt worden war, hatte Haydn sich direkt dorthin begeben. Als er in die Privaträume schlich, hatte er dort den Außenminister angetroffen, der nicht überrascht wirkte, ihn zu sehen, und ausgesprochen freundlich gewesen war. Er, der Fraktionsführer und die meisten anderen hatten gewusst, dass das Spiel vorbei war, sobald sie Olivia Kites Pressekonferenz gesehen hatten. Sie waren sich unsicher über Haydns genaue Rolle, aber alle hatten ihn auf der Bühne neben Olivia gesehen und ihre eigenen Schlussfolgerungen daraus gezogen. Es war vielleicht ein wenig kränkend, dass sie allesamt angenommen hatten, er hätte einfach die Seiten gewechselt, als klarwurde, welche das Referendum gewinnen würde. War er es, der das Geheimnis verraten hatte? … Aber egal, es spielte jetzt sowieso keine Rolle mehr.

Nur Amanda Andrews, die persönliche Streiterin für den Premierminister, war sichtlich verärgert gewesen, Haydn zu sehen. Mit roten, tränenverschmierten Augen hatte sie ihn bei den Schultern gepackt und mit beiden Händen geschüttelt. »Du verdammter kleiner Verräter. Du schuldest ihm zumindest ein anständiges Ende. Wo ist sein Kopf?«

Das war eine berechtigte Frage.

»Amanda, der Kopf wurde für den letzten Fernsehspot verwendet. Es sah doch wirklich so aus, als wäre der PM zugegen und würde zu uns allen sprechen. Ein paar Computerspezialisten konnten ihn gut verwenden, und es hat ziemlich ordentlich funktioniert. Das hätte er mit Sicherheit auch gewollt. Aber ich werde dafür sorgen, dass er vor dem Begräbnis an Sie zurückgeht.«

Haydn stellte fest, dass er sogar hier, in der Höhle des Löwen, vollkommen ruhig und ungerührt war. Nach all den Jahren, in denen er beschwichtigt, beteuert und geschmeichelt hatte, war er nun endlich in Sicherheit. Olivia hatte ein gutes Wort beim Justizminister eingelegt. Jen war am Leben. Aleksander verschwunden. Die McBryde-Sache blieb ein ungelöstes Rätsel, und er selbst hatte mit seinen Finanzgeschäften kein Gesetz gebrochen. Er würde reich werden und als Figur hinter der Interimspremierministerin eine so bedeutende Macht im Land darstellen wie Sir Stuart Mountstewart of Danskin House am Hofe von James II.

Er hatte ein unerfreuliches Telefongespräch mit Myfanwy geführt – »Wage es bloß nicht, mich ›Mummy‹ zu nennen, du schleimige Kröte« –, die ihm bestätigt hatte, dass er der Sohn und vermutlich auch der Erbe von Lord Croaker war. Damit hatte er gute Chancen auf einen Sitz im Oberhaus. Die Papiere, um seine Herkunft zu beweisen, befanden sich seit Jahren in der Hand ihrer Anwälte. Reich, von Adel und eng befreundet mit der Premierministerin. Gar nicht so übel.

Haydn streckte sich wie eine Katze und genoss die Morgensonne. Er dachte an ihre Auseinandersetzung auf der Mauer von Danskin House zurück und daran, wie er die Nerven bewahrt hatte. Auf der Horse Guards Parade probte eine Militärkapelle. Er war dem König noch nicht vorgestellt worden, aber das konnte nicht mehr lange dauern. Dann würde er würdevoll auftreten, sich nur ganz leicht verbeugen und nicht allzu beeindruckt sein. Er lächelte in sich hinein. So ein Happy End war ganz nach seinem Geschmack.

DIE NATION ENTSCHEIDET

Der Zulauf zur Wahl war von Anfang an groß, trotz des leichten Sommerregens, der noch vor dem Morgengrauen vom Kontinent herübergeweht kam. Landauf, landab hatten die Menschen über Olivia Kites Rede und die Verhaftungen in London diskutiert. Hartgesottene Europhile fanden, Kite habe durchgeknallt gewirkt und müsste die Leute abschrecken. Aber die verbreitetste Reaktion war Ekel vor und Ungläubigkeit angesichts der Vertuschung des Todes des Premierministers.

Sehr geläufig war der Eindruck, das politische Establishment habe sich schon immer so benommen, sobald sich ihm die Chance dazu bot, und müsse daher bestraft werden. Ein Votum gegen Europa sei ein Votum gegen Karrierepolitiker, gegen die Sorte Mensch, die in Downing Street konspiriert hatte. Es gab auch viel echte Trauer um den verschiedenen PM. Man hatte ihm auf eine Weise vertraut, ja, ihn sogar geliebt, wie es nur sehr wenigen seiner Vorgänger beschieden gewesen war. Irgendwie hatte er mit seinem Gewicht, seinem faltigen Gesicht und den unmodernen Anzügen Millionen von Briten an die Generation ihrer Großeltern erinnert – solidere, ernsthaftere Menschen als sie selbst. Aber ob so oder so, viele Millionen Wahlberechtigte empfanden an diesem Morgen die alte, vielgeschmähte Pflicht zur Ausübung ihres demokratischen Rechts dringlicher als sonst.

In jedem Wahllokal von den Shetlandinseln bis nach Cornwall waren die rivalisierenden Trupps der Wahlwerber erstaunt und erfreut von der schieren Menge der Menschen, die sich dort einfanden. Der Anlass hatte alle großen Parteien gespalten, also standen nur Sozialisten, Liberale und Konservative einträchtig nebeneinander, notierten Namen, hakten Adressen ab und trugen die gleichen Rosetten – rot-weiß-blaue für die Unabhängigkeit oder blau-goldene für eine europäische Zukunft.

Fern von London, in seinem im Wahlbezirk angemieteten Haus mit Rauhputz, hatte Peter Collingwood ein paar schwierige Tage hinter sich. Nach dem Aufmunterungsanruf des Fraktionschefs hatte er den ganzen Rest seiner politischen Courage zusammengenommen, den Vorsteher seines Wahlbezirks angerufen und ihm gesagt, er würde mit dem Premierminister für die Fortsetzung der britischen Mitgliedschaft in der EU stimmen. Er verstehe die

Argumente für einen Rückzug, doch dies sei für ihn eine Frage der persönlichen Ehre. Danach steckte er sich ein blau-goldenes Abzeichen an seinen Cardigan.

Eine Stunde später hatte ein halbes Dutzend seiner eifrigsten Parteisoldaten bei ihm auf der Matte gestanden: die unerschütterlichen guten Seelen, die an Türen klopften, Broschüren kopierten, Briefe adressierten und ihn zuverlässig mit Kaffee oder einem Brandy erwarteten, wenn er sich die Hacken abgelaufen hatte und verfroren nach Hause kam. Keiner von ihnen war ihm ernstlich böse, doch alle waren enttäuscht, verstimmt und desillusioniert. Sie erklärten, dass sie nicht mehr für ihn arbeiten würden. Bei dem feuchten, traurigen kleinen Leichenschmaus, der dann folgte, hatte Peter Collingwood über das Ende seiner politischen Karriere nachgesonnen. Es war vorbei.

Als er seine Frau in London anrief, um ihr die schlechte Neuigkeit mitzuteilen, erwiderte sie brüsk: »Na schön. Warum kreuzt du dann nicht mal wieder hier zu Hause auf und sammelst einfach ein paar Erfahrungen im Menschsein?«

Doch stattdessen war Collingwood im Wahlkreis geblieben. Trauernd, nachts schlaflos und tagsüber die Zeitungen durchforstend.

Nachdem er Olivia Kites Pressekonferenz gesehen hatte, begriff er allerdings sofort, dass sich damit alles geändert hatte – und auch er sich danach richten musste. Wie so viele Abgeordnete überall im Land erlaubte auch er sich in diesem Moment, die schwerwiegenden und komplizierten Fragen der Ökonomie und des nationalen Schicksals wegschwimmen und im hinteren Bereich seines Verstandes herumdümpeln zu lassen, während er sich die einzige Frage stellte, die jetzt wirklich zählte: »Ist es zu spät? Kann ich würdevoll genug zurückrudern, um mich ihnen anzuschließen und vielleicht sogar mein Mandat behalten?« Der Fraktionschef, das war nun klar, hatte ihn belogen, was bedeutete, dass er auch nicht mehr an sein Ehrenwort gebunden war. In einem sehr erregten Telefonat teilte er seinem Wahlkreisvorstand mit, er würde sein Votum ändern und hoffe, die unerfreulichen letzten Tage könnten rasch vergessen werden. Flugs wurde eine rot-weiß-blaue Rosette angesteckt.

All seine wichtigen Parteisoldaten kehrten zu ihm zurück, bis auf eine Ärztin, die vorher zu ihm gestanden hatte und ihm nun ins Gesicht sagte, sie halte ihn für rückgratlos. Das Referendum fiel in seinem Wahlbezirk sehr deutlich gegen die EU aus, und der Druck auf ihn ließ nach. Er würde bei der nächsten Parlamentswahl wiedergewählt werden, wenn auch mit einer kleineren Mehrheit.

Aber irgendwie hatte er selbst lange nach diesem Ereignis noch das Gefühl, man habe seine Kehrtwende nie vergessen und einige Leute würden hinter seinem Rücken über ihn lachen. Und von Olivia Kite hatte er nie viel Anerkennung für seinen Gesinnungswandel bekommen. Als er einige Jahre später am Frühstückstisch über seine abgewürgte politische Karriere lamentierte, trat seine Tochter hinter ihn, massierte ihm den Nacken und meinte: »Armer Daddy, einmal der Volltrottel, immer der Volltrottel.«

Die sensationellen Neuigkeiten aus Westminster hatten aber natürlich nicht alle anderen Überlegungen beseitigt. Wähler hatten sich bemüht, für sich selbst zu übersetzen, was die Europa-Entscheidung für ihr eigenes Leben bedeuten mochte. Metzger träumten davon, traditionelle Würste und Fleischstücke zu verkaufen, ohne sich um die Richtlinien und Inspektoren der EU Gedanken machen zu müssen. Hausbesitzer, bei denen schon mal eingebrochen worden war, wünschten sich mehr Polizei. Und viele Leute stimmten insgeheim dagegen, um »die« draußen zu halten. Andere, die an ihre Ferien in Frankreich oder die deutschen Eigentümer ihrer Unternehmen dachten, wählten für eine berechenbarere Zukunft. Wieder andere sorgten sich nach wie vor wegen der tektonischen Verschiebungen auf dem Kontinent und fragten sich, ob sie oder ihre Kinder vielleicht eines Tages noch mal in den Krieg ziehen müssten; sie entschieden, lieber im Zelt zu bleiben.

Alles, was es dazu zu sagen gab, war gesagt worden, endlos, in jedem verfügbaren Medium. In Wahrheit wusste keiner, was die Zukunft bringen würde, aber dieses eine Mal musste jeder, nicht nur die geisterhaften Gestalten in Westminster, eine Entscheidung treffen. Aus beiden Lagern standen die Menschen bei den Wahllokalen Schlange, fröstelten und bemerkten mit gewissem Stolz ihre Gänsehaut. Nach sehr langer Zeit schrieb die Bevölkerung Großbritanniens wieder Geschichte.

Unter die Befürworter der einen oder anderen Position mischte sich auch eine kleine Armee, ausgerüstet mit Klemmbrettern und elektronischen Zählgeräten. Diese Leute berieten sich und führten Telefonate im Flüsterton. Das Fußvolk der Umfrageinstitute sammelte harte Fakten, kreuzte Kästchen an und schickte genügend Nachrichten für eine Story, einen Bericht, der am frühen Nachmittag Gestalt anzunehmen begann. Diese Geschichte würde um die Welt gehen.

14

Freitag, 22. September
Tag eins nach dem Referendum

DIE GEBURTSSTUNDE EINER FREIEN NATION?

Das Pfund fiel in den Keller. In München verbrannten Mitglieder einer rechtsgerichteten Partei Union Jacks. In Paris wurden britischen Paaren trotz ihrer Reservierung in den teuersten Restaurants Tische verweigert. Britische Botschaften überall schlossen ihre Tore und zogen schlaffe Trauerbeflaggung auf.

In Coventry wurde das Management des Autokonzerns Frankfurt-Italia mit faulem Obst beworfen und eine Serie von 7er-BMWs von den Arbeitern umgeworfen, nachdem der Vorstand die Schließung der Fabrik »aufgrund der gegenwärtigen großen politischen Unsicherheit« verkündet hatte. Imame in Birmingham, Rabbis in Manchester, Priester in Liverpool und Bischöfe in East Anglia riefen zu Besonnenheit auf. In Edinburgh saß man das Ganze mit verschränkten Armen aus und rechnete die eigenen Chancen durch. Auf Schloss Windsor zupfte der König nervös an seinen Manschetten.

In der Vorstadt dagegen – fast in allen Vorstädten, egal wo – herrschte Jubel. Pubs blieben lange geöffnet, und die Leute zündeten sich zur Feier des Tages drinnen Zigaretten an. Verblasste Wimpel vom Thronjubiläum waren von Dachböden und aus Kellerschränken geholt und über Rauhputz- und Klinkerfassaden gehängt worden. Nachbarn strömten auf die Straße, anstatt sich das Geschehen von zu Hause aus im Fernsehen anzuschauen. Es schien ein Tag zu sein, der Anwesenheit, Nähe und sogar Gespräche erforderte. Die milde Spätsommerluft roch heute anders. Auch das Licht fiel auf ungewohnte Weise schräg in die Fenster. Britannien war »frei«.

Olivia Kite durchquerte mit klackernden Absätzen die leere Members' Lobby im House of Commons. Stumm und starr vor Erstaunen beobachteten Winston, Lloyd George, Margaret und Clem, wie sie vom Flur der Bibliothek zum Büro des Fraktionschefs ging. Man würde Olivia Kite nie mehr allein sehen. Zumindest die Bevölkerung Großbritanniens nicht. Von nun an wäre sie von PR-Beratern und Spindoctors, von Kommunikationschefs, Privatsekretären, Geheimpolizisten, politischen Referenten und all den anderen Hofschranzen der Macht umgeben, den flügelschlagenden Möwen, die dem Staatsschiff folgten und von den stinkenden Abfällen lebten, die man ihnen zuwarf. Weit oben, grau und unheilbringend, würde der räuberische Alois Haydn kreisen.

Ronnie Ashe, der gegen Kaution freigelassen worden war, erwartete sie im Büro des Fraktionsführers. Er sinnierte über die Trümmer seiner eigenen Hoffnungen. Nicht in Form von Symbolen oder Worten, sondern auf dem Fußboden und jeder verfügbaren freien Fläche: ein Gewirr aus Plastikbehältern für Sandwiches, Pizzaschachteln, leeren Wein- und Bierflaschen, abgelegten Krawatten, mit Zahlen oder unterstrichenen Namen bekritzelte Papierfetzen, ein vergessenes Savile-Row-Sakko und zwei liegengebliebene iPads. Sie hätten es, bei Gott, beinahe geschafft. Sie waren so nah dran gewesen. Hätte da nicht Alois Haydn dazwischengefunkt …

Alle anderen waren nach Hause gegangen, auf die jetzt stillen Straßen hinausgestolpert, und hatten sich wie Untote gefühlt, als sie zu ihren Apartments im West End und in Flussnähe wankten. Für sich selbst, dachte Ronnie, konnte er mit offenem Strafvollzug rechnen. Für wie lange? Er war ja kein junger Mann mehr. In der Hoffnung, dass Olivia insgeheim ein Wort für ihn einlegte, zerrte er seine ohnehin bereits gelockerte Krawatte noch etwas weiter von seinem Hals weg und befeuchtete sich die Lippen mit der Zunge, als er sie kommen hörte.

An der Canary Wharf hatten die Lichter in den Büros von Barclays Wealth, Raworth & Reid sowie Peabody-Swiss die ganze Nacht hindurch gebrannt. Marcus Dutieux mit seinen 35 Millionen Pfund Gehalt, dem 100-Millionen-Bonus und seinem über einem neuen Flügel der National Portrait Gallery eingemeißelten Namen, seinem Townhouse in Chelsea und seinem neogotischen Sommerhaus auf Long Island, seiner nervösen Frau und seinen besorgten Töchtern war bereits weg. Fertig. Fort. Sein Vorstand, Sir Sandy Pitcairn, hatte ihn um drei Uhr morgens angerufen. Das Gespräch war höflich im Ton, aber kurz gewesen.

Drüben bei Peabody hatte es einen Tumult gegeben, mit lauten Stimmen und gemurmelten Drohungen, aber am Ende hatte das ganze Übernahmeteam der Firma hingeschmissen. Neue Männer waren aus bis dahin obskuren Abteilungen und Unternehmensbereichen am Rande der City geholt worden. Von Berkhamsted bis Richmond, von Highgate bis Notting Hill warteten Limousinen vor Häusern, in denen untersetzte Herren mittleren Alters sich eilig anzogen, verwirrte Kinder zur Ruhe mahnten und ihren Ehefrauen versprachen, anzurufen, sobald es ginge. John Peabody, für seine Freunde »Pug«, war wieder da. Er hatte das Relocation-Team nach Frankfurt geführt. Am Himmel über London zischten große Geldfontänen mit Hilfe elektronischer Jetstreams in alle Richtungen und verschwanden hinter dem Horizont.

In Washington war es nach einer Dringlichkeitssitzung im State Department nun im Oval Office, das mehr von einem Salon aus dem 19. Jahrhundert hatte als vom modernen Büro einer Führungskraft, brechend voll. Als da waren: der Außenminister, der CIA-Chef, ein Team aus dem Pentagon, Alberto Fournier von der US-Notenbank, ein ehemaliger Botschafter am Hof von St James … und all die anderen üblichen Verdächtigen, die an einem historischen Moment teilhaben wollten. Die Präsidentin, immer noch verwirrt, weil es ihr nicht möglich gewesen war, ihrem alten Freund, dem Premierminister von Großbritannien, eine Kondolenzbotschaft zu übermitteln, überflog ein paar Notizen, die man ihr eilig für den Anruf bei Olivia Kite zusammengeschrieben hatte.

Danach würden noch weitere Telefonate folgen, allerdings in sehr unterschiedlichem Ton. Mit Brüssel, Berlin, Paris und Rom. Ihr gegenwärtiger Botschafter in London war auf den Bildschirmen für den Conference-Call gewesen, aber aus seinem unzusammenhängenden Gestammel war man nicht schlau geworden. Die Präsidentin dachte bei sich, da erfährt man ja bei der *Huffington Post* und der *The Beast*-Serie mehr. Immerhin hatten sie richtig abgestimmt.

Hinter der mit Stahl verkleideten Fassade der *Courier*-Redaktion in Holborn arbeitete nur noch die Nachtschicht und schrieb Geschichten für die Gratiszeitung der Pendler und für obsessiv politisch Interessierte mit Schlafstörungen auf Twitter. Ohne Ken Coopers Flut von Schimpfwörtern wirkten die Räume farblos und apathisch.

In Downing Street selbst war nur noch eine Katze unterwegs. Die Wohnung des Premiers war verwaist. Jede Spur von seiner Amtszeit – die Fotografien, Kleidung, Pokale, Lieblingsbilder – war bereits entfernt, einiges von der Polizei, das meiste von einer diskreten Firma für Einlagerungen. Aber nur fast jede Spur: Seine Hände, die so viele andere geschüttelt, so viele Reden entworfen und so viele Abkommen unterzeichnet hatten, lagen vergessen im Gefrierfach. Unten im Privatbüro fragte sich ein einsamer Sekretär für den Terminkalender, warum Francis Fieldfare seine Nachrichten nicht beantwortete. Computerbildschirme leuchteten sanft.

Epilog

Montag, 9. Oktober

Francis Fieldfare lag fest in einen Union Jack gewickelt im Premierminister-Sarg. Ein passendes Ende für einen so beispielhaften Staatsdiener. Neben ihm hatte noch ein rundes Bündel Platz gefunden, genau genommen eine Einkaufstasche von Waitrose. Alois Haydn hatte sein Versprechen Amanda gegenüber gehalten und dafür gesorgt, dass der Inhalt zurückkam. Fieldfare und der Kopf seines ehemaligen Chefs würden unter einer kleinen Gedenktafel im Fußboden von Westminster Abbey ihre letzte Ruhestätte finden. Eine Exhumierung war hier natürlich undenkbar.

Die Beisetzung war ein großes politisches Ereignis. Unter Hunderten Trauergästen konnte man Alois Haydn entdecken, Anwärter auf den Titel Lord Croaker und sehr ernst und gemessen. Außerdem Arm in Arm Myfanwy Davies-Jones und Lord Briskett mit Zylinder. Ken Cooper machte ein grimmiges Gesicht. Er freute sich nicht gerade auf den Gottesdienst, umgeben von so vielen Ratten, Nervensägen und anderem Kroppzeug. Seine Anwesenheit hatte allerdings auch gewisse Bedeutung, denn sie sorgte dafür, dass ein zwergenhafter indischer Gentleman und ein riesenhafter einarmiger Pole, die ihn in der Redaktion aufsuchen wollten, höflich fortgeschickt wurden.

Inzwischen stand in der schweigenden anonymen Menge auf den umliegenden Straßen ein schlaksiger, bärtiger

Mann, der zusammenzuckte, als Olivia Kite im Fond einer Staatskarosse vorbeifuhr. Doch Ned Parminter konnte sie nirgends einordnen. Sein Kopf schmerzte nach wie vor. Insgesamt hatte er Glück gehabt. Lord Briskett hatte ihn bei sich aufgenommen, nachdem der Schriftsteller Ajit Gupta ihn im Dorf herumirrend entdeckt hatte. Er konnte sprechen und gehen. Aber er erinnerte sich an nichts und wusste daher auch nichts. Irgendwann würde ihm das noch eine neue Karriere, und zwar im Hausfrauenfernsehen, ermöglichen.

In England kann der Herbst eine Zeit der Erneuerung sein – der Oktober bringt die Wiedergeburt des Intellekts, Erfrischung für den Geist, weil dann der Mief, das Grelle und die Benommenheit der heißen Monate verfliegen.

Irgendwo in Wiltshire ging Jennifer Lewis spazieren. Ihre Schuhe waren vom Tau schon ganz durchgeweicht. Unter ihr erstreckten sich am südlichen Steilhang des Ridgeway brachliegende Felder in grellem Grün und braune gepflügte mit Kalkflecken, auf denen bald das Wintergetreide sprießen würde. Rundherum standen kleine Gruppen von Buchen, unter denen sich rätselhafte Erdhügel verbargen. Befestigungen. Siedlungen. Kultstätten. Altes England. Aber ihre Gedanken waren bei der jüngeren Geschichte.

Ihr ganzes Leben lang hatte sie nach Möglichkeiten gesucht, um geliebt zu werden. Als kleiner Wandervogel Jenny; als der wandernde Taler; als kalte, kühle, kluge June. Aber keine davon war wirklich sie selbst gewesen.

Am Vorabend hatte sie den gleichen Spaziergang mit Lord Briskett unternommen, der ihr etwas über den Ridgeway und das England, für das er stand, erzählen wollte. Aber am Ende war seine unerschöpfliche Eloquenz von ihrer untröstlichen Miene bezwungen worden. Sie waren eine Zeitlang schweigend weitergewandert.

»Die Wahl deiner Mutter, Kindchen. Das war dein erster Fehler«, sagte er schließlich.

Jen hatte nur geächzt.

»Versteh mich nicht falsch. Ich liebe sie. Sie ist aufregend und bringt mich zum Lachen. Das Leben ist einfach bunter, wann immer Myfanwy mit von der Partie ist. Aber Liebes, du musst dir mit ihr die am wenigsten mütterliche Frau im ganzen Land ausgesucht haben.«

»Sie war ja nie wirklich meine Mutter. In meiner Vorstellung habe ich sie nie so bezeichnet.«

Briskett rieb sich sein langes Kinn. »Dann warst du also auf der Jagd, nicht wahr? Aber du hast in der falschen Ecke gejagt. Was mag dich bloß dazu gebracht haben, dich ausgerechnet Olivia Kite anzudienen? Genauso gut hättest du darauf hoffen können, von Königin Elisabeth I. gestillt zu werden.«

»Oder von Heerführerin Boudicca«, erwiderte Jen. »Aber ja, da hast du recht. Ich bin auf der Suche nach einer schützenden Umarmung nach Danskin House gerast. Und das hätte mich fast das Leben gekostet.«

»Das war wirklich sehr knapp, stimmt. Es ist eine der ironischsten Wendungen dieser ganzen Geschichte, dass deine eigene Mutter mithalf, dich zu retten, oder? Das kommt einem Happy End schon ziemlich nah.«

Jen sah nicht glücklich aus. Sondern verfroren und verletzlich.

»Aber dann habe ich das über Alois Haydn erfahren.«

»Ja. Dein neuer Halbbruder stellte sich als der Liebhaber deiner falschen Mutter heraus«, schnaubte Briskett. »Das ist lachhaft. Wie in einem wirklich verrückten Shakespeare-Stück. Etwas aus *Cymbeline*.« Er hatte gelacht.

Und sie musste ebenfalls lachen. Irgendwann würde sie beginnen müssen, über Lucien McBryde nachzudenken – eher ein Sozialfall mit gebrochenen Flügeln als ein richtiger Lover – und natürlich über Ned Parminter. Aber jetzt war nicht der richtige Moment dafür. Briskett legte einen Arm um sie, während das letzte Tageslicht um sie herum schwand.

»Suppe«, sagte er. »Und Brandy.«

Am nächsten Morgen wachte Jen so früh auf wie die Lerchen, vorausgesetzt, dass es hier überhaupt noch Lerchen gab, und ging zum Spazieren in die Hügel.

Der Wind frischte auf und sie fröstelte. Streifen von Himmelblau waren zu sehen, wurden jedoch von schnell dahinziehenden Wolken wieder verdeckt. Sie bemerkte eine dünne Rauchsäule, die aus der grauen Ansammlung von Gebäuden unten im Tal aufstieg. Briskett musste den Kaminrost gereinigt und ein morgendliches Feuer angezündet haben. Sie stellte sich vor, sie könnte das brennende Holz riechen, und hatte plötzlich Hunger auf Frühstück. Myfanwy würde noch im Bett liegen, sich verbissen ihre ersten Zigaretten des Tages reinziehen, während ihre Bettdecke unter zerknitterten Seiten der *Financial Times* verschwand. Aber Lord Briskett hatte alles im Griff, während seine mageren Waden unter dem feinen samtenen Morgenrock hervorschauten und frische Eier für Rührei vorbereitet waren. Sie stellte sich vor, wie er mit einem Finger über die Rücken seiner geliebten Bücher strich, die in fast jedem Teil des Hauses wie eine ungeduldig drängelnde Menge bereitstanden, während er sich für einen weiteren Tag der Arbeit an seinem Meisterwerk rüstete. Er liebte es, sich, wie er sagte, *einzuarbeiten*, mit ein wenig Gibbon oder Jorrocks oder Winterson oder was ihm sonst in die Hände fiel.

Die Sonne war inzwischen ganz aufgegangen, auch wenn die Temperatur noch niedrig war. Die Hecken, zwischen denen sie zurück zur Farm gelangen würde, glänzten wie Kupfer und Gold. Es würde ein prachtvoller Herbst werden. Jen begann, den Hügel hinunterzuspazieren. Sie genoss die Kälte auf ihrem Gesicht und nahm den Weg, den Lord Briskett ihr gezeigt hatte. Es würde Kaffee und Toast geben und das Versprechen auf einen Tag mit guter Arbeit. Sie hatte zwei Mütter und zwei Lover verloren – was man zumindest als schlechte Organisation bezeichnen konnte. Doch sie hatte einen Vater gefunden, wie sie sich selbst versicherte. Einen gütigen, klugen Mann. Und einen mutigen. Das hatte er in Essex bewiesen.

Sie würden alle in einem neuen Land leben. Darin würde weniger Geld zirkulieren, das stand fest. Aber all das Geld, mit dem früher nur so um sich geworfen worden war, hatte die Briten ja weder glücklicher noch patenter gemacht, oder? Nun bekamen sie die Chance zu einem Neubeginn. Wie Trevor und sie bei einem langen Regenspaziergang den Hügel hinauf am Vorabend beredet hatten, war nun eine Bande von Gaunern am Werk. Aber Trevor hatte sie darauf hingewiesen, dass in der britischen Geschichte zu jeder Zeit eine beträchtliche Anzahl von Gaunern am Werk gewesen war. Der Unterschied diesmal bestand allerdings darin, dass sie und er etwas dagegen unternehmen konnten.

Jen blieb neben einem glitzernden Gebüsch aus Johannisbeersträuchern stehen, strich sich die Haare aus dem Gesicht und sagte laut: »Ned, Ned, Ned. Falls du mich hören kannst, es tut mir so leid.« Denn der arme Ned Parminter würde Trevor keine große Hilfe sein, während sein riesiges Manuskript weiterwuchs. Jen fühlte sich besonders schuldig, weil nun sie diejenige war, die ihm assistierte und die Lücken in seinen Kenntnissen über die erfolgreiche »Nein«-Kampagne mit Informationen aus erster Hand schloss. Sie konnte sich jedoch die Freude darüber, dass sie doch ein wenig von der literarischen Begabung ihrer Mutter geerbt zu haben schien, nicht verkneifen.

Sie durchquerte den Küchengarten, stapfte sich die Erde von den Schuhen, band ihre Schnürsenkel auf und tappte mit feuchten Socken über die Kokosmatte auf die glatten, sauberen Fliesen. Natürlich standen ein Korb mit Toast auf dem kleinen runden Frühstückstisch und eine Kanne Kaffee auf dem Herd. Lord Briskett bereitete gerade ein Tablett vor, das er hinauftragen wollte. Ein kleiner Becher Kaffee, ein gekochtes Ei und ein ungeöffnetes Päckchen Camel-Zigaretten. »Sie ist nicht gerade eine starke Esserin, deine alte Mum, was? Zumindest nicht früh am Morgen.«

Als er zurückkam, setzten sie sich und schwiegen einträchtig. Sie nahm sich die *Daily Mail*, die in ihrer Titelschlagzeile fragte: »Hat Britannien die meisten fiesen Männer?« (Die Antwort lautet nein.) Er las den *Guardian*, der neue Beweise dafür hatte, dass die CIA, von Hedgefonds finanziert, hinter der Ermordung des Premierministers steckte, und zwar als Teil einer Verschwörung, um die Europäische Union zu schwächen.

Nach einer Weile gähnte Briskett, legte seine Zeitung beiseite und sagte: »Meine Liebe, es läuft übrigens, wenn man das große Ganze betrachtet, absolut wunderbar. Ich habe mir deine letzten Sachen angesehen, und weißt du, wir haben da eine sensationelle Geschichte zu erzählen, auch wenn sie nicht ins Programm der Presse passt. Als Erstes habe ich mal mit Ed Victor gesprochen.«

»Mit Ed wem?«

»Ach, jetzt komm. Der literarische Agent. In den Staaten wichtig und hier sogar noch wichtiger. Er besitzt anscheinend drei Bentleys, einen für jede Küste. Er vertritt Nigella, Matthew Parris, Ben Macintyre …«

»Na schön, Trevor, das reicht. Ich bin beeindruckt. Und er will dich?«

»Er sagt, es wird uns ein Vermögen bescheren, mein Schatz. Mit deiner Hilfe werde ich anscheinend zum Dan Brown der Weltgeschichte.«

»Hmm. Du klingst nicht so erfreut, wie du eigentlich sein solltest.«

»Nun, Jen. Wir haben da ein paar Probleme. Wie viel wollen wir tatsächlich aufdecken? Wenn wir jedes Detail preisgeben, erzielen wir das sensationellste Buch. Aber dann kommen die Anwälte mit den Verleumdungsklagen. Ich schätze, wenn man umsichtig ist, kommt man mit ihnen klar. Aber da ist zudem noch die wichtigere Frage der Glaubwürdigkeit. Wenn man es sich recht überlegt, ist die ganze Geschichte doch einfach zu lächerlich. Doch damit kann ich leben. Wir haben auch noch das Thema Kontakte. Vielleicht möchtest du deine alte Chefin nie wiedersehen, oder deinen Halbbruder und seine Kumpanen. Aber ich bin nicht scharf darauf, ausgerechnet zu einer Zeit, in der wir die spannendste neue Regierung der britischen Nachkriegsgeschichte haben, in der Kälte draußen ausgesperrt zu sein.«

Briskett stand auf, ging hinüber zum Wäschekorb und holte sich ein paar hellrote Wollsocken. Trotz des Feuers zog es kühl.

»Das wird eine so faszinierende Zeit werden, und wir stecken im ewigen Journalistendilemma – bleiben wir in den führenden Kreisen, reden wir weiter mit diesen Leuten und bekommen so weitere Storys? Oder zünden wir unsere Brücken an und ziehen uns aus dem Schlachtgetümmel zurück?«

Da knarrte die Treppe. Myfanwy begann endlich ihren Tag.

»Das ist überhaupt kein Problem, Herzchen«, sagte sie. »Mach einen Roman draus. Das ist ein viel größerer Spaß.«

Bill Stevenson war ein vorbildlicher Diener des Staates. Ob man mit ihm einer Meinung war oder nicht, er präsentierte seine Argumente fair und mit bewundernswerter Leidenschaft. Engagiert in Debatten, erwies er sich jedoch seinen Gegnern gegenüber im Persönlichen stets großzügig. Auch wenn die schändlichen Ereignisse der Tage vor dem Referendum im letzten Monat und das Scheitern seiner persönlichen Hoffnungen in Bezug auf das Ergebnis des Votums die Erinnerung an ihn im Moment trüben, wird die Geschichte letztlich wohlwollend über ihn urteilen.

Gestern erwies der Bischof von London dem ehemaligen Premierminister im Rahmen eines Gottesdienstes in Westminster Abbey die letzte Ehre. Seine Majestät der König sowie der Herzog und die Herzogin von Cambridge führten die Trauergemeinde an. Der deutsche Kanzler David McAllister und der französische Präsident Nicolas Sarkozy gehörten zu den zahlreichen ausländischen Würdenträgern. Die neue Premierministerin, Mrs Olivia Kite, und der Großteil des Kabinetts waren ebenfalls zugegen. Menschenmassen säumten die Straßen von Westminster, als der Trauerzug die kurze Strecke von der Downing Street zurücklegte.

Mr Stevenson hinterlässt ein Land, das dafür gestimmt hat, seine nationale Souveränität zurückzufordern, in gefährlicher Verfassung. Er selbst wäre darüber sicher-

lich entsetzt gewesen. In seinem letzten Interview mit uns sagte er: »Mein Alptraum ist, dass sie dumm genug sind, es zu tun. Das größte Problem der Demokratie war schon immer das Wahlvolk.« Aber lassen Sie uns niemals vergessen, dass er derjenige war, der dem britischen Volk das Recht gab, über dieses entscheidende Thema abzustimmen. Wir können nicht glauben, dass er die dreiste Verschwörung, ebendieses Volk nach seinem Tod zur Unzeit zu hintergehen, gutgeheißen hätte. Dafür war er schließlich und endlich zu sehr Staatsmann.

National Courier,
London, Dienstag, 10. Oktober 2017

VEIT ETZOLD

TODESDEAL

THRILLER

In jedem Handy steckt ein Stückchen Kongo: Im afrikanischen Kongo wütet seit Jahrzehnten ein grausamer Krieg. Es ist der Kampf um kostbare Rohstoffe, die in jedem digitalen Gerät auf der Welt stecken.

Für seinen ersten großen Rechercheauftrag reist der junge Journalist Martin in den Kongo. Kurz nach seiner Ankunft wird er von Milizen eines Warlords als Geisel genommen und kämpft um sein Leben. Zu spät stellt er fest, dass auch er nur Verhandlungsmasse in einem internationalen Schachspiel ist, in dem die Rohstoffverteilung für das 21. Jahrhundert festgelegt wird.

»Brandheißes Thema!
Für mich der Polit-Thriller des Jahres.«
Andreas Eschbach